QUAESTIONES DISPUTATAE

Begründet von
KARL RAHNER UND HEINRICH SCHLIER

Herausgegeben von
PETER HÜNERMANN UND RUDOLF SCHNACKENBURG

156

ANERKENNUNG DER ANDEREN

Internationaler Marken und Titelschutz: Editiones Herder, Basel

ANERKENNUNG DER ANDEREN

EINE THEOLOGISCHE GRUNDDIMENSION INTERKULTURELLER KOMMUNIKATION

EDMUND ARENS
BÉNÉZET BUJO
ENRIQUE DUSSEL
MATTHEW L. LAMB
THOMAS PRÖPPER
ROBERT J. SCHREITER
PAOLO SUESS

HERAUSGEGEBEN VON
EDMUND ARENS

HERDER

FREIBURG · BASEL · WIEN

Helmut Peukert
zum 60sten Geburtstag

Die Deutsche Bibliothek – CIP Einheitsaufnahme

Anerkennung der Anderen : eine theologische
Grunddimension interkultureller Kommunikation;
[Helmut Peukert zum 60sten Geburtstag]/Edmund
Arens, Hrsg. von Edmund Arens – Freiburg im
Breisgau ; Basel ; Wien ; Herder, 1995
    (Quaestiones disputatae ; 156)
    ISBN 3-451-02156-0
NE: Arens, Edmund ; Peukert, Helmut: Festschrift;
GT

Texterfassung und Reproduktionsvorlage durch den Herausgeber

Inhalt

Vorwort..7

I
Robert J. Schreiter
Theorie und Praxis interkultureller Kommunikations-
kompetenz in der Theologie......................................9

II
Bénézet Bujo
Anamnetische Solidarität und afrikanisches Ahnendenken..........31

III
Paulo Suess
Über die Unfähigkeit der Einen, sich der Andern zu erinnern......64

IV
Thomas Pröpper
Autonomie und Solidarität. Begründungsprobleme
sozialethischer Verpflichtung....................................95

V
Enrique Dussel
Die Priorität der Befreiungsethik gegenüber
der Diskursethik..113

VI
Edmund Arens
Konturen einer praktischen Religionstheorie....................138

VII
Matthew L. Lamb
Kommunikative Praxis, die Offenheit der Geschichte und
die Dialektik von Gemeinschaft und Herrschaft..................167

Edmund Arens
Helmut Peukert im Gespräch
Eine bibliographische Übersicht................................193

Vorwort

Die Theologie ist derzeit dabei, sich ihrer interkulturellen Konstitution und Dimensionen bewußt zu werden. Sie entdeckt, daß es im interkulturellen Diskurs auch und gerade um theologische Grundfragen und -perspektiven geht. In einer einerseits global und interdependent gewordenen, andererseits sozio-ökonomisch gespaltenen und kulturell von den Einen dominierten Welt wächst auch unter Theologen die Erkenntnis, daß die Anerkennung der Anderen zu einer Herausforderung für alle geworden ist. Sie erfordert zugleich eine interkulturell kompetente Reflexion und interkulturelle Kommunikation wie eine auf die Anderen zugehende, kommunikative Praxis.

Die im vorliegenden Band gesammelten Beiträge stellen sich den Aufgaben einer interkulturell aufmerksamen Theologie. Sie arbeiten heraus, daß und wie religiöse Traditionen und philosophisch-theologische Reflexionen in die anstehenden Diskussionen um interkulturelle Kommunikation und Anerkennung eingreifen und ihre eigenen Ressourcen darin einbringen können. Aus nordamerikanischer und afrikanischer, aus lateinamerikanischer und europäischer Perspektive zeigen die Autoren Potentiale auf, die die kommunikativ-religiöse Praxis der Erinnerung und der Verständigung, der Gemeinschaft und der Solidarität in unterschiedlichen kulturellen Kontexten bereithält, sowie Perspektiven, die sie zur Schaffung interkultureller Kommunikation, Kritik und Anerkennung bereitstellt.

Mein Dank gilt allen, die am Zustandekommen des Bandes beteiligt waren, den Autoren für ihre Texte, dem Verlag Herder für sein Interesse und dessen Lektor Dr. Peter Suchla für seinen gewohnt engagierten Einsatz. Den Herausgebern danke ich für die Aufnahme in die Reihe "Quaestiones disputatae", Prof. Dr. Peter Hünermann zugleich für hilfreiche Hinweise. Matthias Woiwode und Winfried Werner (Tübingen) haben mich in vielfacher Hinsicht unterstützt und mir nicht nur computertechnisch sehr geholfen. Bei ihnen bedanke ich mich dafür herzlich.

Ein Buch, das interkulturelle Kommunikationskompetenz, Anamnese und Ahnendenken, die Notwendigkeit und Unfähigkeit des Erinnerns, die Beziehung von Autonomie und Solidarität, das Verhältnis von Befreiungs- und Diskursethik, eine praktische Religionstheorie sowie die Relevanz kommunikativer Praxis angesichts der Dialektik von Herrschaft und Gemeinschaft zur Sprache bringt, ist wie geschaffen dazu, einen Gelehrten zu ehren, der im Gespräch mit den Humanwissenschaften und der Philosophie eine Theologie kommunikativen Handelns entwickelt hat, die sich eben diesen Fragen interdisziplinär aufmerksam und im Rückgriff auf die Grund- und Grenzerfahrungen jüdisch-christlicher Überlieferung stellt. Ihm, der in seiner eigenen interdisziplinären Existenz auf Anerkennung ausgerichtete kommunikative Praxis aufzeigt, lehrt und verkörpert, ist dieses Buch zum sechzigsten Geburtstag gewidmet: Prof. Dr. Helmut Peukert.

Frankfurt a.M., im Oktober 1994   *Edmund Arens*

I
Theorie und Praxis interkultureller Kommunikationskompetenz in der Theologie

von Robert J. Schreiter, Chicago

Angesichts der Herausforderungen, die sich der Weltkirche durch das vielfältige Netz der Kulturen stellen, in denen christliches Denken und Handeln sich heute artikulieren, ist es für alle am christlichen Unternehmen Beteiligten dringlich geboten, die Grundlagen deutlicher herauszuarbeiten, auf denen der christliche Glaube zum Ausdruck kommt und übermittelt wird. Selbstverständlich gibt es eine konzertierte Anstrengung, die Folgen dessen zu untersuchen, was seit Mitte der siebziger Jahre zunächst als *Kontextualisierung* und später als *Inkulturation* der Theologie bezeichnet worden ist. Es gibt eine konsistente Forderung nach stärkerer Inkulturation in nichtwestliche Zusammenhänge; viele einzelne Fallstudien haben die Schwierigkeiten beschrieben, die sich der interkulturellen Kommunikation des Evangeliums stellen, und sie haben auf der Basis der Untersuchung einzelner Fälle Vorschläge zur Verbesserung solcher Kommunikation gemacht.[1] In letzter Zeit gibt die Situation innerhalb der westlichen Theologie selbst Anlaß zu größerer Aufmerksamkeit auf Themen der interkulturellen Kommunikation. Insbesondere drei Faktoren sind dabei evident.

Erstens hat die massive Einwanderung vor allem in Europa, Nordamerika und Australien eine neue multikulturelle Situation geschaffen, die eher einen bleibenden kulturellen Pluralismus entstehen läßt, als einen temporären, der sich durch Assimilation auflöst. Als Folge davon erhält die interkulturelle und des öfteren interreligiöse Kommunikation eine neue Dringlichkeit in Regionen, in denen sie bisher nahezu unbekannt war.

Zweitens ist das Phänomen der Globalisierung dabei, Konzeptionen von Kultur umzugestalten. Einerseits schafft die Globalisierung ökonomischer, politischer und informationeller Systeme eine

---

[1] Die Literatur ist enorm und kaum überschaubar. Zur periodischen Übersicht und Besprechung ausgewählter Arbeiten vgl. den halbjährlich erscheinenden Dienst "Theologie im Kontext" 1980ff.

neue Uniformität unter den Kulturen, sie erzeugt sozusagen eine Art von Weltkultur. Aber andererseits hat genau diese wachsende Uniformität Kulturen dazu gedrängt, daß sie, indem sie ihre Identität neu aushandeln, einen erhöhten Sinn für Partikularität entwikkeln.[2] Diese Partikularität, eine verstärkte Wahrnehmung kultureller Besonderheit, manifestiert sich in einer ganzen Breite von Phänomenen, die oft reaktionärer Natur sind. Sie reichen von Formen dessen, was - manchmal unrichtig - Fundamentalismus genannt wird, über Gesetzgebung mit dem Ziel der Erhaltung sprachlicher und kultureller Reinheit bis hin zum Nationalismus. Häufig wird in solchen Situationen die Schwierigkeit oder gar die Unmöglichkeit interkultureller Kommunikation herausgestellt.

Drittens gibt es zumindest unter Einfluß der beiden zuvor genannten Faktoren einen wachsenden Mangel an Vertrauen in das Projekt der europäischen Aufklärung und dessen universalistische Ansprüche. Unter dem weiten Begriff der Postmoderne sucht diese mannigfaltige Bewegung einerseits nach alternativen und inklusiveren Modellen von Universalität, andererseits befördert und feiert sie Diversität und Differenz.[3]

Insofern ist es heute sowohl in westlichen wie in nichtwestlichen Situationen notwendig und wichtig, die Verwickeltheiten interkultureller Kommunikation zu erforschen. Bislang hat sich die christliche Theologie die Forschung, die in den Sozialwissenschaften im Blick auf die interkulturelle Kommunikation geschehen ist, noch nicht sehr zunutze gemacht. Sie hat sich bestimmter Aspekte der von Hans-Georg Gadamer herkommenden hermeneutischen Theorie bedient und insbesondere von seinen Begriffen des Verstehens, des Dialogs und der Horizontverschmelzung Gebrauch gemacht. Doch die Studien innerhalb der Psychologie, der Soziologie, der Kulturanthropologie, der Linguistik sowie der Kommunikationstheorie sind nicht in gleichem Maße aufgegriffen worden.

---

[2] Zur Globalisierung vgl. *M. Featherstone* (ed.), Global Culture. Nationalism, Globalization and Modernity, London 1991; *R. Robertson,* Globalization. Social Theory and Global Culture, London 1992; *P. Beyer,* Religion and Globalization, London 1994.

[3] Erhellend für die Suche nach alternativen Modellen von Universalität ist die Arbeit von *D. Krieger,* The New Universalism. Foundations for a Global Theology, Maryknoll (NY) 1991. Zum mangelnden Vertrauen in das Projekt der Aufklärung vgl. *S. Toulmin,* Kosmopolis. Die unerkannten Aufgaben der Moderne, Frankfurt a.M. 1991. Zur Postmoderne vgl. das Schlüsselwerk von *J.-F. Lyotard,* Das postmoderne Wissen. Ein Bericht, Graz / Wien 1986.

Die explizite Untersuchung interkultureller Kommunikation als Phänomen der Kultur wie der Kommunikation findet sowohl in Europa als auch in Nordamerika erst seit kurzem statt. Empirische Untersuchungen begannen in den fünfziger und sechziger Jahre zu erscheinen. Aber es dauerte bis in die siebziger Jahre, ehe eine intensivere Forschung einsetzte. Und erst in der zweiten Hälfte der achtziger Jahre lassen sich in der eher empirisch ausgerichteten Forschungstradition Anfänge einer Theoriebildung erkennen.[4] Ein Großteil dieser Art von Forschung wurde von nordamerikanischen Wissenschaftlern durchgeführt.

In deutschsprachigen Ländern tauchen Forschungen, die sich auf interkulturelle Kommunikation beziehen, in phänomenologischen Kreisen, insbesondere im Zusammenhang mit dem Werk von Alfred Schütz, auf.[5] Theoretische Reflexionen finden sich auch innerhalb der Linguistik, insbesondere im Werk von Gerold Ungeheuer.[6] Schließlich ist die angewandte Forschung auf dem Gebiet der Pädagogik sowie der Germanistik ebenfalls offenkundig.[7] Doch ist die Theoriebildung auch hier noch im Frühstadium.

---

[4] Literaturübersichten geben *W. Gudykunst / T. Nishida*, Theoretical Perspectives for Studying Intercultural Communication, in: *M. Asante / W. Gudykunst* (eds.), Handbook of International and Intercultural Communication, London 1989, 17-46; *M. Hammer*, Intercultural Communication Competence, in: *M. Asante / W. Gudykunst* (eds.), a.a.O. 247-260; *B. Spitzberg*, Issues in the Development of a Theory of Interpersonal Communication in the Intercultural Context, in: International Journal of Intercultural Relations 13 (1989) 241-268.

[5] Schütz' Phänomenologie des Alltagslebens (vgl. v.a. *A. Schütz*, Gesammelte Aufsätze. 3 Bde., Den Haag 1971) war einflußreich; ganz besonders sein Aufsatz "Der Fremde" (GA II, 53-69). Schütz' Bedeutung für die interkulturelle Kommunikation ist herausgearbeitet worden von *B. Waldenfels*, Der Spielraum des Verhaltens, Frankfurt a.M. 1980; *ders.*, In den Netzen der Lebenswelt, Frankfurt a.M. 1985; *ders.*, Der Stachel des Fremden, Frankfurt a.M. 1990.

[6] Vgl. *G. Ungeheuer*, Sprache und Kommunikation, Hamburg ²1972; *ders.*, Kommunikationstheoretische Schriften I: Sprechen, Mitteilen, hg. von *J. G. Juchen*, Aachen 1987.

[7] Vgl. zur Religionspädagogik z.B. "Thema I: Interkulturelles Lernen", in: Jahrbuch der Religionspädagogik 8 (1991) 3-85. Innerhalb der Germanistik vgl. *A. Wierlacher* (Hg.), Fremdsprache Deutsch. Grundlagen und Verfahren der Germanistik als Fremdsprachenphilologie, München 1980; *ders.*, Perspektiven und Verfahren einer interkulturellen Germanistik, München 1987; allgemeiner: *J. Rehbein* (Hg.), Interkulturelle Kommunikation, Tübingen 1985.

Im Jahre 1993 sind in den Vereinigten Staaten bzw. in der Bundesrepublik Deutschland zwei Bücher erschienen, die anzeigen, daß die Theoriebildung inzwischen ein bestimmtes Niveau erreicht hat. Der erste, von Richard Wiseman und Jolene Koester unter dem Titel "Intercultural Communication Competence" herausgegebene Band, gibt detailliert den Stand der amerikanischen Forschung wieder; er schlägt auch eine Reihe von Modellen vor, die zu umfassenderen Theorien interkultureller Kommunikation führen könnten.[8] Der zweite, von Jens Loenhoff vorgelegte Band zum Thema "Interkulturelle Verständigung. Zum Problem grenzüberschreitender Kommunikation"[9], führt verschiedene Forschungsstränge innerhalb des deutschen Sprachraums zusammen und geht zudem selektiv auch auf die amerikanische Forschung ein. Die Zugänge der beiden Werke spiegeln Unterschiede zwischen der amerikanischen und der deutschen Haltung in bezug auf die Aufgabe der Theoriebildung; gleichwohl stimmen die Resultate beider Bände in wichtigen Punkten überein.

Aus der Lektüre dieser beiden Arbeiten ergibt sich die Schlußfolgerung, daß bisher noch keine umfassende Theorie interkultureller Kommunikation entwickelt worden ist. Es herrscht auch keine Übereinstimmung hinsichtlich der Voraussetzungen, die die Basis einer solchen Theorie darstellen könnten. Dennoch treten gewisse Konturen zutage, und man ist dabei, sich auf bestimmte Fragen zu konzentrieren, die die zukünftige Entwicklung einer solchen Theorie vorzeichnen. Die jetzt untersuchten Fragen können, wenn auch noch nicht in vollständiger theoretischer Form, eine heuristische Funktion im Blick auf eine interkulturelle Theologie übernehmen, indem sie bereits eingeschlagene Richtungen überprüfen, sich auf die Auswahl bestimmter theologischer Optionen konzentrieren sowie der theologischen Theoriebildung und Forschung neue Wege weisen.

Dieser Beitrag beginnt also mit einer Übersicht über die wichtigsten Diskussionspunkte zur Theoriebildung in bezug auf die interkulturelle Kommunikation, die unter verschiedenen Stichworten zusammengefaßt wird. Zudem werden mögliche Richtungen aufgezeigt, die die theologische Forschung mit Blick auf die Dis-

---

[8] Vgl. *R. Wiseman / J. Koester* (eds.) Intercultural Communication Competence, London 1993.
[9] *J. Loenhoff*, Interkulturelle Verständigung. Zum Problem grenzüberschreitender Kommunikation, Opladen 1992.

12

kussion zur interkulturellen Kommunikation einschlagen könnte. Es besteht die Hoffnung, daß solche Richtungen dazu beitragen, die Theoriebildung in der interkulturellen Theologie zu bündeln. Zum Schluß dieses Überblicks gilt es, im Lichte der Diskussion interkultureller Kommunikation einige weiterreichende Fragen in bezug auf eine interkulturelle theologische Hermeneutik zu stellen.

I. Probleme interkultureller Theoriebildung

Da es in bezug auf die Theoriebildung zur interkulturellen Kommunikation noch keinen Konsens gibt, ist es notwendig, jene Elemente einer möglichen Theorie anzusprechen, die immer wieder zur Diskussion stehen. Gudykunst und Nishida schlagen eine Taxonomie auf der Grundlage dessen vor, was sie als "objektivistische" und "subjektivistische" Ansätze bezeichnen. Es geht dabei darum, ob die jeweilige Theorie auf Generalisierungen über die Kommunikation abzielt (objektivistisch) oder ob sie auf eine idiographische Beschreibung von Kulturen als letztlich miteinander inkommensurabel ausgerichtet ist (subjektivistisch). Unter jeder Rubrik erkunden sie dann die jeweils verwendete Ontologie, Epistemologie, Anthropologie und Methodologie.[10] Im Anschluß daran werden sechs theoretische Vorschläge untersucht, drei objektivistische sowie drei subjektivistische.[11] Shewer, der die objektivistische Richtung "universalistisch" und die subjektivistische "relativistisch" nennt, verwendet ähnliche Kategorien. Er hat noch eine dritte Kategorie unter der Bezeichnung "entwicklungslogisch", die er auf Theorien anwendet, welche eine Vielfalt von Formen zu einem organischen, evolutionären Ganzen

---

[10] Vgl. *Gudykunst / Nishida* (eds.), a.a.O.

[11] Unter die objektivistischen Vorschläge werden einbezogen: *W. Gudykunst, Uncertainty and anxiety*, in: *Y.Y. Kim / W. Gudykunst* (eds.), Theories in Intercultural Communication, London 1988, 123-156; *S. Ting-Toomey*, Intercultural conflicts: A face-negotiation model, in: *Kim / Gudykunst* (eds.), a.a.O. 213-238; *C. Gallois / A. Franklyn-Stokes / H. Giles / N. Coupland*, Communication accomodation in intercultural encounters, in: *Kim / Gudykunst* (eds.), a.a.O. 157-158. Die subjektivistischen Vorschläge umfassen: *V. Cronin / V. Chen / W. Pearce*, Coordinated management of meaning, in: *Kim / Gudykunst* (eds.), a.a.O. 66-98; *J. Applegate / H. Sypher*, A constructivist theory of communication and culture, in: *Kim / Gudykunst* (eds.), a.a.O. 41-65; *M. Collier / M. Thomas*, Cultural identity, in: *Kim / Gudykunst* (eds.), a.a.O. 99-120.

zusammenzufassen versuchen. Seine eigene Position könnte man als eine Variante der subjektivistischen ansehen; er nennt sie "polytheistisch"; und sie geht von "multiplen objektiven Welten" aus.[12] Schließlich gebrauchen Wiseman, Koester und Sanders sieben Kategorien, von denen jede ein Spektrum von Wahlmöglichkeiten darstellt, die der jeweiligen Theorie ihre besondere Gestalt verleiht. Die sieben Kategorien konzentrieren sich auf die Methodologie sowie auf die jeweiligen Schwerpunkte, die innerhalb des interkulturellen Kommunikationszusammenhangs auf dessen verschiedene Teilbereiche gesetzt werden, wozu die Gesprächsteilnehmer, der Kommunikationsprozeß und kontextuelle Faktoren zählen.[13]

Für unsere Zwecke, nämlich im Blick auf solche theoretischen Probleme bei der interkuturellen Theoriebildung, die sich auf eine interkulturelle Theologie auswirken, werden im folgenden fünf theoretisch zentrale Bereiche untersucht, wobei jeder sich so konstruieren läßt, daß sich ein Spektrum von Wahlmöglichkeiten ergibt. Die fünf Bereiche sind: die Begrifflichkeit, die Schwerpunkte, die Rolle der Kultur, die Methodologie und die Grundannahmen. Jeder dieser Bereiche wird untersucht im Blick auf seine Bedeutung für die interkulturelle Kommunikation sowie deren Implikationen für die Theologie.

1. Begrifflichkeit

Wie ein zu untersuchendes Phänomen benannt wird, hat Auswirkungen auf seine Konzeptualisierung. Die Erforschung der Möglichkeit von Kommunikation über kulturelle Grenzen hinweg ist unter verschiedenen, variierenden Namen geschehen; es scheint sich jedoch ein wachsender Konsens in bezug auf die Begrifflichkeit abzuzeichnen.

In den siebziger Jahren wurde die Möglichkeit, kulturelle Grenzen zu überschreiten, häufig unter dem Stichwort

---

[12] Vgl. *R. Shweder*, Post-Nietzschean Anthropology: The Idea of Multiple Objective Worlds, in: *ders.*, Thinking through Cultures: Expeditions in Cultural Psychology, Cambridge (MA) 1991, 27-72.
[13] Vgl. *J. Koester / R. Wiseman / J. Sanders*, Multiple Perspectives in Intercultural Communication Competence, in: *Wiseman / Koester* (eds.), Handbook 3-15.

14

"kulturübergreifender" Kommunikation behandelt.[14] Unter dem Einfluß der Kommunikationsforschung wurde indessen dem Begriff "interkulturell" der Vorzug gegeben. Heutzutage wird in der englischsprachigen Literatur "interkulturell" im allgemeinen benutzt, um über das Aushandeln einer kulturellen Grenze zu reden, während "kulturübergreifend" jenen allgemeinen Prinzipien des Überschreitens von Grenzen bzw. der kulturellen Begegnung vorbehalten ist, die aus dem Studium vieler solcher Begegnungen als Generalisierungen abgeleitet worden sind. Kulturübergreifende Kommunikation erweist sich von daher als ein objektivistisches Ziel kultureller Forschung, die darauf aus ist, allgemeine Prinzipien zu entwickeln, welche sehr wahrscheinlich für jede kulturelle Begegnung gültig sind. Als Generalisierungen bauen sie auf dem auf, was als "abgeleitet Etisches" bezeichnet worden ist, das heißt, es handelt sich um Generalisierungen, die der nach außen gekehrten Seite, mit der jede Kultur sich gegenüber anderen darstellt, entnommen sind, statt um Interpretationen der Bedeutung jener Kultur, die von außen erfolgt sind.[15]

In der deutschsprachigen Literatur scheint es eine vergleichbare terminologische Diskussion nicht gegeben zu haben; "interkulturell" ist vorherrschend und scheint austauschbar benutzt zu werden für das, was die englischsprachige Literatur inzwischen als "kulturübergreifend" und "interkulturell" differenziert. Möglicherweise wird diese Unterscheidung in hermeneutisch-phänomenologischen Traditionen nicht so leicht aufrechterhalten, da diese Differenzierung in der englischsprachigen Literatur aus der empirischen Erforschung einzelner kultureller Begegnungen resultiert. Loenhoff gebraucht auch den Begriff "grenzüberschreitend"[16]. Dies stellt eine nützliche Qualifizierung dar.

In bezug auf das Phänomen, das durch "interkulturell" genauer bestimmt wird, gibt es gleichfalls eine Reihe von Vorschlägen. Sie

---

[14] Vgl. z.B. *H. Triandis* (ed.), Handbook of Cross-Cultural Psychology, Boston 1980, sowie das "Journal of Cross-Cultural Psychology".

[15] Der Begriff erscheint bei *P. Heelas / A. Lock* (eds.), Indigenous Psychology. The Anthropology of the Self, London 1980. Zur Erklärung der Termini "emisch" und "etisch" vgl. *R. Schreiter*, Abschied vom Gott der Europäer. Zur Entwicklung regionaler Theologien, Salzburg 1992, 71.

[16] Vgl. *Loenhoff*, Verständigung, S. 14: "Damit aber ist eine Theorie interkultureller Kommunikation immer zugleich eine allgemeine Theorie kommunikativer Grenzüberschreitung."

15

reichen von "Anpassung" über "Adaption", "Akkomodation", "Kommunikation" bis zu "Erfolg" und "Versagen". In letzter Zeit konzentriert sich der Gebrauch auf die Begriffe der "Wirksamkeit" sowie der "Kompetenz", und inzwischen ist "interkulturelle Kommunikationskompetenz" der bevorzugte Terminus.[17] Freilich ist darauf zu achten, wie "Kompetenz" in dieser Verwendung definiert wird. Dies ist nicht das Chomskysche Verständnis von Kompetenz als einer unthematischen Fähigkeit, eine Sprache zu sprechen, die dann in der konkreten "Performanz" thematisch wird.[18] Auch mit Habermas' Verständnis von Kompetenz als Beherrschung einer idealen Sprechsituation stimmt diese Verwendung nicht völlig überein. Kompetenz wird hier identifiziert durch die beiden Begriffen der *Wirksamkeit*, d.h. der Fähigkeit, die eigenen Ziele zu erreichen, und der *Angemessenheit*, d.h. der Vermeidung einer Beleidigung des Gegenübers durch Verletzung seines kulturellen Codes.[19] Kompetenz anerkennt damit sowohl die Ziele des Sprechers beim Kommunizieren wie die Welt des Hörers, der die Botschaft empfängt. Sie gründet in der Annahme, daß die beiden Welten von Sprecher und Hörer nicht ein und dieselbe sind.

Welche möglichen Implikationen ergeben sich aus diesen Diskussionen um die Begrifflichkeit - und des weiteren aus den dahinterliegenden Konzeptualisierungen - für eine kontextuelle Theologie? Zunächst hat es den Anschein, als sei die Theologie sowohl an der kulturübergreifenden wie an der interkulturellen Kommunikationskompetenz interessiert. Insoweit die Theologie nach Formen von Universalität sucht, die die christliche Offenbarung glaubwürdig, aber auf eine nichtbeherrschende und kontextsensible Weise übermitteln, erscheint der Weg, über das "abgeleitet Etische" ein gewisses Maß an kulturübergreifender Gültigkeit zu erreichen, ein gangbarer und fruchtbarer Weg. In theologische Begrifflichkeit übertragen, würde die gesuchte neue Form von Universalität zu einem neuen Verständnis des Begriffs der Katholizität führen.[20]

---

[17] Vgl. *Koester / Wiseman / Sanders* (eds.), Perspectives.

[18] Vgl. *Schreiter,* Abschied 177-182.

[19] Vgl. *Koester / Wiseman / Sanders,* Perspectives; vgl. auch *J. Martin,* Intercultural communication competence, in: *Wiseman / Koester* (eds.), Communication.

[20] Vgl. *R. Schreiter,* Toward a Truly Catholic Understanding of the Church, in: New Theology Review 6 (1994).

Gleichzeitig bleibt die interkulturelle Kommunikationskompetenz wichtig, insofern als kulturelle Begegnung sich nicht im Abstrakten vollzieht, sondern im konkreten Zusammentreffen einzelner Kulturen geschieht. Die sich aus der interkulturellen Kommunikation ergebende Kompetenz bildet die Basis, auf der jede kulturübergreifende Kommunikationskompetenz aufbaut. Der Begriff der Kompetenz selbst führt zu einigen theologischen Fragen. An anderer Stelle habe ich vorgeschlagen, Noam Chomskys Kompetenzbegriff als Mittel zum Verständnis christlicher Tradition und ihrer Performanzen in einer Vielfalt kultureller Gegebenheiten zu gebrauchen. Eine Reihe von Autoren haben Habermas' Konzept kommunikativer Kompetenz im Blick auf die Theologie untersucht.[21] Dessen Gebrauch in der interkulturellen Kommunikation eröffnet gleichfalls verschiedene Möglichkeiten.

Die beiden Kriterien interkultureller Kommunikationskompetenz, Wirksamkeit und Angemessenheit, haben in den Begriffen der befreienden Praxis bzw. der Solidarität ein potentielles theologisches Gegenstück. Wenn es bei der Wirksamkeit darum geht, das Ziel des Sprechers zu erreichen, wobei Ziel in der kontextuellen Theologie sowohl als glaubwürdige Übermittlung wie als echte Rezeption der Botschaft des Evangeliums verstanden wird, dann sollte seine echte Rezeption sich in einer Evidenz befreiender Praxis im Leben des Rezipienten niederschlagen.

In ähnlicher Weise weist der Begriff der Angemessenheit im Rahmen der interkulturellen Kommunikation eine Verwandtschaftsbeziehung zum theologischen Begriff der Solidarität auf. Solidarität wird oftmals im Sinne ethischer Verpflichtung oder einer Handlungstheorie verstanden, doch wenn man sie mit Angemessenheit in Verbindung bringt, kommen zusätzliche Dimensionen zum Vorschein. Diese beinhalten eine Betonung der Rolle des Empfängers, der den Einsatz des Senders nicht nur als passend und nützlich, sondern zugleich als erhellend in bezug auf seine eigene Situation und sogar als befreiend anzusehen vermag. Solidarität beinhaltet demnach eine kontextuelle Sensibilität, aber auch das Einbringen neuer Information - der Botschaft des Evangeliums -,

---

[21] Vgl. v.a. *H. Peukert,* Wissenschaftstheorie - Handlungstheorie - Fundamentale Theologie. Analysen zu Ansatz und Status theologischer Theoriebildung, Frankfurt a.M. [2]1988; *E. Arens,* Christopraxis. Grundzüge theologischer Handlungstheorie, Freiburg 1992; vgl. auch *ders.* (Hg.), Habermas und die Theologie, Düsseldorf 1989.

die in der Lage ist, das Beste der Situation des Empfängers zu bestätigen und zugleich das zu identifizieren, was der Veränderung bedarf. Auf diese Weise kann die Aufmerksamkeit dafür, wie Angemessenheit zu erreichen und zu erkennen ist, ein Verständnis von Solidarität befördern.

2. Schwerpunkte

Eine zweite Diskussion hat sich darüber ergeben, welche Aspekte bei der Untersuchung interkultureller Kommunikationskompetenz in den Mittelpunkt gestellt werden sollen. Sollen dies die Gesprächsteilnehmer, der Kontext, die Beziehung oder eher eine Kombination mehrerer Aspekte sein?

Koester, Wiseman und Sanders berichten, daß in den frühen Phasen der Forschung der Schwerpunkt bei den Gesprächsteilnehmern, zunächst bei ihren Haltungen, später dann bei ihrem Verhalten lag.[22] Sicherlich bleibt die Aufmerksamkeit auf Haltungen und Verhalten auch weiterhin wichtig. Haltungen wie die der Empathie, der Zugehörigkeit, der Flexibilität und der Anpassung werden häufig als für interkulturelle Kommunikation wichtig genannt. Verhaltensweisen, die oftmals im Sinne von Fertigkeiten verstanden werden, wie die Fähigkeiten, Ambiguität zu tolerieren, neue Kategorien zu kreieren und relevante Informationen einzuholen, sind ebenfalls inbegriffen. Nahezu jede Theorie hat eine Taxonomie jener Haltungen und Fertigkeiten erstellt, die bei der interkulturellen Kommunikationskompetenz hervorstechen.[23]

In letzter Zeit hat sich die Aufmerksamkeit in der englischsprachigen Literatur auf die Frage der Kompetenz und damit auf die Beziehung zwischen den Gesprächsteilnehmern konzentriert. Kompetenz stellt ein soziales Urteil von Seiten der Gesprächsteilnehmer im Blick auf die Wirksamkeit und Angemessenheit der Kommunikation dar. Indem sie den Schwerpunkt auf die Beziehung gelegt

---

[22] Vgl. *Koester / Wiseman / Sanders*, Perspectives 7f.

[23] Vgl. etwa *B. Spitzberg / W. Cupach*, Handbook of Interpersonal Competence Research, New York 1989, sowie die Tabellen in *W. Gudykunst*, Toward a theory of effective interpersonal and intergroup communication: An anxiety/uncertainty (AUM) perspective, in: *Wiseman / Koester* (eds.), Communication 38; *S. Ting-Toomey*, Communicative resourcefulness: An identity negotiation perspective, in: *Wiseman / Koester* (eds.), a.a.O. 75.

hat, hat diese Phase der Forschung die Wahrnehmung des sozialen Charakters interkultureller Kommunikation erhöht.[24] Loenhoff unterstreicht die Verständigung, das komplexe Erreichen eines auf Einverständnis zielenden Konsenses. Es ist dies eine Parallele zum Begriff der Kompetenz, die in vielfacher Weise damit übereinstimmt. Loenhoff beginnt mit Habermas´ Verständnis der idealen Sprechsituation, aber er korrigiert das, was er als dessen zu rationalistische Einstellung begreift, im Anschluß an die Habermaskritik von Wenzel und Hochmuth[25], die er um Einsichten von Ungeheuer ergänzt. Habermas versäumt es zu erkennen, daß die Chancengleichheit des Sprechens in einer idealen Sprechsituation nur selten, wenn überhaupt jemals erreicht wird. Asymmetrien zwischen den Gesprächsteilnehmern sind, unter der Oberfläche verborgen, weiterhin vorhanden. Mehr noch, die *Chance* zu sprechen ist noch keine *Garantie*. Loenhoff hätte noch auf andere Wissenschaftler Bezug nehmen können, die darauf hinweisen, daß kulturelle und nonverbale Kommunikatormerkmale ebenfalls eine Rolle spielen.[26] In der Tat ist Schweigen in einigen Kulturen ein ebenso mächtiger wie notwendiger Kommunikator.[27]

Loenhoffs Habermasdiskussion erweist die Theorie der kommunikativen Kompetenz nicht als falsch, sie zeigt vielmehr auf, daß diese nicht in der Weise universalisiert werden kann, wie Habermas sich das vorstellt. Denn sie ist nur für einen relativ kleinen Teil der Bevölkerung repräsentativ.

Loenhoff baut auf dem Werk von Ungeheuer auf, um die Grundlagen einer allgemeinen Kommunikationstheorie herauszuarbeiten. Er macht sich insbesondere Ungeheuers Verständnis von

---

[24] Vgl. *Koester / Wiseman / Sanders*, Perspectives 7f.

[25] Zu Loenhoffs Habermasdiskussion vgl. *Loenhoff*, Verständigung 15-28; die Kritik, auf die er v.a. aufbaut, findet sich in *H. Wenzel / U. Hochmuth*, Die Kontingenz der Kommunikation. Zur kritischen Theorie des kommunikativen Handelns Jürgen Habermas´, in: Kölner Zeitschrift für Soziologie und Sozialpsychologie 41 (1989) 241-269.

[26] Forschungsberichte über beide Bereiche finden sich bei *H. Giles / A. Franklyn-Stokes*, Communicator Characteristics, in: *Asante / Gudykunst* (eds.), Handbook 117-144; sowie bei *M. Hecht / P. Andersen / S. Ribeau*, The Cultural Dimensions of Nonverbal Communication, in: *Asante / Gudykunst* (eds.), a.a.O. 163-185.

[27] Dies ist insbesondere anhand der Gesellschaften der amerikanischen Ureinwohner untersucht worden; vgl. etwa *E. Varonis / S. Gass*, Miscommunication in native/nonnative society, in: Language and Society 14 (1985) 327-343.

Kommunikation zu eigen, das diese als vorläufig, problemlösend, asymmetrisch und fallibel begreift, statt sie in der ein wenig empyreischen, dünnen Luft der idealen Sprechsituation anzusiedeln. Im Anschluß an Ungeheuer betont er, daß Verständigung nicht dasselbe ist wie Verstehen, insofern als erstere über das zweite im Hinblick auf Reichweite und Gestalt hinausgeht. Hiermit scheint Loenhoff die Auffassung von Kompetenz als sozialem Urteil zu wiederholen.[28]

Bemerkenswert in beiden Forschungssträngen ist die Betonung des sozialen Charakters von Kompetenz bei der interkulturellen Kommunikationskompetenz. Während bestimmte Kennzeichen der Gesprächsteilnehmer sich für das Erreichen interkultureller Kommunikation als nützlich erweisen mögen, kann kein Individuum den Erfolg garantieren.

Dies läßt eine theologische Analogie in bezug auf die Entwicklung von Theologien innerhalb einer Weltkirche vermuten. Für die Übermittlung des Evangeliums sowie die Entwicklung von Theologien bedarf es eines dichten sozialen Rahmens. Wenn interkulturelle Kommunikation erfolgreich verlaufen soll, dann müssen hochgradig interaktive Verfahren angewandt werden. Eine größere Aufmerksamkeit als bisher ist auf den Rezeptionsprozeß zu richten, und dies nicht etwa nur aus einer auf Erfolg ausgerichteten Zielsetzung, sondern aus der Erkenntnis heraus, daß das Evangelium nicht wirklich verkündigt worden ist, solange nicht interkulturelle Kommunikationskompetenz hergestellt ist. Eben dieser Punkt verdient in der Diskussion um die Evangelisierung größeres Gewicht.

3. Die Rolle der Kultur

Kultur spielt in der interkulturellen Kommunikation selbstverständlich eine bedeutende Rolle, denn genau die Einführung des Kulturbegriffs sowie die kulturelle Varianz bringen viel von der spezifischen Dynamik interkultureller Kommunikation hervor. Gleichwohl hat die deutliche Aufmerksamkeit auf die Rolle der Kultur zu einer Reihe von Fragen geführt, deren Lösung die Theoriebildung beeinflussen wird. Drei dieser Fragen werden hier untersucht.

---

[28] Vgl. *Loenhoff,* Verständigung 28-43.

Die erste hat mit der Definition von Kultur zu tun. Bisher gibt es noch keinen Erfolg bei dem Bemühen, zu irgendeiner konsensuell akzeptierten Definition von Kultur zu gelangen; und die mit interkultureller Kommunikation beschäftigten englischsprachigen Wissenschaftler arbeiten im allgemeinen, ohne eine Theorie bzw. einen Begriff von Kultur auszuformulieren. Loenhoff erkennt die Wichtigkeit einer gewissen Theorie der Kultur, mit der man arbeiten kann, und bevor er sich für eine semiotische Theorie entscheidet, geht er eine Reihe verschiedener Definitionen und Ansätze durch. Indem er Kultur als ein Zeichensystem begreift, hofft er, Begriffe von Kultur zu integrieren, die diese als Sinnsystem, als Handlungsrahmen, als materielle Artefakte sowie als System von bedeutungs- und handlungstragenden Signifikanten auffassen. Bei diesem Ansatz bezieht sich Loenhoff auf die Werke von Clifford Geertz, Umberto Eco und Charles Sanders Peirce.[29]

Meiner Ansicht nach hat Loenhoff recht, wenn er sagt, daß es einen gewissen ausformulierten Begriff von Kultur geben muß, auch wenn dieser von einer voll entwickelten Theorie der Kultur weit entfernt sein mag - was bei ihm der Fall ist. Im Anschluß an die eher pragmatische Richtung der englischsprachigen Wissenschaft könnte man die Vermutung äußern, daß der jeweils gewählte Typ von Kulturtheorie zum Teil jedenfalls durch die Probleme bestimmt sein sollte, die man anzugehen beabsichtigt. Kultur als Sinnsystem, als Handlungsrahmen, als zu lösendes Problem mögen jeweils eine entsprechende Theorie der Kultur ausmachen.[30]

Jedoch hat der semiotische Ansatz, wie ich anderswo darzulegen versucht habe, besondere Vorzüge für eine Theorie der Kultur. In dem Maße wie sich die verschiedenen Bereiche innerhalb der Kultur semiotisch beschreiben lassen, lassen sie sich in ein integriertes System einfügen. Wenn in gleicher Weise das, was bisweilen als unterschiedliche konzeptuelle Bereiche wie Tradition, Reli-

---

[29] Vgl. Loenhoff, Verständigung 59-70, 112-151; *C. Geertz*, Dichte Beschreibung. Beiträge zum Verstehen kultureller Systeme, Frankfurt a.M. [2]1991; *U. Eco*, Einführung in die Semiotik, München [8]1994; vgl. auch Peirces verstreute Schriften zur Semiotik; sie sind gesammelt in *J. Hoopes*, Peirce on Signs: Writings on Semiotic by Charles Sanders Peirce, Chapel Hill (NC) 1991.
[30] Vgl. die kurze Diskussion dieses Sachverhalts bei *R. Schreiter*, Inkulturation des Glaubens oder Identifikation mit der Kultur?, in: Conc(D) 30 (1994) 12-18.

gion und Kunst aufgefaßt wird, jeweils semiotisch gelesen werden kann, dann besteht eine Chance, sie zu integrieren.[31]

Die zweite Frage betrifft den Primat des Kulturellen in der interkulturellen Kommunikation. Wie entscheidend ist das kulturelle Element überhaupt in diesem Zusammenhang? Prominente Wissenschaftler wie Gudykunst und Spitzberg haben die Ansicht vertreten, beim Interkulturellen handele es sich weitgehend um eine Extrapolation interpersonaler kommunikativer Fertigkeiten und Haltungen.[32] Der Gerechtigkeit halber ist darauf hinzuweisen, daß ein Großteil der interkulturellen Kommunikationsforschung auf der interpersonalen Kommunikationsforschung aufbaut oder sich davon ableitet. Auch Loenhoff gelangt bei seiner Untersuchung der phänomenologischen sowie der deutschen soziologischen Literatur zu demselben Ergebnis: Es gibt keine kategorialen Unterschiede zwischen interpersonaler und interkultureller Kommunikation.

Insofern jede Art interpersonaler oder Gruppenkommunikation Anpassung, Verhandeln, Flexibilität und Akkomodation erfordert, läßt sich durchaus die Korrespondenz beider Kommunikationsformen behaupten. Wenn es indessen signifikante Unterschiede zwischen den die Kommunikation bestimmenden Regeln - zwischen dem Gebrauch von Rede und Schweigen, dem, was aus dem Kontext zu verstehen ist sowie der Frage, wer reden darf - gibt, und wenn fundamentale Unterschiede hinsichtlich der Einschätzung dessen, was ein erfolgreiches Ergebnis darstellt, bestehen, dann dürften die Regeln und Erwartungen interpersonaler Kommunikation nicht weit genug reichen. Die zuvor erwähnte Diskussion um die Kommunikatormerkmale sowie die nonverbale Kommunikation hat deutlich gemacht, wie unterschiedlich und in der Tat inkompatibel zwei verschiedene kulturelle Systeme sein können.[33]

Geert Hofstede hat wichtige kulturübergreifende Forschungen zu mehr als vierzig Ländern durchgeführt, um auf dieser Grundlage eine Skala zu entwickeln, die jene Merkmale auflistet, die sich beziehen auf Individualität und Kollektivität, die Zentralisierung und die Verteilung von Macht, die Wichtigkeit der Informations-

---

[31] Vgl. *Schreiter*, Abschied 84-121.

[32] Vgl. *Gudykunst*, Toward a Theory; *Spitzberg*, Issues 261, hält fest: "Progress in the study of intercultural communication competence is going to derive mainly from the development of sound interpersonal communication competence theories that can then be applied to the intercultural setting...".

[33] Vgl. Anm. 26.

gewinnung aus dem Kontext sowie die Bedeutung von Distanz und Nähe als Faktoren, die die Kommunikation in den betreffenden Kulturen bestimmen.[34] Es sind auch Forschungen darüber angestellt worden, was aus kultureller Sicht ein glückliches Ergebnis interkultureller Kommunikation konstituiert. So schätzen etwa individualistische Kulturen wie die des Westens Ergebnisse, die durch Neuheit, Offenheit und Autonomie gekennzeichnet sind, hoch ein, während kollektivistische Kulturen solchen Ergebnissen den Vorzug geben, die sich durch eine Bestätigung der Ordnung der Dinge, durch Gruppensolidarität, Vorhersagbarkeit und Verbundenheit auszeichnen.[35] Eine Verständigung dürfte sich nur schwer erreichen lassen, wenn die Maßstäbe für Angemessenheit so unterschiedlich sind.

Die dritte Frage ist eng mit diesem letzten Punkt verbunden. Sie wird oftmals im Sinne von kulturübergreifenden und kulturspezifischen Ansätzen der Kommunikation gestellt. In kulturübergreifenden Ansätzen besteht das Ziel der Erforschung interkultureller Kommunikation darin, zu einer allgemeinen Theorie interkultureller Kommunikationskompetenz zu gelangen. Deshalb liegt der Schwerpunkt eindeutig auf der Möglichkeit kulturübergreifender Generalisierungen. Ein eher kulturspezifischer Ansatz stellt die Ratsamkeit der Suche nach Generalisierungen oder Kategorisierungen in Zweifel. Da es keine kulturfreie Zone gibt, in der man sich aufhalten könnte, muß jedes Schema für solche Kategorisierungen aus einer spezifischen Kultur gewonnen werden, und es mag von daher nicht in der Lage sein, kulturelle Realitäten andernorts einzubeziehen.

Englischsprachige Wissenschaftler sind in der Frage des Kulturübergreifenden bzw. Kulturspezifischen geteilter Meinung. Loenhoff scheint deutlich einem kulturübergreifenden Ansatz verpflichtet. Beide Positionen vertreten signifikante Werte: Generalisierungen stellen Foren bereit, auf denen Unterschiede beurteilt werden können; ein Eintreten für Spezifität bewahrt wichtige Differenzen.

Aus theologischer Perspektive sind Reflexionen, die den modernen Begriff der Kultur in der Theologie in Betracht ziehen, noch ziemlich neu. Das Aushandeln kultureller Vielfalt im Rahmen einer religiösen Tradition, die hohen Wert auf Einheit legt, hat zu sehr unterschiedlichen Positionen geführt, die allesamt den Anspruch

---

[34] Vgl. G. *Hofstede*, Culture's Consequences, Beverly Hills (CA) 1980.
[35] Vgl. *Ting-Toomey*, Intercultural conflicts 105.

erheben, daß sie die Kultur respektieren.[36] Wir sind erst ziemlich am Anfang der Erkenntnis, wie sehr ein Ernstnehmen der Kultur bisher als absolut behauptete Positionen sowohl situieren als auch bisweilen relativieren wird.

Hier wird die Theologie ein Gleichgewicht zwischen der kulturübergreifenden und der kulturspezifischen Sichtweise finden müssen und dabei darauf zu achten haben, wann ein eher kulturübergreifender Ansatz erforderlich ist, und wann ein eher kulturspezifischer Zugang vonnöten sein könnte. In gleicher Weise wird auch auszumachen sein, wann in der Dialektik von Evangelium und Kultur welcher der Partner die Führung übernehmen soll.[37]

4. Methodologie

Von Methodologie in der interkulturellen Kommunikation muß auf zwei Ebenen gesprochen werden, zum einen von Methodologie auf der Ebene der Forschung und zum anderen von Methoden effektiver interkultureller Kommunikation.

Auf der Ebene der Methodologie der Forschung ließe sich etwa so fragen: soll man mit einer wohl ausgearbeiteten Theorie beginnen, die dann in der empirischen Beobachtung getestet werden kann? Oder soll man mit der Beobachtung beginnen und aus diesen Beobachtungen Elemente ableiten, die auf eine Theorie hinführen?

In der englischsprachigen Literatur finden sich beide Ansätze. In den frühen Phasen der Forschung bis in die später achtziger Jahre wurde der empirische, induktive Ansatz bevorzugt. In letzter Zeit versuchen Wissenschaftler vermehrt, Theorien zu entwickeln, aus denen sich Theoreme und Axiome ableiten lassen, woraus wiederum Hypothesen im Blick auf Experimente formuliert werden können. Gudykunsts Theorie des "Angst/Unsicherheits-Managements" und Ting-Toomeys Theorie des "Aushandelns kultureller Identität" sind so strukturiert.[38] Aber selbst diese Theorien bauen auf einem Strom empirischer Forschung auf.

---

[36] Vgl. etwa *M. Ried*, Kirchliche Einheit und kulturelle Vielfalt. Zum Verhältnis von Kirche und Kultur, ausgehend vom Zweiten Vatikanischen Konzil, Frankfurt a.M. 1993, wo er neuere Entwicklungen beschreibt und sich dabei auf das konzentriert, was er als "suprakulturelles Modell" und "semiotisches Modell der Kirche" bezeichnet.

[37] Vgl. *Schreiter*, Inkulturation.

[38] Vgl. *Gudykunst*, Toward a theory; *Ting-Toomey*, Communicative resourcefulness.

Loenhoff steht ganz deutlich in der Tradition, die der Theoriebildung Priorität gibt. Er gebraucht einige begrenzte Befunde empirischer Forschung, vertraut indessen mehr auf ein phänomenolo-
gisches und philosophisches Netz von Ressourcen. Dennoch stimmen, wie im Laufe dieser Darstellung deutlich geworden ist, seine
Bemühungen hin auf eine Theoriebildung an vielen Punkten mit
denen überein, die sich aus empirischen Traditionen heraus mit
Theoriebildung beschäftigen.

Auf der Ebene der Methoden zur Gewinnung interkultureller
Kommunikationskompetenz haben wir oben in Abschnitt 2 bereits
gesehen, daß sich Loenhoff auf Ungeheuers Kommunikationstheorie bezieht, die einen dialogischen, vorläufigen und problemlösen-
den Zugang zur interkulturellen Kommunikation nimmt. Auf dieser
Arbeitsebene ruft Loenhoff Charles Sanders Peirces Begriff der
Abduktion in Erinnerung, einen Typ des Schlußfolgerns, den Peirce der Deduktion und der Induktion hinzugesellt. "Die Abduktion
ist der Vorgang, in dem eine erklärende Hypothese gebildet wird.
Es ist das einzige logische Verfahren, das irgendeine neue Idee
einführt, denn die Induktion bestimmt einzig und allein einen Wert,
und die Deduktion entwickelt nur die notwendigen Konsequenzen
einer reinen Hypothese."[39] Lonhoeff ist der Ansicht, daß Peirces
Begriff der Abduktion jenen Methodentyp trifft, den Ungeheuer
vorschlägt.

Die von Gudykunst und Ting-Toomey vorgelegten Theorien interkultureller Kommunikation laufen, indem sie im Titel ihrer
Theorien die Begriffe "Management" und "Aushandeln" gebrauchen, auf das Gleiche hinaus. Beide befassen sich mit dem Prozeß,
durch den die Identität der Gesprächsteilnehmer sich restrukturiert,
rekonstruiert und rückversichert. Gudykunsts Theorie versteht die
Herausforderungen der Fremdheit als eine Bedrohung der Identität,
die Unsicherheit und Angst mit sich bringen. Methoden interkultureller Kommunikation arbeiten daran, das Ausmaß an Unsicherheit
und Angst zu reduzieren. Ting-Toomey versteht die Identität als
soziale Wirklichkeit, die immer wieder, und ganz besonders in
Situationen ungewohnter interkultureller Kommunikation, ausge-
handelt werden muß.

---

[39] *Loenhoff,* Verständigung 94f; er zitiert *C.S. Peirce,* Three Types of Reason-
ing, in: *ders.,* Collected Papers. Vol. 5, Cambridge (MA) [2]1960, § 171; die
deutsche Fassung ist entnommen aus: *C.S. Peirce,* Schriften zum Pragmatismus
und Pragmatizismus, hg. von *K.-O. Apel,* Frankfurt a.M. [2]1976, 400.

William Cupach und T. Todd Imahori stellen noch ein anderes Modell vor, das den Prozeß des Managements unterstreicht. In ihrem Modell ist das, was gemanagt werden muß, das "Gesicht" der Gruppe. Dieses Modell kombiniert das Vertrauen individualistischer Kulturen in die Möglichkeit des Managements mit der Sorge kollektivistischer Kulturen darum, das Gesicht zu wahren, also um die Dimensionen von Scham und Ehre.[40] Ergeben sich aus diesen methodologischen Gesichtspunkten irgendwelche theologischen Fragen? Die Diskussionen um Theorie und Beobachtung sind sicherlich ein Spiegel der Debatte über die Praxis sowie die Rolle der Erfahrung in der Theologie. Für die Entwicklung einer interkulturellen Theologie ist offenkundig, daß die Erfahrung und die Praxis unterschiedlicher kultureller Gemeinschaften in Betracht gezogen werden muß, wenn die Theologie sowohl wirksam als auch angemessen sein will. Wie wir oben gesehen haben, machen die Methodologien hier deutlich, daß ein hoher Grad an Interaktion nötig ist, um diese Kompetenz zu gewinnen.

5. Grundannahmen

In den einführenden Bemerkungen zum ersten Teil dieses Artikels wurde darauf hingewiesen, daß Gudykunst und Nishida eine Taxonomie von Theorien interkultureller Kommunikation vorgeschlagen haben, die darauf beruht, ob diese einen objektivistischen oder einen subjektivistischen Ansatz wählen. Unter jeder der beiden Überschriften wurden ontologisch, epistemologisch, anthropologisch und methodologisch operierende Annahmen erkundet. Es mag sich als sinnvoll erweisen, an dieser Stelle auf diese zurückzukommen zum Zweck einer Bestandsaufnahme der zugrundeliegenden Annahmen, die die hier vorgestellte Forschung leiten.[41]

---

[40] *W. Cupach / T. Todd Imahori,* Identity management theory: Communication Competence in intercultural episodes and relationships, in: *Wiseman / Koester* (eds.), Communication 112-131.

[41] Vgl. *Gudykunst / Nishida,* Perspectives. Ich weiche etwas von ihrer Charakterisierung der Epistemologie und der Anthropologie ab, da diese mir nicht scharf genug herausgearbeitet scheinen, um genügend informativ zu sein. Auch auf anthropologischem Gebiet haben beide nicht die konstruierten Beschränkungen der Klassen- und Geschlechtszugehörigkeit gesehen, die innerhalb der gegenwärtigen Kulturanthropologie so häufig diskutiert werden.

Objektivistische Zugänge zur interkulturellen Kommunikation, das soll an dieser Stelle in Erinnerung gerufen werden, streben nach Generalisierungen, um so zu kulturübergreifenden Regeln interkultureller Kommunikation oder gar zu universalen Strukturen, die der Kulturbildung zugrundeliegen zu gelangen. Subjektivistische Zugänge betonen demgegenüber die kulturelle Varianz oder gar die Inkommensurabilität zwischen den Kulturen. Wie wir gesehen haben, liegen sowohl objektivistische wie subjektivistische Ansätze klar zutage, und sie stellen eine Art Spektrum von Möglichkeiten dar. Die Annahmen jedes der beiden Ansätze lassen sich ebenfalls entlang einer Art von Spektrum anordnen. Die Extreme jedes der beiden Bündel von Annahmen werden im folgenden identifiziert, selbst wenn sich an den Extrempunkten wahrscheinlich keine der Theorien ansiedeln wird.

In bezug auf die verwendeten ontologischen Annahmen neigen objektivistische Ansätze zum metaphysischen Realismus, während subjektivistische Ansätze zum Nominalismus tendieren. Ein Realist nimmt für Gegenstände eine Objektivität an, egal ob sie von einer einzelnen Kultur nun benannt werden oder nicht. Nominalistische Ansätze unterstreichen das Ausmaß, in dem die Wirklichkeit sowie Identitäten konstruiert sind.

In der interkulturellen Kommunikationstheorie besteht ein Übergewicht an eher nominalistischen Ansätzen, und dies vielleicht aufgrund der Wahrnehmung der Möglichkeiten kultureller Varianz. Dennoch erfordert die Theoriebildung selbst ein gewisses Maß an metaphysischem Realismus.

In bezug auf die verwendeten epistemologischen Annahmen neigen objektivistische Ansätze zum Positivismus in dem Sinne, daß sie nach Regelmäßigkeiten, Mustern und Gesetzen Ausschau halten, welche Muster interkultureller Kommunikation erklären können. Subjektivistische Ansätze, die sich auf dichte Beschreibung und Beobachtung aus der Nähe ohne Rücksicht auf Gemeinsamkeiten und Regelmäßigkeiten richten, bleiben demgegenüber auf einer phänomenologischen Ebene.

Wiederum scheint es ein Übergewicht eher subjektivistischer Ansätze zu geben, wenngleich jede Erforschung interkultureller Kommunikation selbst impliziert, daß innerhalb der Kommunikation Muster existieren.

In bezug auf die anthropologischen Annahmen arbeiten Objektivisten mit einer Sicht, die das menschliche Wesen als von vielen

Seiten, durch die Umwelt, die Geschichte und die Kultur, eingeschränkt begreift. Die Identifizierung dieser Begrenzungen ist eine der Hauptaufgaben der interkulturellen Kommunikationstheorie, da es genau diese Einschränkungen sind, die die Kommunikation erschweren. Subjektivisten erkennen ebenfalls Begrenzungen, aber sie betrachten sie eher als konstruiert, denn als determiniert und insofern als leichter überwindbar. Die Geschlechterforschung bietet dafür eine Fülle von Beispielen. Schließlich zu den methodologischen Annahmen. Objektivistische Ansätze erfordern einen hohen Grad an wissenschaftlicher Strenge und klar definierten Methoden, die auf sorgfältig abgeleiteten Hypothesen beruhen. Subjektivistische Ansätze versuchen, so nah wie möglich an den Rohdaten zu bleiben, damit von der dichten Beschreibung so wenig wie möglich verloren geht.

Je weiter sich die interkulturelle Kommunikationsforschung entwickelt, desto größer ist ihr Streben nach wissenschaftlicher Strenge. Doch angesichts der Notwendigkeit, alle Kulturen als Teil der Theoriebildung wahrzunehmen, werden die idiographischen Methoden der subjektivistischen Ansätze weiterhin gebraucht.

Wenn man sich die Wahlmöglichkeiten ansieht, die in der gegenwärtigen interkulturellen Kommunikationsforschung hinsichtlich ihrer Grundannahmen bestehen, so ist daran zu erinnern, wie sehr die Kulturwissenschaft, insbesondere die Kulturanthropologie durch die romantische Tradition Hamanns und Herders geprägt wurde. Im Blick auf diese historische Genealogie dürfte die Tendenz zu subjektivistischen Ansätzen nicht verwundern.

Die auf allen vier Ebenen, der ontologischen, der epistemologischen, der anthropologischen und der methodologischen, ausgewählten Annahmen haben in der theologischen Debatte jeweils ihr deutliches Gegenstück: Realismus versus Nominalismus, Normativität versus Experiment; das Ausmaß menschlicher Gefallenheit, deduktive versus Praxisorientierungen in der Theologie. Es erscheint offensichtlich, daß das Entstehen einer genuin interkulturellen Theologie sehr wahrscheinlich einer strategischen Wende hin zu subjektivistischen Zugängen bedarf, um jene Intersubjektivität zu errichten, auf die jede Objektivität aufzubauen hat. Wie die interkulturelle Forschung in eine bestimmte Richtung verläuft, so muß dies wahrscheinlich auch in einer entsprechenden Theologie geschehen. Eben den theologischen Implikationen wenden wir uns nun zu.

II. Mögliche Richtungen interkultureller Hermeneutik und Praxis

Bei der Übersicht über die Forschung habe ich versucht, entlang des Weges eine Reihe von Implikationen herauszustellen, die sich für die Theologie ergeben, wenn interkulturelle Perspektiven von dieser ernst genommen werden und wenn die interkulturelle Kommunikationsforschung als Partner auf dem Weg zur Entwicklung einer genuin kontextuellen bzw. interkulturellen Theologie angesehen werden soll. Gleichfalls habe ich angesprochen, welche Praxis dorthin führt. Ohne die bereits herausgestellten Punkte noch einmal zusammenzufassen, möchte ich sechs Vorschläge im Hinblick auf zukünftige Richtungen machen, die eine solche Theologie und Praxis einschlagen könnte.

1. Wenn die geforderte interaktive, dynamische interkulturelle Kommunikationskompetenz erreicht werden soll, dann ist deutlich mehr Gewicht auf den Prozeß der Rezeption zu legen. In der Tat läßt sich die interkulturelle Kommunikationskompetenz solange nicht erzielen, wie die Rezeption nicht den Kriterien der Wirksamkeit und der Angemessenheit genügt.

2. Die theologischen Begriffe befreiender Praxis und Solidarität wurden als Parallelen zu den Begriffen der Wirksamkeit und der Angemessenheit im Rahmen der interkulturellen Kommunikation angesehen. Diese sollten auch in einer interkulturell kommunikativen Theologie und Praxis deutlich zutage treten.

3. Interkulturelles Engagement führt zu neuen Ebenen der Differenzierung von Identität. Stella Ting-Toomeys Theorie betont diesen Punkt ganz besonders. Die Differenzierung muß in beide Richtungen gehen, sowohl zum Sender als auch zum Empfänger. Bei der Evangelisierung liegt das Hauptaugenmerk typischerweise auf der Differenzierung und Veränderung des Empfängers. Doch auch beim Sender vollzieht sich ein Wandel sowohl hinsichtlich seines Selbstverständnisses als auch im Blick auf seine zukünftige Kommunikation.

4. Bei der Bewertung der Ergebnisse interkultureller Kommunikation sieht die Theologie häufig vor allem darauf, ob die Botschaft des Evangeliums auch in ihrer Integrität übermittelt worden ist. Die interkulturelle Kommunikationsforschung läßt vermuten, daß ein solcher Zugang zu Wahrheitsansprüchen möglicherweise anders zu verstehen ist. Wahrheitsansprüche müssen gelesen werden im Zusammenhang des Prozesses des Aushandelns von Identität, nicht nur, um zu sehen, wie es dazu gekommen ist,

daß sie an ihrem neuen Ort verstanden werden, sondern auch, um zu erkennen, wie ihre Ansiedlung in neuen Identitäten bisher dunkle oder verdunkelte Elemente der christlichen Wahrheit zu erhellen vermag.

5. Auch das, was in einer gegebenen Situation das "Ankommen" bei einer interkulturellen Theologie ausmacht, mag kulturell variieren. Wie oben gesehen, schätzen individualistische Kulturen die Neuheit und Offenheit, während kollektivistische Kulturen die wiederholte Bestätigung von Ordnung und Gruppensolidarität vorziehen mögen. Auch dies muß bei einem weltweiten Muster interkultureller theologischer Reflexion in Betracht gezogen werden.

6. Synodales Aushandeln wird sich gegenüber der monarchischen Proklamation als besserer Weg hin zur Entwicklung einer genuin interkulturellen Theologie erweisen. Die Forschung unterstreicht immer wieder den interaktiven Charakter interkultureller Kommunikation. Eine geteilte Praxis ist von daher der einzige Weg hin zu einer genuin interkulturellen Theologie.

(Aus dem Englischen übersetzt von Edmund Arens)

II
Anamnetische Solidarität und afrikanisches Ahnendenken

von Bénézet Bujo, Fribourg

Das anamnetische Denken ist eine unentbehrliche Dimension in der negro-afrikanischen Welt. Es hält nämlich das Gedächtnis aller Vorfahren wach und ruft zur Solidarität mit ihnen auf. Es geht daher zwar um ein "unde et memores"[1], aber dieses Eingedenken bezieht sich keineswegs nur auf das Unglück und Leid der Vorfahren, wie dies bei W. Benjamin der Fall zu sein scheint, sondern der Mensch in Schwarzafrika will das ganze Leben seiner Ahnen im Gedächtnis behalten und den Toten nicht zuletzt seine Dankbarkeit zum Ausdruck bringen. Hier dürfte der Unterschied zwischen der negro-afrikanischen Anamnesis und der etwa der politischen Theologie europäischer Prägung liegen, die den *Opfern* der Geschichte Priorität einräumt[2]. Die folgenden Ausführungen werden dies hoffentlich klar machen können. Verdeutlichen möchte ich diese These durch verschiedene Praktiken, die sich auf den Ahnenglauben beziehen, und durch den negro-afrikanischen Umgang mit der Zeit. Eine kurze Überlegung über die Zerstörung der schwarzafrikanischen Anamnesis durch die Moderne wird sich daran anschließen.

I. Die Bedeutung der Ahnen in der schwarzafrikanischen Welt

Die Menschen in Schwarzafrika, auch die modernen, leben bewußt oder unbewußt vom Vermächtnis ihrer Vorfahren. Dies zeigt sich in allen wichtigen Bereichen, nämlich im religiösen, sozio-ökonomischen und politischen. Man hat unweigerlich den Eindruck, die

---

[1] Vgl. *A. Stock*, Unde et memores. Über die Idee des Eingedenkens, in: *H.-U. v. Brachel / N. Mette* (Hg.), Kommunikation und Solidarität. Beiträge zur Diskussion des handlungstheoretischen Ansatzes von Helmut Peukert in Theologie und Sozialwissenschaften, Freiburg i. Ue. / Münster 1985, 45.

[2] Vgl. *B. Bujo*, Die ethische Dimension der Gemeinschaft. Das afrikanische Modell im Nord-Süd-Dialog, Freiburg i. Ue. / Freiburg i. Br. 1993, 27ff.

Moderne hat soweit eine Bedeutung und wird mit Vorliebe aufgenommen, als sie das Traditionelle weiterführt oder dessen Qualität noch erhöht. Sobald aber dieselbe Moderne in den existentiellen Fragen versagt, greift der Afrikaner oder die Afrikanerin auf die Tradition der Vorfahren zurück. Man geht nicht fehl in der Annahme, daß die negro-afrikanischen Praktiken den Menschen dermaßen geprägt haben, daß sie auch in der Moderne zum größten Teil im Untergrund weiterleben. All dies läßt sich erst dann richtig begreifen, wenn man die Bedeutung der Ahnenwelt in Afrika südlich der Sahara genau studiert.

1. Leben als Biographie und Autobiographie

Das Vermächtnis der Ahnen ist ein unschätzbares Gut, das auf deren persönlich-gemeinschaftliche Erfahrungen zurückgeht. Es handelt sich dabei um religiös-mystische und menschlich-gesellschaftliche Erfahrungen im Alltag. Was die Vorfahren als lebensspendend für sich selbst und für die Sippengemeinschaft erfahren haben, das haben sie festgehalten und den Nachfahren weitertradieren wollen. Mit anderen Worten: Diese Erfahrungen sind nicht aufgrund ihrer von den Ahnen kommenden und tabuartigen Autorität her beachtenswert, sondern eben aufgrund ihrer überzeugenden Kraft. So gesehen sind jene Riten, Gesten und alle Bestimmungen durch die Ahnen eine Autobiographie[3]. In einer oralen Tradition sind sie ein lebendiges Buch der Weisheit, in dem die Vorfahren ihr eigenes Leben schildern und den Nachfahren zu bedenken geben, wenn diese Leben in Fülle haben wollen. Sie müssen diese Autobiographie zwar nicht servil befolgen, aber sie werden dazu aufgerufen, ihre gegenwärtigen und zukünftigen Handlungen von dieser Anamnesis her zu beurteilen. Diese Autobiographie betrifft nicht mehr nur die heute Lebenden, sondern sie ist auch für die noch nicht Geborenen bestimmt. Sie ist zugleich eine Herausforderung an die heute Lebenden, die Autobiographie der Vorfahren erzähle-

---

[3] Vgl. *J.B. Metz*, Theologie als Biographie?, in: *ders.*, Glaube in Geschichte und Gesellschaft. Studien zu einer praktischen Fundamentaltheologie, Mainz [4]1984, 195-203. Der Akzent bei Metz ist etwas anders als in dieser Studie. Während Metz nur von Biographie spricht, möchten die folgenden Ausführungen zwischen Autobiographie als Ahnenwerke und Biographie als anamnetischer Fortführung derselben Autobiographie unterscheiden. Hierzu vgl. auch *B. Bujo*, Afrikanische Theologie in ihrem gesellschaftlichen Kontext, Düsseldorf 1986, 82f.

risch und praktizierend als Biographie 'fortzuschreiben', so daß dieses Fortschreiben zu ihrer eigenen Autobiographie wird, die den noch nicht Geborenen weitertradiert werden kann. Erst diese Autobiographie in der Biographie und die Biographie in der Autobiographie umfassen die drei Welten der negro-afrikanischen Lebensauffassung: Die der Lebenden, die der Toten und die der noch nicht Geborenen, deren Zukunft entscheidend von gegenwärtigen anamnetischen Handlungen abhängt.

Es sei aber mit Nachdruck betont, daß die Autobiographie prinzipiell keinerlei Fixierung auf eine gewisse Tradition bedeutet. Die Autobiographie der Vorfahren, die erzählerisch und praktisch-biographisch von den Nachfahren aktualisiert wird, vollzieht sich prozedural durch Palaver. Das Palavermodell hat ja u. a. zum Ziel, die Auseinandersetzung mit der bestehenden Tradition der Ahnen zu fördern. Die Tatsache, daß jedes erwachsene Mitglied der Sippengemeinschaft die Biographie der Vorfahren durch Worte und Taten anamnetisch Wirklichkeit und so seine Autobiographie sichtbar werden läßt, zwingt zur Konfrontation mit den gegenwärtigen Fragen, die in der Autobiographie der Vorfahren nicht erzählt und enthalten sind. Die religiösen, interpersonellen und ethischen Erfahrungen der Vorfahren sind damit empfänglich für jene der heutigen und nachkommenden Generationen, ja sie sind auf diese hin offen. Auf diese Weise ist die afrikanische Gesellschaft nicht eine lethargische Menschengruppe, die nur noch das Statische, Unveränderliche wiederkäuen würde. Nein, indem die alte Weisheit - die der Vorfahren - und die neue - die der jetzigen Generation - in einem dialektischen Verhältnis stehen, geht es um die Eröffnung einer neuen Zukunft, die der Gemeinschaft der Lebenden und der Toten eine neue Dynamik verleihen soll. Dies impliziert aber zugleich, daß die Anamnesis eine wichtige Dimension dieser Dynamik darstellt. Der einzelne Mensch ist mit der bidimensionalen Gemeinschaft so verwoben, daß er auf sie angewiesen ist und umgekehrt. Dabei ist das Grundprinzip das Leben, das nur in dem Maße gedeihen kann, als jedes Mitglied in einer Kommunikationsgemeinschaft mit allen steht. Wenn hier die Anamnesis zum Wesensbestandteil dieser Kommunikation gehört, ist sie nicht nur auf die Toten bezogen. Über diese Letzteren hinaus umfaßt sie ebenso die Ältesten der jetzigen Generation, vor allem die alten Menschen, die den Toten bzw. den Ahnen am nächsten stehen. Indem die Jüngeren die Autobiographie der Ältesten biographisch rezipieren und so ihre eigene Biographie zu gestalten versuchen, entdecken sie die Dankbarkeitsdimension, die sie dazu aufruft, sich gegenüber den Vorfahren und Ältesten nicht gleichgültig, sondern respektvoll und liebevoll zu verhalten. Dieser Grundsatz hat weitreichende Konsequenzen im alltäglichen Leben. Der alte Mensch steht im Mittelpunkt, da er ein Bindeglied zwischen den Vorfahren und den Nachfahren ist und so eine lebendige, leibhaftige Anamnesis darstellt. Er ist also der Kristallisationspunkt aller vorangegangenen Erinnerungen, die der jetzigen Generation zu bedenken dargeboten werden, damit sie dadurch einen richtigen Weg zum Leben einschlägt. Darüber hinaus aber geht es um mehr als nur um ein Gedenken, das selbstisch zum eigenen Nutzen gebraucht wird. Die Versorgung und das Ernstnehmen der alten Menschen hat, wie angedeutet, wesentlich mit der Dankbarkeit der jüngeren Generation zu tun. Diese Generation verdankt den alten Menschen alles und darf deshalb nicht gedächtnislos leben und jene Menschen in die Isolation verdrängen, die am Ursprung ihres heutigen Wohlbefindens sind. Ein Abschieben der betagten Menschen käme einer Ausbeutung und einem Erschlagen gleich. Die Anamnesis bewahrt davor!

An dieser Stelle wird man den Unterschied zwischen der Benjaminschen und der negro-afrikanischen Anamnesis unterstreichen müssen. Bezüglich der ersten schreibt Ottmar John zu Recht: "Benjamin und eine große Gruppe von Exilanten haben sich genau in der Situation befunden, in der die Erinnerung vergangener Leiden und Kämpfe allein in der Lage war, den Beurteilungsmaßstab für die Gegenwart zu liefern. Für sie war Erinnerung zur exklusiven Erkenntnisquelle avanciert"[4]. Eine so verstandene Erinnerung hat hauptsächlich mit 'Gefahr', 'Unterdrückten' und 'Erschlagenen' der Vergangenheit zu tun. Die Geschichte wird vor allem zur Leidensgeschichte. Die Opfer dieser Geschichte sind Objekte einer schuldhaften Gesellschaft, in der die 'Sieger' die Toten expropriiert haben. Es ist klar, daß diese Art von Anamnesis bei Benjamin erst im Kontext der Geschichte des jüdischen Volkes verständlich wird. Es ist dieser Gedanke einer, der auch in der politischen Theologie europäischer Prägung weitergeführt wird, wenn etwa die Erfahrung des Dritten Reiches oder von Auschwitz im Mittelpunkt steht.

---

4 *O. John*, Fortschrittskritik und Erinnerung. Walter Benjamin, ein Zeuge der Gefahr, in: *E. Arens / O. John / P. Rottländer*, Erinnerung, Befreiung, Solidarität. Benjamin, Marcuse, Habermas und die politische Theologie, Düsseldorf 1991, 11-80, hier 67.

Die afrikanische Anamnesis weist hier zum Teil andere Merkmale auf. Ihr Augenmerk gilt nicht nur der Vergangenheit, sondern wie schon angedeutet, auch den Gestaltern der noch nicht abgeschlossenen Geschichte der heutigen Generation. Mit anderen Worten: Es geht nicht nur um die schon verstorbenen, sondern auch um die unter uns noch lebenden Mitgestalter der Gesellschaft, namentlich die alten Menschen, deren aktive Mitbeteiligung am Aufbau unserer Gesellschaft nun allmählich zu ihrem Abschluß kommt. Was hier zählt ist dann nicht mehr die Leistung, sondern die Kommunikationsgemeinschaft, die auch die Hochbetagten selbst dann miteinbezieht, wenn sie der jüngeren Generation nichts Greifbares mehr anzubieten haben. Ihre Präsenz mitten in der Gemeinschaft ist eine anamnetische Autobiographie, die die ganze Sippe und Familie von innen her mit Lebensdynamik erfüllt. - Ein weiterer Unterschied zur Benjaminschen Anamnesis und zur europäischen politischen Theologie besteht darin, daß es sich auch hinsichtlich der Toten in erster Linie nicht um eine Leidensgeschichte handelt. Im Mittelpunkt steht eher die Lebensgemeinschaft mit Vorfahren und Nachfahren, die sich gegenseitig bereichern. Anamnetische Solidarität in diesem Kontext heißt, die Erfahrungen der Vorfahren ernst nehmen, weil sie das Mysterium des Lebens zu enträtseln helfen. Die von den Vorfahren gesammelten Lebenserfahrungen werden den Nachfahren anvertraut, damit sie die vergangene Weisheit auch kritisch weiterreflektieren und so zur eigenen Identität finden, die aber erst in der anamnetischen Solidarität und Kommunikationsgemeinschaft mit der unsichtbaren Familiengemeinschaft 'zur Selbst- und Wir-Werdung' hinführt. Gerade im Kontext dieser Solidaritäts- und Kommunikationsgemeinschaft gelangt man auch zu neuen ethischen Normen, die sich mitunter als ständige Auslegung der Satzungen der Vorfahren verstehen[5].

Eine so verstandene Anamnesis schließt die Leidensgeschichte nicht aus, sondern impliziert sie. Wohl aber läßt sie sich nicht darauf beschränken. So ist es selbstverständlich, daß das negro-afrikanische Eingedenken der Toten sich auch auf die Leidensgeschichte der Sklaverei und der Kolonisation erstreckt, die dem Schwarzen Kontinent so viele Opfer abverlangt haben. Durch den Sklavenhandel, zu dem auch die christliche Kirche Anlaß gab, wurde Afrika nicht nur gedemütigt, sondern auch seiner Lebenskraft zum größten Teil beraubt. Viele Menschen kamen ums Le-

---

5 Vgl. *B. Bujo*, Die ethische Dimension 27f.

ben, wurden ins Ausland zerstreut, verloren ihre Identität und mußten alle Arten von Mißhandlungen über sich ergehen lassen. Diese Mißhandlungen wurden in der jüngsten Kolonialgeschichte fortgesetzt. In vielen Gegenden mußten Männer in den besten Jahren harte Arbeiten für die Kolonialsiegermächte verrichten, und viele haben dafür mit ihrem Leben bezahlt. Ganze Dörfer wurden Frauen, Kindern und Greisen überlassen, die nicht in der Lage waren, für das Überleben ihrer eigenen Familien und Gemeinschaften aufzukommen[6].

Aufgrund der geschilderten Mißhandlungen müßte also beispielsweise die feministische Theologie in Schwarzafrika andere Akzente setzen als im Westen. Wenn es stimmt, daß die Männerherrschaft über die Frauen auch in Afrika an den Pranger gestellt werden muß, so ist hier differenzierter vorzugehen. Man sollte nämlich auch der Tatsache Rechnung tragen, daß die schwarzen Männer in der Kolonialzeit mitunter mehr unterdrückt wurden als die schwarzen Frauen, und sie wurden es nicht zuletzt auch durch weiße Frauen. Diese Unterdrückung schlug dann zum Teil auf die

---

[6] Über solche und ähnliche Fragen gehen manche westlichen Denker - sogar Theologen - hinweg, da sie sich nur noch für die sogenannte Hermeneutik interessieren. Man gewinnt dann den Eindruck, daß es für diese Hermeneutik gleichgültig ist, wie es den konkreten Menschen in einer ebenso konkreten Situation geht. Zu solchen Denkern gehört höchstwahrscheinlich auch Heribert Rücker. Vgl. seine Besprechung zu B. Bujo, Die ethische Dimension, in: ÖR 43 (1994) 116-117. Rücker sieht es als Mangel an, daß viele Konzepte und deren Hintergrund "dem westlichen Leser" nicht erklärt werden, als ob der Afrikaner den Menschen aus dem Westen über alles Rechenschaft ablegen müßte, ohne auch von seiten des Westens eine gewisse Anstrengung zum Mitdenken und Mitsuchen erwarten zu dürfen. Ist dies nicht in gewisser Hinsicht ein Rückfall in die Kolonialvergangenheit mit ihrer Arroganz? Nach Rücker hat das von ihm besprochene Buch einen "Süd-Nord-Dialog" verfehlt. Vielleicht kann gerade diese Verfehlung zum Dialog anregen und einen interessanten Anfang darstellen. Obwohl das "hermeneutische" Buch Rückers, "Afrikanische Theologie". Darstellung und Dialog, Innsbruck / Wien 1985, mit dem erstmals verliehenen 'Karl-Rahner-Preis' (war der Ahn ein richtiger?) ausgezeichnet wurde, ist der Nord-Süd-Dialog bisher noch nicht zustande gekommen, vielleicht noch weniger als damals bei P. Tempels. Eine Wende in der afrikanischen Theologie scheint die Dissertation des Hermeneutikers Rücker nicht gewesen zu sein. - Soll seine Kritik als Trauerarbeit für die durch sein Werk verpaßte Chance verstanden werden? Dann hätte er immerhin aus eigener Vergangenheit (Anamnesis?) gelernt.

schwarzen Frauen zurück, weil das Leiden ihrer Männer sie doch existentiell traf. Wo sie dann im Herrschaftsverhältnis von schwarzen Männern lebten, fühlten sie sich doppelt unterdrückt. Damit ist die Leidensgeschichte der Negro-Afrikanerinnen viel komplexer als die der Frauen im Westen. Eine weitere anamnetische Dimension betrifft das Problem von Asyl und Migration aus dem Süden. Die Erinnerung an die Kolonialpolitik in Afrika mit ihren Opfern unter der einheimischen Bevölkerung macht deutlich, daß die Länder des Nordens ihren Reichtum nicht nur ihrer eigenen Leistung, sondern zum größten Teil den Ländern des Südens und darunter auch Afrika verdanken. Damals gingen die Sieger der Kolonialgeschichte in den Süden ohne irgend jemanden dort um ein Visum zu bitten. Nachdem aber nun der Reichtum des Südens dem Norden zugute gekommen ist, wird den Menschen aus den armen Ländern der Zugang zum Norden erschwert, ja die Asylsuchenden werden sogar brutal zurückgewiesen. Dabei müßte das Eingedenken der Leidensgeschichte dieser Armen den Norden zum Umdenken führen. Denn gerade die Wirtschaftsstrukturen des Nordens haben das Gleichgewicht im Süden zerstört, so daß die armen Länder des Südens ein Recht auf eine Wiedergutmachung haben. Unter dieser Perspektive muß schließlich auch das Problem der Überschuldung Afrikas diskutiert und gelöst werden. In Anbetracht der bisher evozierten Leidensgeschichte, die durch die Mächte des Westens initiiert wurde, drängt sich die Frage auf, welche Schulden Afrika noch zurückzuzahlen hat, und ob sich die Situation nicht gerade umgekehrt verhält. Getreu ihrer anamnetischen Tradition, nach der die Toten gar nicht tot sind, fordern die Afrikanerinnen und Afrikaner das Recht ihrer Vorfahren ein. Die Gemeinschaft der Hinterbliebenen kann ja nicht in Frieden leben, solange die Toten vergessen oder - schlimmer noch - verachtet werden. Ein echter Friede und ein harmonisches Leben können der jetzigen Generation nur dann widerfahren, wenn die Gerechtigkeit auch gegenüber den Vorfahren ein Stück Wirklichkeit wird.

2. Das Problem von Praxis und Poiesis

Alles bisher Besprochene bezog sich meistens auf 'Praxis', nun umfaßt aber das negro-afrikanische Eingedenken ebenso die 'Poiesis'. Während die Praxis sich als nicht-herstellendes, ethisch-politisches Handeln definieren läßt, "ist die 'poiesis' ein Handeln, durch das etwas hergestellt wird, ein Werk, von Menschen hervorgebracht aus dem Stoff dieser Welt, ein 'Kunst'-Werk, hingestellt neben die Werke der Natur"[7].

Die Poietik ist sicher eine sehr wichtige Dimension im afrikanischen anamnetischen Denken, das die Solidarität und die Gemeinschaft mit den Ahnen dokumentiert. Einige Beispiele werden genügen, dies deutlich zu machen.

a) Ehe, Zeugung und Gebären

Das erste Beispiel, das wohl den Grund für alle weiteren bildet, betrifft Ehe und Weitergabe des Lebens. Die Ehe in Afrika steht im Spannungsverhältnis Leben - Tod, in dem kein Mensch sich damit begnügen kann, bloßer Zuschauer zu sein; nein, er muß zum *Geschichtsmacher* im Sinn von *poiein* werden[8]. Es geht also um einen Lebensrhythmus, an dem jedes Mitglied teilnehmen soll, es sei denn, man wolle der Gemeinschaft Schaden zufügen. Mit anderen Worten, es ist die Ehe, die die Sippengemeinschaft *konstituiert* und *'herstellt'* (*poiesis*). All dies knüpft letztlich an die anamnetische Solidarität an, da die Ehe das Fundament jener Gemeinschaft darstellt, in der die Begegnung mit den Ahnen möglich und greifbar wird. Diese Idee ihrerseits ist mit der Weitergabe des Lebens verknüpft, in der es sich sowohl um das Überleben des Individuums als auch der Gemeinschaft in ihrer Bidimensionalität handelt. Im Rahmen des anamnetischen Denkens sind Zeugung und Gebären die Erfüllung des Ahnenauftrages: *touto poieite eis tes emen anamnesin*. Wer nämlich zeugt und gebiert erzählt biographisch die Autobiographie der Vorfahren neu und schreibt seine Autobiographie fort. Durch den Zeugungsakt und das Gebären setzen sich die Mitglieder sowohl für die individuelle als auch für die kollektive Unsterblichkeit ein. Das Testament, d.h. das letzte Wort des Familienvaters beispielsweise ordnet den Hinterbliebenen an, die Anliegen der Vorfahren sowie seine eigenen Wünsche weiterzuführen und Wirklichkeit werden zu lassen. Dies geschieht aber durch die Nachkommenschaft, die die Familienmitglieder vermehrt, damit die anamnetische Solidarität mit allen Vorfahren garantiert ist. Bei manchen ethnischen Gruppen ist die anamnetische poiesis um so

---

[7] *A. Stock*, Unde et memores 49.

[8] Vgl. *J.S. Mbiti*, African Religions and Philosophy, London / Ibadan / Nairobi 1983 (Neudruck), 133.

notwendiger als die Neugeborenen die Merkmale - physische oder andere - der Vorfahren in so lebendiger Weise darstellen, daß letztere wieder präsent unter den Nachfahren sind, ohne daß deshalb von einer 'Wiedergeburt' im eigentlichen Sinn gesprochen wird[9]. Erst von hierher versteht man richtig, warum die Kinderlosigkeit in Schwarzafrika als Unglück empfunden wird, gegen das alles unternommen werden muß. Jemandem wünschen, er oder sie möge kinderlos sterben, ist der schlimmste aller Flüche überhaupt, denn es geht hier um ein böses Wort, das eine böse Intention verrät, die bis hin zur Vernichtung einer ganzen Gemeinschaft führen kann. - Erst von dieser Einstellung her ist auch das Problem kinderloser Ehepaare oder polygamer Ehen zu beurteilen. Auch manche Scheidungsfälle gehen auf Unfähigkeit zu zeugen oder zu gebären zurück. Eine Frau, die einen Schwangerschaftsabbruch vorgenommen hat, setzt sich bei den Bahema von Zaire dem Vorwurf aus, sie töte den Ehemann und dessen ganze Familien- und Sippengemeinschaft. Ein derartiges Verhalten, das den anamnetischen Poiesis-Auftrag mißachtet, kann Anlaß zur Scheidung geben.

Noch einmal: Der schlimmste Tod in Afrika besteht darin, ohne Nachkommenschaft zu sterben, weil man dann total in Vergessenheit gerät und keine Möglichkeit mehr hat, durch eine Anamnesis 'auferweckt' zu werden.

b) Memoria-Baum

Bei vielen ethnischen Gruppen in Schwarzafrika spielt der Ahnenbaum eine äußerst wichtige Rolle. Dieser Baum steht unter dem Zeichen der anamnetischen poiesis. Ein deutliches Beispiel hierfür ist der Ahnenbaum bei den Bahema von Ostzaire. Es handelt sich um den Ficusbaum, der meistens auf das Grab eines Familienvaters gepflanzt wird. Der Ficus ist ein Baum, der immer grün bleibt und alle Jahreszeiten überlebt. Deshalb symbolisiert er das nie endende Leben des im Grab liegenden Patriarchen, ja er ist dessen greifbare Präsenz unter den Nachfahren. Das Pflanzen dieses Baums geschieht im Rahmen eines Gedächtnisritus, der im Kreis der Familienangehörigen vollzogen wird. Es geht um ein 'Herstellen' bzw. eine Wiederherstellung der Gegenwart des Verstorbenen. Der Ficus beschränkt sich aber nicht nur auf den ver-

---

[9] Vgl. ebd.

storbenen Familienvater; seine vielen Zweige mit den immer grünen Blättern symbolisieren auch eine zahlreiche Nachkommenschaft, die aus Menschen besteht, die zum Teil noch nicht geboren sind. Damit wird dieser Baum zur *memoria*, von der von Generation zu Generation erzählt wird, und jeder Ritus, der sich unter dem grünen Ficus vollzieht, ist Verlängerung und Weiterführung der ursprünglichen, anamnetischen poiesis, durch die die Pflanzung stattgefunden hat. So wird unter diesem Ahnenbaum um Versöhnung, Heilung, gute Ernte und dergleichen gebeten. Das heißt wiederum, daß Eintracht, Gesundheit usw. wiederhergestellt werden, wobei es sich hier wie schon bei Ehe und Zeugung nicht um eine technische Herstellung handeln kann. A. Stock beobachtet richtig: "Reduziert auf technisch-wissenschaftliche Naturbearbeitung, büßt die 'poiesis' natürlich einen eigenständigen Ort im Raum des religiösen Handelns ein; theologische Handlungstheorie kann dann nur koextensiv sein mit 'praxis' als ethisch-politisch bestimmter Interaktion. Die Tradition des Eingedenkens erinnert die Theologie an die Kategorie des Werkes"[10]. Vor allem in Schwarzafrika, wo alle Lebensdimensionen eine Einheit bilden, impliziert eine poiesis auch immer eine praxis und umgekehrt.

Was über den Memoria-Baum bei den Bahema von Ostzaire gesagt wurde, läßt sich in ähnlicher Weise auch bei anderen ethnischen Gruppen beobachten. Die Baluba von Kasayi in Zaire und die Agikuyu von Kenya können als Beispiel dienen, wiewohl letztere den immer grünen Baum vorrangig mit Gott und erst im abgeleiteten Sinn mit den Ahnen in Verbindung bringen. Bei den Baluba bezeichnet das Wort *'Mvidi'* Bäume, die sich sowohl durch Samen als auch durch Wurzeln und Zweige vermehren lassen. Auch sie bleiben immer grün und werden so zum Symbol des Reichtums, der Fruchtbarkeit, des Sieges, also des Glückes insgesamt. Ein Muluba, der die Fülle des Glücks erreicht hatte, d. h. wenn er über die volle Lebensvitalität verfügte, pflanzte einen Mvidi-Baum vor sein Haus. Es war für ihn eine 'memoria', die mit der Idee des Lebens im Jenseits und des anamnetischen Ahnendenkens gekoppelt war. Alle Mahlzeiten als 'communio' der Familiengemeinschaft mußten unter diesem Baum eingenommen werden[11].

---

[10] *A. Stock*, Unde et memores 49.
[11] Vgl. *F. Kabasele*, Le Christ comme Ancêtre et Aîné, in: *ders./J. Doré/R. Luneau* (Hg.), Chemins de la Christologie africaine, Paris 1986, 134ff. Auch *B. Bujo*, Auf der Suche nach einer afrikanischen Christologie, in: *H. Dembowski /*

Die Agikuyu von Kenya ihrerseits kennen Bäume, die als Orte verschiedener Opfergaben betrachtet werden. Vor allem zwei verdienen Erwähnung, nämlich *Mugumo* und *Mukuyu*. Ähnlich wie bei den Baluba weisen diese beiden Bäume letztlich auf das gelungene, glückliche Leben hin. So symbolisiert beispielsweise ihr weißes Harz Beruhigung und Segen. Ihr Freisein von Dornen macht sie zum Ort der Versöhnung (mîtî mîhoro ya horohio) Dabei kommt vor allem dem Mugumo-Baum eine besondere Bedeutung zu. Er ist der größte aller Bäume und bleibt immer grün. Er symbolisiert also das lange Leben par excellence, und die Ahnen haben ihn mit Vorliebe zum Opferbaum und Symbol des Lebens erkoren.

Die beiden Bäume, Mugumo und Mukuyu, die das Leben der Agikuyu so tief prägen, werden nicht durch Menschen, sondern durch Gott selbst mittels seiner Vögel gepflanzt[12]. Alle Riten, die im Zusammenhang mit diesen Bäumen vollzogen werden, sind die Vergegenwärtigung und das Herstellen des von Gott durch diese Symbole (Mugumo und Mukuyu) Gewollten, das die Vorfahren von Generation zu Generation zu aktualisieren beauftragt haben. So werden die Riten und alle Handlungen um die beiden Sakralbäume zur anamnetischen *poiesis*, die dem Leben der Agikuyu Gestalt verleiht und Konsistenz gibt.

Endlich ist auch auf den Totenritus in Rwanda hinzuweisen, der mit dem Erythrina-Baum eng verbunden ist. Dem Verstorbenen wird ein oder zwei Blätter in die Hände gelegt. Die Erythrina ist nämlich sakral, weil nach einer Legende Lyangombe, der Gesegnete Gottes und über allen Verstorbenen stehende Held, nach seiner Verletzung durch einen Büffel unter diesen Baum gebracht wurde und dort starb. Dieser Tod wird also zum Gedächtnis der nachkommenden Generation gegeben, die ihn durch eine poiesis immer wieder aktualisieren sollen, dergestalt, daß der Tod der Nachfahren nicht mehr unabhängig von dem des Lyangombe gesehen und gefeiert werden kann[13].

W. Greive (Hg.), Der andere Christus. Christologie in Zeugnissen aus aller Welt, Erlangen 1991, 87-99, hier 94f.

[12] Vgl. *P.N. Wachege*, Jesus Christ Our Mûthamaki (Ideal Elder). An African Christological Study Based on the Agîkûyû Understanding of Elder, Nairobi 1992, 48-49.

[13] Hierzu vgl. *B. Bujo*, Afrikanische Theologie 131. Zu Lyangombe vgl. *A. Kagame* u. a., Lyangombe. Mythe et rites, Bukavu 1979.

c) Arbeit und Nahrungsmittel als memoria

Bedeutsam ist der Totenritus bei den Bahema, von denen schon die Rede war. Es handelt sich um die Trauerfeier eines Familienvaters. Angesichts der Bedeutung ihrer Stellung als Stammhalter müssen die Söhne aus der Hand ihres verstorbenen Vaters essen. Jeder muß viermal - eine männliche Zahl - die 'Eleusine'-Körnchen (eine Art Getreide) auflecken, die in die Hand des Verstorbenen gelegt sind. Diese symbolische Handlung bedeutet, daß die Kinder gesund bleiben mögen, ohne sich vom Gedanken an den Tod bedrücken zu lassen. Vor allem aber wird der Vater gebeten, die 'Eleusine', mit der er seine Kinder und Familie immer ernährt hat, nicht mit sich fortzunehmen. Auch im Tode soll er an die Hinterbliebenen denken[14]. Eleusine ist nämlich ein wichtiges Nahrungsmittel, das zwar nicht durch seine Häufigkeit im Hinblick auf die Eßgewohnheit als vielmehr durch seine symbolische Bedeutung - Prestige, Gastfreundschaft und dergleichen - die ganze Lebenswelt der Bahema entscheidend mitbestimmt. Daß der Vater die Eleusine als Testament zurückläßt, gibt den Hinterbliebenen ein wichtiges Material an die Hand, dem Verstorbenen zum Gedächtnis das zu tun, was auch er immer getan hat. Es ist eine echte anamnetische poiesis, die sowohl den Vater re-aktualisiert als auch die Lebenswelt der Bahema immer wieder *herstellt*, damit den Nachfahren die Fülle des Lebens zugesichert ist.

Eine ähnlich Gedankenlinie läßt sich bei den Kirdi von Nordkamerun weiterverfolgen. Die Hirse ist dort ein Grundnahrungsmittel, das der Mensch von Gott selbst empfangen hat. Der Befehl Gottes lautet: "'Grabt den Berg und pflanzt Hirse.'"[15] Der Hirse gebührt deswegen ein besonderer Respekt, weil sie einfach das Leben bedeutet. Die alltägliche Arbeit, Hirse anzubauen, zu pflegen und zu ernten, macht Gott und seinen Befehl gegenwärtig und zugleich ist sie ein Werk, das das Leben *schöpferisch* wie Gott selbst weiterführt, eben *herstellt*; es ist also in jeder Hinsicht eine anamnetische poiesis. Es ist dann klar, daß die Zubereitung und das Essen von Hirse sich - wie auch bei der Eleusine - nicht von dieser poiesis trennen lassen. Die Mahlzeiten und alles, was damit zusammenhängt, wird schließlich zum Feiern des Sieges vom Leben

---

[14] Vgl. *B. Bujo*, Afrikanische Theologie 29f.
[15] Zit. bei *J.-M. Ela*, Mein Glaube als Afrikaner. Das Evangelium in schwarzafrikanischer Lebenswirklichkeit, Freiburg i. Br. 1987, 102.

über den Tod, und sie verweisen letztlich auf den Gott des Lebens, dessen memoria sie darstellen.

Diese wenigen Beispiele mögen deutlich gemacht haben, daß die negro-afrikanische Welt zutiefst vom anamnetischen Denken geprägt ist. Es wäre interessant, dies noch mehr zu belegen, indem man etwa die Funktion der Kunstwerke in Schwarzafrika gründlich studiert. Da dies an dieser Stelle nicht geschehen kann, sei nur gesagt, daß die Kunst immer das Religiös-Mystische zum Ausdruck bringt. Die Kunst dokumentiert, ja erzählt die religiöse Erfahrung des Menschen und die von Leben und Tod[16]. Sie erinnert auch an die Lebensgeschichte der Sippengemeinschaft von Jenseits und Diesseits; sie erzählt von einer gesunden Sexualität und Fruchtbarkeit. Damit steht sie tief im anamnetischen Denken, das die Solidarität von Nachfahren mit ihren Ahnen hervorruft.

Von diesem Kunstverständnis her wird es nötig sein, die Frage nach dem modernen Umgang mit der Kunst zu stellen. Zunächst aber soll noch darauf hingewiesen werden, daß nicht nur Handlungen und Werke sich anamnetisch vollziehen, sondern daß das Ganze noch das Zeitverständnis voraussetzt, in das diese Dimension eingebettet ist.

II. Vom Zeitverständnis in Schwarzafrika

Seitdem Schwarzafrika mit der abendländischen Zivilisation konfrontiert wird, stellt sich immer wieder die Frage nach dem Umgang des schwarzen Menschen mit der Zeit, so wie Menschen in Europa und Nordamerika sie verstehen. Daß er nie unter Zeitdruck arbeitet und arbeiten will, wurde des öfteren mit seiner technischen Unterentwicklung in Verbindung gebracht. Um den Menschen in Afrika richtig verstehen zu können, ist es also notwendig, sich seine Zeitvorstellung vor Augen zu führen. In dieser Vorstellung gibt es vielleicht auch Ergänzendes zu einer allzu technischen Einstellung des Menschen im Westen.

1. Was ist Zeit in Afrika?

Einen interessanten Hinweis zum Zeitverständnis in Schwarzafrika hat John S. Mbiti gegeben. Er stellt fest, daß es keine numerische

---

[16] Vgl. *B. Bujo*, Afrikanische Theologie 46f.

Zeitrechnung in Afrika gibt. Man müßte eher von einem 'Ereignissekalender' sprechen. Denn dem Menschen in Schwarzafrika geht es nicht um mathematische Zeit, die genau gemessen werden kann, sondern um Ereignisse, die aufeinander bezogen sind. Zeit ist also für Afrikaner und Afrikanerinnen kein Selbstzweck. Tage, Monate, Jahre so wie die Dauer eines Lebens oder die Geschichte einer Nation sind alle je nach Ereignissen zu unterteilen, die allen bekannt sind. Hierher gehören etwa der Sonnenaufgang, der Zeitpunkt zum Melken der Kühe, die abendliche Rückkehr der Kühe in den Stall, die Zubereitung des Abendessens usw. Diese Ereignisse sind es, die den täglichen Rhythmus des Menschen auch bestimmen. Das bedeutet aber, daß die quantitative Zeit mit ihrer genauen Angabe nicht wichtig ist. Es kommt nicht darauf an, ob etwas eine, zwei Stunden oder zehn Tage dauert. Wichtig sind die Ereignisse, die den ganzen Lebensverlauf bestimmen[17]. Von hierher versteht man, daß der in der afrikanischen Tradition verwurzelte Mensch über kein genaues Alter verfügt. Seine Geburt wird durch ein Ereignis festgelegt, ohne daß dies mathematisch datierbar wäre. Es handelt sich um einen 'memorativen' Akt, der auf eine kurze oder lange Dauer hinweist. Ähnliches läßt sich vom Todestag eines Menschen sagen. Das Datum läßt sich kaum festlegen, sondern muß durch ein anderes Ereignis erzählt werden und wird seinerseits zum Urereignis aller weiteren Geschehnisse. So kann dieser Todestag beispielsweise zum Geburtstag eines Neugeborenen werden. Kurzum: Ereignisse werden durch Ereignisse verdeutlicht und weitergeführt.

Diese Beobachtung veranlaßt J. S. Mbiti zur Aufstellung seiner Hauptthese, wonach die Negro-Afrikanerin und der Negro-Afrikaner ihre Aufmerksamkeit ausschließlich der Vergangenheit und Gegenwart zuwenden. Eigentlich existiere die Zukunft als 'wirkliche' Zeit für Afrikanerinnen und Afrikaner nicht. Mbiti weiß wohl, daß die Afrikanerin und der Afrikaner über das Konzept von Monat oder Jahr verfügen können. Es ist zum Beispiel auffallend, daß das Kiswahili Ausdrücke für vier weitere Tage ab *heute* hat: kesho (morgen), kesho kutwa (übermorgen), mtondo (überübermorgen) und mtondogoo. Die europäischen Sprachen wie Deutsch und Französisch werden sich hier etwas schwer tun, um einen geeigneten Ausdruck für 'mtondo' und 'mtondogoo' zu finden.

---

[17] Vgl. *J.S. Mbiti*, L'eschatologie, in: *K.A. Dickson / P. Ellingworth* (Hg.), Pour une théologie africaine, Yaoundé 1969, 219-253, hier 221f.

Auch in Kilendu (Ostzaire) läßt sich der Zeitraum wie in Kiswahili bestimmen (bbü, ndjanga, ndjangandjinga, ndjangandjingandjinga). Was J. S. Mbiti in Frage stellt ist nicht diese 'Mikro-Zukunft', sondern die 'Makro-Zukunft'. Er veranschaulicht dies anhand der Kiswahili-Ausdrücke 'sasa' (Jetzt) und 'zamani' (Vergangenheit). Nach ihm leben die Afrikanerin und der Afrikaner in der Gegenwart und das 'Jetzt' verschlingt das, was aus europäischer Sicht oder aus der Perspektive eines linearen Zeitverständnisses als 'Zukunft' betrachtet wird[18]. 'Sasa' als Gegenwart ist der Zeitraum, der am meisten zählt und für den Menschen in Afrika am bedeutungsvollsten ist[19]. Mit anderen Worten, 'sasa' bezeichnet den Zeitraum des bewußten Lebens und verbindet Individuen mit ihrer unmittelbaren Umwelt. Im Gegensatz dazu bezieht sich 'zamani' auf die Zeit der Mythen und begründet die Gegenwart, die dadurch konsistent wird. Während die 'sasa-Periode' als Mikro-Zeit gelten kann, ist die 'zamani-Periode' die Makro-Zeit, die am Ursprung aller erschaffenen Dinge steht und alles enthält.

In Afrika, so Mbiti weiter, müsse auch die Geschichte von diesem Blickwinkel her entziffert werden. Die Geschichte bewegt sich nämlich rückwärts, und zwar von 'sasa' zu 'zamani'. Sie geht also von der jetzigen Erfahrung aus zurück zu jenem Punkt in der Vergangenheit, der ganz am Anfang steht. Wenn aber die Geschichte sich nicht vorwärts bewegt, dann gibt es auch keine Zukunftsvision, die etwa auf das Weltende ausgerichtet wäre. In Schwarzafrika gibt es eine Fülle von Mythen, die sich mit der Schöpfung, dem ersten Menschen und der ersten Sünde beschäftigen. Erzählt wird ebenso von der Trennung von Himmel und Erde, oder vom Tod. Dargestellt wird ferner die Geschichte des Stammes ... All das betrifft aber immer die Vergangenheit (zamani), die für den schwarzen Menschen keineswegs unwirksam geworden ist, sondern es handelt sich um einen Zeitabschnitt voller Aktivitäten und Ereignisse. Denn gerade in diesem Zeitraum hat Gott alles erschaffen und auch der Tod ist dann in die Welt eingetreten. Dieses Zeitalter ist ebenso entscheidend für Moral, Bräuche und Weisheit des Volkes. In einem Wort: Das Goldene Zeitalter des Volkes liegt in der Vergangenheit. Letztere ist also die Wurzel der Existenz selbst für das Volk. Um sie herum artikuliert sich das Ganze rhythmisch: Geburt, Pubertät, Initiation, Zeugung, Altern, Tod und Eintritt in

---

[18] Vgl. *ders.*, African Religions and Philosophy, London u.ö.1983, 22.
[19] Vgl. ebd.

die Gemeinschaft der Verstorbenen. Selbst in der Natur spielt sich alles rhythmisch ab: Tage, Nächte, Mond (Monate), Jahreszeiten, die immer gleich bleiben und wiederkehren. In diesem Zusammenhang ist alles zyklisch und nichts deutet darauf hin, daß es eine andere, vielleicht bessere Welt gibt, wie das Judentum und das Christentum versprechen. Die Zeit bzw. die Welt für den negroafrikanischen Menschen scheint kein Ende zu haben. Darum gibt es bei den meisten Völkern Afrikas keine Mythen, die sich mit der Endzeit beschäftigen[20]. Daraus folgt für Mbiti, daß die Negro-Afrikanerinnen und Negro-Afrikaner sich keineswegs um die Zukunft kümmern und deshalb auch keine Projekte für die Zukunft entwickeln können. Wenn sie heute immer mehr planen, dann verdanken sie dies teils dem Christentum, teils der westlichen Erziehung mit ihrer modernen Technologie. Dies habe sich vorteilhaft auf die Entwicklung Afrikas ausgewirkt. Andererseits aber habe die traditionelle Zeitvorstellung ein Ungleichgewicht geschafft, das sich beispielsweise in der gegenwärtigen politischen Instabilität beobachten lasse. Die Kehrseite des okzidentalen Zeitverständnisses mache sich aber im religiösen Bereich bemerkbar. Die Rezeption der westlichen Zeitvorstellung habe eine millenarische Erwartung wachgerufen, dergestalt, daß ein Teil des Volkes seinen Blick nur noch auf das paradiesische Leben richte, das eine neue Welt mit sich bringen werde. Kein Wunder, daß eine ganze Reihe unabhängiger Kirchen und kleiner Sekten entstanden sei, die um Symbolfiguren geschart sind und Menschen mit messianischer Erwartung betrügen[21]. Gerade an dieser Stelle müßte man sich über die Prägnanz und Relevanz der Theorie von Mbiti kritisch fragen.

2. Eine ergänzende Bemerkung zu Mbitis These

Die von John S. Mbiti entwickelte Theorie könnte sich der Beliebtheit in der westlichen Welt erfreuen. Angesichts der gegenwärtigen politisch-ökonomischen Mißstände in Afrika ist man geneigt, John S. Mbiti Recht zu geben. Gefragt wird oft, was die Afrikanerinnen und Afrikaner mit dem Geld machen, das ständig gespendet wird und für die Entwicklung ihrer Länder bestimmt ist. Haben sie wirklich die Fähigkeit, Projekte für die Zukunft zu entwickeln?

---

[20] Vgl. *ders.*, L'eschatologie 223-224.
[21] Vgl. *ders.*, African Religions 27f.

Leben sie nicht eher in Vergangenheit und Gegenwart, ohne Zukunftsvision? Die allenthalben zu beobachtende wirtschaftliche Rezession mag zu solchen Fragen Anlaß geben. Allein, auf das negro-afrikanische Zeitverständnis sollten sie sich nicht beziehen. Dies kann aber erst deutlich werden, wenn man die Sicht J. S. Mbitis vertieft und etwas ergänzend korrigiert.

a) Zeit und Heil in Schwarzafrika

Man trifft meines Erachtens nicht den Kern der Sache, wenn man der Afrikanerin und dem Afrikaner jegliche Endzeitvorstellung abspricht. Es stimmt zwar, daß die Vergangenheit das Leben des Menschen entscheidend bestimmt und daß die großen Taten der Vorfahren immer wieder in Erinnerung gerufen werden müssen. Der Grund hierfür ist aber, daß die Ahnenbiographie in allen Lebenssituationen deswegen weitererzählt werden muß, da das Heil des Volkes und des Individuums daran gebunden ist. Dies berechtigt das Wiederholen der Gesten, Riten und Worte, die von den Vorfahren stammen. Es geht hier im großen und ganzen um ein zyklisches Denken, das sich aber in Spiralen vollzieht. Die Dynamik dieses Denkens, die von vielen Theologen ignoriert wurde, hat vor allem Max Seckler neu erschlossen[22]. Ausgehend vom thomanischen Schema 'Egreß - Regreß' zeigt er auf, wie Zyklik und Linearität beständig interferieren, "wobei der Kreis den Primat behält"[23]. Für Thomas, so stellt Seckler fest, läuft alles Geschehen 'zyklisch' ab (*per modum circulationis*)[24]. Man weiß aber, daß dieser modus circulationis auch dem biblischen Denken nicht so fremd ist. Der Prolog des Johannesevangeliums beispielsweise scheint doch in diese Richtung zu weisen[25]. Überhaupt, als Afrikaner oder Afrikanerin ist man angenehm überrascht durch das Wiederholen im Prolog, das schwingend von rückwärts nach vor-

---

[22] *M. Seckler*, Das Heil in der Geschichte. Geschichtstheologisches Denken bei Thomas von Aquin, München 1964.

[23] Ebd. 29.

[24] Vgl. ebd.

[25] Vgl. *D. Mollat*, Art. Jugement, in: DBS 4, 1385, zit. bei *M. Seckler*, Das Heil 30. Mollat schreibt: "L'accent mis sur le commencement (*arche*) connote la pensée de la fin [...]; l'appartenance du monde au Christ à l'origine exige qu' au terme, il lui fasse retour [...]. De l'éternité à l'éternité par le déroulement de l'histoire, tel est le sens de la théologie du Logos."

wärts und umgekehrt geht, wobei die Botschaft ständig an Konsistenz gewinnt. Das Repetieren in der negro-afrikanischen Welt steht diesem zyklisch-spiralen Denken sehr nahe. Dieses zyklisch-spirale Denken hat eine heilsgeschichtliche Bedeutung in bezug auf die Ahnenwelt. Nur zyklisch-spiral kann man memorativ-narrativ vorgehen, indem Riten, Gesten und Worte der Vorfahren zur lebendigen Erinnerung werden, die die befreienden Taten der Ahnen greifbar macht. Die so aktualisierten Gesten, Riten und Worte der Vorfahren sollen weitererzählt werden und sowohl der jetzigen als auch der kommenden Generation eine neue Kraft vermitteln. Nur in diesem Sinn liegt das Goldene Zeitalter in der Vergangenheit, nicht aufgrund eines falsch verstandenen Traditionalismus, der nur zum ethnozentrischen Fehlschluß führen kann, sondern weil die Ahnen zu jenen Modellen werden, die den Weg in eine lebensspendende Zukunft zeigen. Dies setzt zugleich voraus, daß die Modelle nicht schlicht und einfach nachgeahmt werden. Das Erbe der Ahnen soll den Nachfahren vielmehr dergestalt Kraft verleihen, daß sie besser und viel weiter als die Vorfahren selbst in die Zukunft hineinspringen. Das Gleiche anders: Das Heil, das Glück und der Sinn des Lebens werden an die Vergangenheit zurückgebunden, um die Gegenwart und die Zukunft lebensfähig zu machen. Zu Ende gedacht heißt dies, daß die Rückbindung der Gegenwart an die Vergangenheit (Tradition) das Fortschreiten der Geschichte nicht verhindert. Es geht eher darum, "daß Ende (finis) und Vollendung (perfectio) ineinsfallen und daß andererseits das *telos* in der *arche* liegt"[26]. Die Überlieferung der Vorfahren bzw. die Vergangenheit (zamani) ist aber keineswegs ein *fatum*, dem der Mensch in Afrika einfach ausgeliefert wäre. Vielmehr eröffnet sie die Möglichkeit, Heil und Glück zu erfahren oder sie zu verspielen. Das heißt also, daß Gelingen und Mißlingen des Lebens, Heil und Unheil von der freien Annahme oder Ablehnung der Aktualisierung jener Erinnerung an das gemeinschaftsstiftende Erbe der Vorfahren abhängt. Nur auf diese Weise ist der Mensch Gestalter seiner eigenen Geschichte. Er allein ist es, der die Geschichte evolutionär und revolutionär macht. In diesem Sinn gilt auch für den Menschen in Schwarzafrika was Max Seckler im Hinblick auf das Denken bei Vergil sagt, nämlich, "daß Zeit und Geschichte wirklich sind, unumkehrbar in ihrem Verlauf und unwiederholbar, und daß an sie die Sinnfrage gestellt werden kann. [...] Dazu kommen die eigentli-

---

[26] *M. Seckler*, Das Heil 31.

chen Kategorien der geschichtlichen Wirklichkeit: Herausforderung und Antwort; Anlaß, Ursache, Motivation; Auftrag und Erfüllung; Verantwortung und Schuld. Schließlich wird der Sinn des Geschehens in einem zu realisierenden Ziel gesehen. Die einzelnen Ereignisse sind Stationen zum verheißenen und erwünschten Ziel"[27].

So gesehen müßte man die These Mbitis relativieren, nach der der Mensch in Schwarzafrika ohne Zukunftsvision lebe, da seine Geschichte sich nur noch rückwärts bewege. Das Zurückgreifen auf die Geschichte geschieht gerade um des Heils willen, das sich nicht nur im Jetzt ereignet, sondern auch für die Zukunft gedacht ist. Diese Zukunft betrifft die kommende Welt der Ahnen, die nur jenen zugänglich ist, die die Geschichte auf anamnetisch-narrative Weise fruchtbar für die Gegenwart und Zukunft gemacht haben.

Heißt dies nun, daß alles in der negro-afrikanischen Welt makellos ist und kritiklos hingenommen werden muß? Will man dem ethnozentrischen Fehlschluß entgehen, von dem schon die Rede war, dann muß auch hier die Gelegenheit zum Dialog mit anderen Kulturen gegeben werden.

b) Das schwarzafrikanische Zeitverständnis im Dialog

Die Zeitvorstellung, die in der negro-afrikanischen Tradition vorherrschend ist, weist viele Vorteile auf. Sie ist vor allem auf Humanisierung bedacht. Die Zeit aus afrikanischer Sicht ist mehr als eine Meßgröße. Sie ist in erster Linie auf die Förderung der zwischenmenschlichen Beziehungen ausgerichtet. Zeit ist hier also, was menschlicher macht und die Gemeinschaft fördert. Richtig beobachtet die Schweizerische Nationalkommission Justitia et Pax: "Humanisierung der Zeit wehrt sich dagegen, in der Zeit nur ein Mittel zu sehen, um einen bestimmten Zweck zu erreichen, zum Beispiel um einen Gewinn zu erzielen, etwas zu leisten, sich zu erholen. Sie betrachtet die Zeit vielmehr auch als Raum menschlicher Entwicklung und menschlichen Erlebens"[28].

Es ist in diesem Sinn, daß der Mensch in Afrika seine Zeit vom Bedarf seiner Mitmenschen abhängig macht. Ein Todesfall, oder ein Krankheitsfall beim Nachbarn kann das persönliche Vorhaben

---

[27] *Ders.*, Heilsgeschichtliches und geschichtstheologisches Denken bei Vergil, in: MThZ 16 (1965) 111-123, hier 121.

[28] Zeit, Zeitgestaltung und Politik. Eine Thesenreihe zum Thema Arbeitszeit - Freizeit, hg. von der *Schweizerischen Nationalkommission Justitia et Pax*, Bern/Freiburg i. Ue. 1990, 23.

(Arbeit, Reise usw.) für Tage und Wochen zum Erliegen bringen. Der Krankenbeistand oder das Mittrauern mit dem Nachbarn geht den persönlichen Interessen vor. Diese Vorstellung ist dem Denken entgegengesetzt, das die Zeit hauptsächlich mit der Erwerbsarbeit in Zusammenhang bringt. In der negro-afrikanischen Tradition kannte man den Spruch 'Zeit ist Geld' nicht. Erst die Moderne ist dabei, die zwischenmenschliche Beziehung durch die anonyme Macht 'Geld' zu zerstören. Für das moderne Afrika wird es sehr darauf ankommen, das okzidentale Zeitkonzept zu inkulturieren. Der westliche Mensch, der alles für meßbar hält, hat den Zeitbegriff in Afrika eingeführt, der die Lebenswelt des schwarzen Menschen total kolonialisiert. Die bezahlte und genau geregelte Arbeitszeit beispielsweise gestattet einem Sohn nicht mehr, seine betagten Eltern zu besuchen und ihnen beliebig zur Verfügung zu stehen. Ein bezahlter Arbeiter ist nicht mehr in der Lage, sich unbegrenzt einer Trauergemeinschaft anzuschließen. Seine Trauerzeit ist genau kalkuliert. Es ist aber auch unbestreitbar, daß ein kalkulierbares Leben die Welt arm an Menschlichkeit macht. Wenn Zeit nur zur materiellen, ökonomischen Entwicklung verwendet wird, führt dies sicher nicht zur Entfaltung, sondern zum Tod des Menschen. Ganz in diesem Sinn stellt die Schweizerische Nationalkommission Justitia et Pax fest: "Zeitzwänge und Zeitnöte stellen eine bis anhin zuwenig beachtete Form der Gewalt dar, und zwar sowohl hinsichtlich der personalen als auch der strukturellen und der symbolischen Gewalt"[29]. Es mag stimmen, daß nicht jede Zeitverordnung als Gewalt bezeichnet werden kann. So wie aber die Zeit im Westen im allgemeinen gestaltet und erlebt wird, wird der Mensch derartigem Streß und derartiger Hektik ausgesetzt, daß dies oft zur Zerstörung der menschlichen Identität führt[30]. Was in der westlichen Gesellschaft zählt, ist - nach dem schon erwähnten Motto 'Zeit ist Geld' - die Pünktlichkeit, die zur Tugend wird. Wer unpünktlich ist, wird von der Kommunikationsgemeinschaft ausgeschlossen, er ist einer, auf den man sich nicht verlassen kann, er ist sogar ein Versager. Dieser Umstand führt dazu, daß nicht mehr der Mensch über die Zeit verfügt, sondern umgekehrt: es ist eher die Zeit, die über den Menschen verfügt und ihn total versklavt. In diesem Sinn übt die Zeit Gewalt auf den Menschen aus. Die genau kalkulierbare Zeit übernimmt die Alleinherrschaft und verdrängt

---

[29] Ebd. 20.
[30] Vgl. ebd. 21.

sogar andere Zeitverständnisse und erschwert so einen interkulturellen Dialog. Sie verabsolutiert sich und verunstaltet den Menschen. Man weiß ja, wie die in der Industriegesellschaft übertriebenen Zeitdiktate die Gesundheit unterminieren. Der sogenannte Zeitdruck führt zu psychosomatischen Krankheiten, Herzinfarkten, Selbstaggression und anderem mehr. Der Mensch, der immer mehr und immer schneller zu *produzieren* gezwungen ist, weiß am Schluß weder aus noch ein. "Vorangetriebene Rationalisierung führt zu zunehmender Beschleunigung. Die Zeit schrumpft zum Augenblick. Sie fehlt uns immer, obwohl wir genug äußere Mittel besitzen, um Zeit zu sparen [...]. Nicht zuletzt dank der Medien haben wir die Möglichkeit, vielleicht auch die Fähigkeit, viel zu erleben. Beinahe jede Woche kriegen wir ein sog. 'historisches Ereignis' ins Haus geliefert. Dabei schwindet unsere Fähigkeit, bewußt in geschichtlichen Maßstäben zu leben"[31]. In diesem Zusammenhang ist zu fragen, ob die totale Verdrängung des zyklischen Zeitverständnisses durch die Linearität nicht einer Verarmung gleichkommt. Zu fragen wäre auch, inwiefern das zyklisch-spirale Denken als primitiv eingestuft werden darf, während das lineare Zeitverständnis ein fortgeschrittenes Denken darstelle. Schon ein banales Beispiel läßt diesbezüglich Zweifel aufkommen. In bezug auf unseren liturgischen Jahreszyklus etwa, scheint ein Kind damit Schwierigkeiten zu haben, daß das erst vor drei Monaten geborene Christkind zu Ostern schon 33 Jahre alt sein soll und am Karfreitag gekreuzigt werden muß. Anscheinend fände ein Kind hier ein lineares Zeitverständnis viel logischer und einfacher. Das zyklisch-spirale Denken ist vermutlich viel komplexer und setzt eine andere Rationalität als die logisch-cartesianische voraus. Außerhalb einer anamnetisch-schöpferischen Kraft läßt es sich wahrscheinlich nicht begreifen. Eine Linearität, die keinen Rückhalt in der Zyklik hat, wird ziellos. Dies ist, was Hugo Jäggi in Anlehnung an Friedrich Dürrenmatts Erzählung "Der Tunnel" so treffend charakterisiert: "Unzweifelhaft sind wir Zeitzeugen von Vorgängen, die zunächst regional und schließlich global und mit zunehmender Geschwindigkeit in Zivilisationskatastrophen enden müßten, falls nichts unternommen würde, sie zu stoppen oder in

---

[31] *H. Jäggi*, Das Sehnen des Menschen nach dem Goldenen Zeitalter - zeitlos, Manuskript S. 9. Vortrag im Rahmen des Symposiums vom Engadiner Kollegium in St. Moritz über "Zeit und Zeitlosigkeit" vom 20.9. - 25.9.1993.

eine andere Richtung zu lenken"[32]. Wenn wir jedenfalls das Problem von Linearität und Zyklik im Licht des christlichen Glaubens betrachten, wissen wir, daß die christliche Eschatologie ihre Konsistenz gerade von der Protologie erhält. Die Schöpfung, die von Gott ausgeht, kehrt wieder zu Gott, ihrem Ursprung, zurück, in dem alles zur Vollendung gelangt[33].

Was das afrikanische Zeitverständnis anbelangt, entfaltet sich die Gemeinschaft gerade dadurch, daß Zeit eine schöpferische Kraft fördert, da die jetzige Zeit auf das vergangene Ereignis verweist. Um dieses Ereignis zu verarbeiten und für die Gegenwart und die Zukunft zu deuten, muß sich die Gemeinschaft Zeit nehmen. Dies geschieht u. a. durch das Palaver, das vom westlichen Verständnis her als unnützes Gerede und Zeitverlust abgewertet wird. In Wirklichkeit geht es darum, daß der Mensch von seiner Kompetenz Gebrauch macht, die ihn dazu ermächtigt, den Umgang mit der Zeit zu lernen. Nur so ist er in der Lage, mit Streß, Aggressivität, Muße und dergleichen menschlich umzugehen[34]. Das heißt letztlich, daß die Fülle des Lebens in Schwarzafrika entscheidend davon abhängt, inwiefern der Mensch sich vom versklavenden Zeitverständnis befreit, das zur Konsummentalität und gedächtnislosen Gesellschaft führt, weil sie auf eine vergangenheitslose Gegenwart und Zukunft ausgerichtet ist. Die ganze schwarzafrikanische Gemeinschaft aber, als bidimensionale Palaverkommunikationsgemeinschaft, ist gedächtnisträchtig und lebt von der

---

[32] Ebd. 11.

[33] Vgl. die ganze Diskussion zum Plan der Summa Theologiae von Thomas von Aquin. Dabei geht es bekanntlich um das heilsgeschichtliche Denken des Thomas, das sich nach dem Schema Egreß-Regreß bzw. exitus-reditus vollzieht. Vgl. dazu *M.D. Chenu*, Le plan de la Somme théologique de saint Thomas, in: RThom 47 (1939) 93-107; *M. Seckler*, Das Heil; *O.H. Pesch*, Um den Plan der Summa Theologiae. Zu Max Secklers neuem Deutungsversuch, in: MThZ 16 (1965) 128-137. Dort S. 134 deutet Pesch das Denken des Thomas wie folgt: "Von Gott durch die Welt zu Gott in Christus - dem Gekreuzigten." Vgl. *ders.*, Theologie der Rechtfertigung bei Martin Luther und Thomas von Aquin. Versuch eines systematisch-theologischen Dialogs, Mainz 1967, 918-935. Zusammenfassung der Diskussion und Ergebnisse bei *B. Bujo*, Moralautonomie und Normenfindung bei Thomas von Aquin. Unter Einbeziehung der neutestamentlichen Kommentare, Paderborn u.ö. 1979, 261-264. - Vgl. auch: *U. Kühn*, Via caritatis. Theologie des Gesetzes bei Thomas von Aquin, Göttingen 1965, 30ff.

[34] Ähnlich äußert sich *H. Jäggi*, Das Sehnen des Menschen 14f.

Vergangenheit her. Das Wort, das durch das Palaver die Gemeinschaft zusammenhält und stiftet, übt eine anamnetisch-poietische
Funktion aus. Das bedeutet mit anderen Worten, daß seine jetzt-
hafte und zukunftsstiftende Kraft ihre Dynamik der Gemeinschaft
und Erfahrung der Vorfahren verdankt. In der Sprache westlicher
Philosophie läßt sich dies wie folgt ausdrücken: "In der Gegenwart
findet sich der Index, der jedem Vorkommnis intentionalen Lebens
seinen Platz in Vergangenheit, Gegenwart oder Zukunft anweist
auf ehemals aktuelles Jetzt, auf gegenwärtige Anwesenheit. Genauer: Vergangenes verdankt seine Zugehörigkeit zu einer bestimmten gegenwärtiggewesenen Jetztstelle seinem ehemaligen
Durchgang durch eben dieses damals aktuelle Jetzt. Das Jetzt als
Form aktueller Anwesenheit prägt jegliches durch es Durchfließen-
de, drückt ihm seinen Stempel auf"[35]. Umgekehrt gilt aber auch,
daß das Vergangene das Jetzt derart bestimmt und orientiert, daß
beide Zeitdimensionen der Zukunft eigene Gestalt verleihen. Damit
werden alle schwarzafrikanischen Zeitdimensionen in ihrer triadi-
schen Welt von Verstorbenen, Hinterbliebenen und noch nicht
Geborenen erfaßt. Jede Entwicklungspolitik in Afrika muß dieser
Weltanschauung unbedingt Rechnung tragen.

Es ist andererseits klar, daß der afrikanische Mensch sich nicht
in seiner Tradition einigeln darf. Er muß bereit sein, sein afrikanisches Erbe durch neue Errungenschaften aus dem Westen zu
bereichern. Angesichts einer polyzentrischen Welt kann er seine
Zeit nicht mehr beliebig wie in der Tradition einteilen. Er wird dem
Anliegen seiner Vorfahren nur dann gerecht, wenn er in der Lage
ist, die Vergangenheit (zamani) an die Moderne anzupassen. Denn,
was die Vorfahren wollten, ist nicht das Wiederholen des Gleichen.
Ihr Anliegen war vielmehr die Übernahme bewährter Erfahrungen,
die in die Zukunft weisen. Auf den Zeitbegriff übertragen heißt
das, daß der Mensch in Schwarzafrika das unsere Welt versklav-
vende Zeitverständnis durch seine gute Tradition radikal kritisieren
muß. Gleichzeitig aber hat er die Aufgabe, das Positive der Moderne zu übernehmen und das Negative in seiner eigenen Tradition
zu korrigieren. Nur so ist ein fruchtbarer Dialog zwischen
Schwarzafrika und dem Westen möglich.

Am Schluß dieser Ausführungen sei noch einmal folgendes
nachdrücklich betont: Wenn man die Zeit in Schwarzafrika richtig

---

[35] *H.-J. Braun*, Elemente des Religiösen. Aufbau und Zerfall seiner Phänomene, Zürich 1993, 142.

verstehen will, darf man sie nicht vom Religiösen entkoppeln. Christlich gesprochen vollzieht sich die Zeit in Afrika heilsgeschichtlich und eschatologisch. Auch in der gegenwärtigen soziopolitischen Situation ist es wichtig, dieser Dimension Rechnung zu tragen. Die totale Säkularisierung der Zeit durch den Westen bringt den Menschen in Afrika durcheinander. Er befindet sich zwischen zwei Stühlen. Einerseits möchte er der Tradition seiner Vorfahren die Treue halten, andererseits aber muß er mit dem rasanten Tempo der Moderne Schritt halten. Dieser Umstand führt zum menschlichen Drama in Afrika. Eine Lösung ist hier nur möglich, wenn man dem Menschen in Afrika nicht das im Westen entwickelte Zeitmodell aufzwingt, sondern wenn man dem Menschen dort mithilft, seinen eigenen Weg im Dialog mit anderen Kulturen zu gehen.

III. Zerstörung der schwarzafrikanischen Anamnesis durch die Moderne

Es ist soeben angeklungen, daß das negro-afrikanische Ideal durch die Moderne aus dem Gleichgewicht geraten ist und sogar zerstört wird. Dieses Problem soll näher präzisiert und diskutiert werden. Es geht darum aufzuzeigen, wie die Lebenswelt der Menschen in Afrika schon durch die Kolonialzeit zerstört worden ist. Dabei haben einige Staatsmänner versucht, die traditionelle Anamnesis auch mitten in der Moderne wieder zur Geltung zu bringen.

1. Die Kommerzialisierung der schwarzafrikanischen Lebenswelt

Was Jürgen Habermas als "Kolonialisierung der Lebenswelt" bezeichnet[36], hat noch schlimmere Folgen in Schwarzafrika, da die Kulturen der Menschen dort durch eine schon 'pervertierte' Welt des Westens kolonialisiert wurden. Die Begegnung zwischen Schwarzafrika und Europa war nämlich nicht durch eine interpersonelle Begegnung und Verständigung, sondern durch Herrschaftsansprüche des Westens gekennzeichnet. Dabei ging es um eine Herrschaft, die durch Steuerungsmedien, bzw. destruktiv wirkende Subsysteme - Geld und Bürokratisierung - geleitet war, gerade jene

---

[36] *J. Habermas*, Theorie des kommunikativen Handelns, Bd. 2, Frankfurt a.M. [4]1987, 189ff.

Subsysteme, die den Westen schon durch und durch kolonialisiert und zur anonymen Macht erhoben hatten.

Um sich der Einheimischen zu bemächtigen, haben die Kolonisatoren ihre eigenen westlichen Sprachen eingeführt, die nun die Kolonisierten lernen mußten, ohne sie aber ganz zu beherrschen. Damit fängt das kulturelle Durcheinander schon an. Die Sprache ist ja das Vehikel der Kultur, und durch sie bringt sich der Mensch ein. Die Übernahme der europäischen Sprachen bedeutete also, daß die Afrikanerinnen und Afrikaner ihre kulturelle Identität nicht mehr richtig zum Ausdruck bringen konnten. Sie sind weitgehend sich selbst fremd geworden. Ein gutes Beispiel sind die Bezeichnungen, die die Verwandtschaftsgrade ausdrücken. So wird die Bezeichnung 'Vater' weiter gefaßt als im Westen. Auch die Brüder des Vaters verdienen die Bezeichnung 'Vater' und die Schwestern der Mutter werden mit 'Mutter' angeredet. 'Tante' heißt immer nur die Schwester des Vaters und 'Onkel' bezieht sich nur auf die Brüder der Mutter. Ebenso 'Brüder' oder 'Schwestern' nennt man nicht nur die Kinder des eigenen Vaters im westlichen Sinn, sondern auch bestimmte Vettern, Cousinen und sogar Angehörige desselben Klans. Dieser für den westlichen Verstand verwirrende Stand der Dinge ist aber nicht nur eine Sache der Terminologie. Es handelt sich hier nicht um bloße Höflichkeitstitel. Mit der Bezeichnung 'Vater' ist zum Beispiel alle Verantwortung der Elternschaft verbunden, und umgekehrt wird allen 'Vätern' die von Kindern geschuldete Ehrerbietung erwiesen[37]. Wenn nun Afrikanerinnen und Afrikaner westliche Sprachen sprechen, lassen sich diese Nuancen nicht ausdrücken, und allmählich könnten auch die traditionellen Großfamilienbeziehungen (und Werte) verblassen. - Die neuen Sprachen, die der Sieger, sind außerdem nur noch Herrschaftsinstrumente, die die afrikanischen Kosmogonien nicht mehr zu erzählen in der Lage sind. Das heißt aber, daß sie im afrikanischen Kontext zu den anamneselosen Sprachen geworden sind. Selbst dort - vor allem in den Städten -, wo die afrikanischen Sprachen gesprochen werden, haben sie nicht mehr dieselbe Stellung wie in der Tradition. Zunächst werden viele genuin negro-afrikanische Ausdrücke durch die westlichen ersetzt und nicht bereichert.

---

37 Vgl. *K.D. Kaunda*, Humanismus in Sambia. Rede vor dem Nationalrat der UNIP, April 1967, in: Humanismus in Sambia. Aus den Reden und Schriften von Kenneth D. Kaunda (Texte zur Arbeit von "Dienste in Übersee", 3) Stuttgart 1972, 15.

Darüber hinaus aber fehlt es den einheimischen Sprachen in den Großzentren an kulturellem 'Erdgeruch'. Sie befassen sich nicht mehr intensiv mit Legenden, Symbolen, Sprichwörtern und dergleichen. Auch sie werden allmählich zu den kosmogonielosen Sprachen. Sie vermitteln nicht mehr ganz das reiche Weltbild der Ahnentradition, das die Sinnwelt der Menschen in Schwarzafrika ausmachte; das nun vermittelte Weltbild ist verarmt und in das Herrschaftssystem der westlichen Welt mit ihren anonymisierenden Subsystemen von Geld, Macht und Bürokratisierung eingebettet. Die negro-afrikanischen Sprachen selbst also, die durch die schon kolonialisierte westliche Welt beherrscht sind, können nicht mehr die memoria der Vorfahren erzählen: sie führen geradewegs zum Verlust des anamnetischen Denkens, da sie selbst *amnetische* Sprachen geworden sind.

In die gleiche Richtung geht das Problem der Kunstwerke, die entweder nur zur Bewunderung oder zur Bereicherung bestimmt sind. Wie weiter oben dargelegt, lassen sich die Kunstwerke in Schwarzafrika nur von ihrer anamnetischen poiesis her verstehen. Seitdem aber der Westen das schwarzafrikanische Weltbild gewaltsam kolonialisiert und zerstört hat, werden die Kunstwerke nur noch von ihrem *materiellen* Nutzen her gesehen, ja ihre Herstellung hat die *Kommerzialisierung* zum Zweck. In der Tat: Zunächst haben sich die Kolonisatoren aus dem Westen zu den Richtern der negro-afrikanischen Kunstgegenstände erhoben und diese nach den westlichen Maßstäben beurteilt. Wie nicht anders zu erwarten war, fiel dieses Urteil deutlich negativ aus: Von den geometrischen Regeln, die so notwendig für Kunstwerke seien, hätten die Neger keine Ahnung; alles bei ihnen sei so disproportioniert. Erst viel später - nicht zuletzt über Pablo Picasso - entdeckte der Westen den Wert und die Attraktivität der sogenannten Negerkunst. Aber auch in der Zeit, da diese Kunst geringgeschätzt worden war, ließen sich die Kolonisatoren durch ihr folkloristisches Interesse leiten und entwendeten etliche Kunstgegenstände aus Schwarzafrika, die ihre überseeischen Museen bereichern und beschönigen sollten. Von da an fingen die negro-afrikanischen Kunstwerke an, Gegenstände der Kommerzialisierung zu sein. Der Eintritt in die Museen war nicht frei, und viele Europäerinnen und Europäer, Amerikanerinnen und Amerikaner, die nach Afrika kamen, boten Geld gegen Kunstwerke an. Daß man hierdurch die Afrikanerinnen und Afrikaner ihrer Geschichte und Sinnwelt, ja ihrer Anamnesis, d. h. ihres ganzen Lebens beraubte, war und ist immer noch nicht

Gegenstand eines ernsthaften Nachdenkens geworden. Die Banalisierung der Kunstwerke in Schwarzafrika ist ein typisches Beispiel für die Kolonialisierung der Lebenswelt. Jürgen Habermas ist zuzustimmen, wenn er sagt: "Medien wie Geld und Macht setzen an den empirisch motivierten Bindungen an; sie codieren einen zweckrationalen Umgang mit kalkulierbaren Wertmengen und ermöglichen eine generalisierte strategische Einflußnahme auf die Entscheidungen anderer Interaktionsteilnehmer unter *Umgehung* sprachlicher Konsensbildungsprozesse"[38]. Es ist gerade die anamnetische Poietik, die auch in der Kunst den Afrikanerinnen und Afrikanern die Sprache verleiht, um ihre ganze Kosmogonie zu erzählen und miteinander zu teilen; eine Kosmogonie, die sie letztlich auf Gott und die Ahnenwelt verweist. Wer aber heute die Kunstwerke in Schwarzafrika sieht, weiß, daß sie kontextlos weil kosmogonielos hergestellt werden, da sie allein Geld und materiellen Interessen dienen. Damit wird der Übergang von künstlerischen zu künstlichen Werken vollends vollzogen.

Diese Feststellung gilt übrigens auch für den traditionellen Tanz. Der Tanz in Schwarzafrika, wenn er den Anliegen der Vorfahren gerecht werden will, ist nie einfach eine Choreographie, die nur ein *l'art pour l'art* darbietet. Auch ein Tanz ist eine anamnetische poiesis. Er drückt verschiedene Ereignisse und Gefühle aus. Er vergegenwärtigt die Toten, erzählt von Tod und Leid, von Liebe und Dankbarkeit, er kritisiert und korrigiert die Mißstände in der Gemeinschaft. Der Mensch in Afrika tanzt sein Leben und schöpft so die Hoffnung für die Zukunft. Das Ganze aber verbindet ihn mit der unsichtbaren Welt: mit Gott, den Geistern und den Vorfahren. Der Tanz, der immer von Trommeln, anderen Instrumenten und Gesängen begleitet wird, ist schließlich eine 'kantativ-narrative' poiesis, die sich in einer anamnetischen Solidarität mit der Gemeinschaft der Toten, der jetzigen und kommenden Generation abspielt. Sieht man das Ganze von diesem Blickwinkel her, dann können die für Touristinnen und Touristen veranstalteten Tanzszenen nur noch blaß wirken. Die Tänzerinnen und Tänzer drücken gar nicht ihre tiefen Gefühle aus, die sie mit ihrer Lebenswelt verbinden. Es ist nicht ein *memoria-Tanz*, sondern eine total monetarisierte Szene, die sich die Kommerzialisierung und Banalisierung der traditionellen Lebenswelt zum Zweck setzt. Außerdem werden Tänze und Volkslieder bzw. Gesänge dazu mißbraucht, afrikani-

---

[38] *J. Habermas*, Theorie 273.

sche Machthaber zu preisen und ihre politischen, unterdrückerischen Ziele zu verbreiten. Die traditionelle Tanzvoführung wird zur Schau gestellt und erinnert an die alten Römer mit ihrem 'panem et circenses'. Während dieses Tanzes, der eigentlich an die mit den Ahnen verbindenden Lebensgefühle erinnern sollte, wird die Mehrheit des Volkes vergessen, die im Elend dahinvegetiert und zugrunde geht. Aus tief afrikanischer Sicht kommt dies einem Sakrileg gleich, da es sich um das Sakralste des Menschen, nämlich das Leben selbst handelt, das instrumentalisiert und stranguliert wird. Es müßte auch in der modernen Gesellschaft möglich sein, die traditionelle Funktion des Tanzes im gegenwärtigen politisch-ökonomischen Kontext wiederzubeleben, indem der Mensch gegebenenfalls seiner Unzufriedenheit im Hinblick auf die Verwaltung Ausdruck verleiht und an das Ideal, nämlich die Förderung des Lebens, ganz im Geiste der Vorfahren, erinnert[39]. Was auf der politisch-ökonomischen Bühne möglich sein soll, tut sich schon in den liturgischen Feiern, wo das Volk den Tod des Herrn des Lebens tanzt und so seine Wiederkunft durch diese anamnetische poiesis vorankündigt. Dieser liturgische Tanz soll das ganze Volk, aber in besonderer Weise die Verantwortlichen der Kirche daran erinnern, daß die Gemeinschaft der an Jesus Christus Glaubenden jener Ort ist, an dem das Leben nicht beeinträchtigt werden darf, sondern weiter wachsen soll. Darum werden im eucharistischen Gebet mitunter auch die Ahnen genannt, deren Anamnesis in die des Jesus Christus als des höchsten Lebensspenders hineingebunden ist. Erst wenn das Gedächtnis Jesu Christi auch die jenseitige Gemeinschaft umfaßt und mit den Hinterbliebenen verbindet, kann das Heil holistisch sein.

Was die afrikanische Kirche in ihrer Verkündigung zu aktualisieren versucht, vermißt man bedauerlicherweise im sozio-ökonomischen und politischen Leben. Gleichwohl gibt es auch hier einige Schritte, die gewagt wurden und nicht unerwähnt bleiben dürfen.

2. Die Wiedergewinnung der negro-afrikanischen Anamnesis in der Moderne

Wiewohl die schwarzafrikanische Lebenswelt zum größten Teil zerstört oder durcheinander gebracht wurde, gibt es Politiker, die

---

[39] B. Bujo, Le diaire d'un théologien africain (Spiritualité du Tiers-Monde, 1), Kinshasa 1987, 48.

sich bemüht haben, die Tradition nicht ganz in Vergessenheit geraten zu lassen. Erwähnung verdient vor allem die Ujamaa-Politik Julius Nyereres von Tanzania.

Nyerere legt seiner Sozialismus-Theorie die Idee der negro-afrikanischen Großfamilie zugrunde. Zu dieser Großfamilie zählen Eltern, Kinder, Großeltern, Enkel/Enkelinnen, die Geschwister der Eltern und Großeltern, und selbstverständlich auch die Ahnen der Familie, die alle miteinander verbinden. Das ist, was mit dem Wort 'ujamaa' ausgedrückt wird. Welche konkreten Konsequenzen dies für das Zusammenleben in der Gesellschaft hatte, erklärt der ehemalige Präsident Tanzanias wie folgt: "Die traditionale afrikanische Familie lebte nach den Grundsätzen von ujamaa. Ihre Mitglieder taten das unbewußt und ohne zu wissen, welchen politischen Sinn das hatte. Sie lebten und arbeiteten zusammen, weil sie ihr Leben so verstanden und weil sie sich gegenseitig gegen die Schwierigkeiten halfen, mit denen sie zu kämpfen hatten: Unsicherheit des Wetters, Krankheiten, Verwüstungen durch wilde Tiere [...] und dem Zyklus von Leben und Tod. Das Ergebnis ihrer gemeinsamen Anstrengungen wurde ungleich unter ihnen verteilt, aber nach anerkannten Bräuchen. Die Verteilung erfolgte aufgrund der Tatsache, daß jedes Familienmitglied genug zu essen haben mußte, eine einfache Bekleidung und einen Platz zum Schlafen brauchte, bevor irgendeiner von ihnen (und sei es das Familienoberhaupt) etwas besonderes bekommen konnte"[40]. Daß alles gemeinsam war, wird schon rein sprachlich zum Ausdruck gebracht, wenn von 'unserer Nahrung', 'unserem Land', 'unserem Vieh' usw. gesprochen wird. Anders als im Westen wird damit bewußt die Gütergemeinschaft und Einheit der Familie betont[41], die schließlich zum Gründerahn zurückgeht. Der Hinweis auf Einheit und gemeinsames Besitztum will auf die anamnetische Solidarität mit diesem Gründerahn und anderen Vorfahren aufmerksam machen. Eine konkrete Aktualisierung dieser anamnetischen Solidarität war unter anderem die Arbeit, die, wie oben dargelegt, zur poiesis gehörte und die Lebenskraft der Gemeinschaft immer wieder aktuell herstellen sollte. Daher war das Schmarotzertum eines der verpöntesten Laster, da das Individuum dadurch die anamneti-

---

[40] *J.K. Nyerere*, Sozialismus und ländliche Entwicklung, in: Afrikanischer Sozialismus. Aus den Reden und Schriften von Julius K. Nyerere (Texte zur Arbeit von "Dienste in Übersee", 5) Stuttgart 1972, 19.

[41] Vgl. ebd. 19.

sche Solidarität mißachtete und dem Lebenswachstum der Gemeinschaft Schaden zufügte. Selbst ein Gast durfte keineswegs faulenzen[42]. In diesem Zusammenhang war auch das Teilen eine Überlebensfrage für die Gemeinschaft: niemand, nicht einmal ein Häuptling durfte das Eigentum für sich allein behalten, da er sonst anderen Mitgliedern das Leben vorenthalten würde. Dies ist gerade, was Nyerere von den heutigen Führungskräften in den afrikanischen Ländern fordert, wenn es heißt, daß der in der traditionellen Gesellschaft den Ältesten und ihrem Dienst für die Gemeinschaft zukommende Respekt auch heute aufrecht erhalten bleiben soll. Dieses Recht auf Respekt ist aber mit bestimmten Pflichten verbunden. Und Nyerere fährt fort: "In der gleichen Weise wie der offenkundige Reichtum des 'reichen' Stammesältesten von ihm nur treuhänderisch verwaltet wurde für seine Stammesgenossen, so soll heute der offenkundige zusätzliche Reichtum, den verschiedene Führungspositionen den jeweiligen Individuen bringen mögen, ihnen nur soweit gehören, wie er notwendig ist für die Erfüllung ihrer Pflichten"[43]. Wer sich nicht an diesen Grundsatz hält, verdient nach Nyerere nur noch, Betrüger genannt zu werden: er betrügt das Volk dadurch, daß er seine Pflicht, Verwalter für das Gemeinwohl zu sein, nicht wahrnimmt. Statt dessen bereichert er sich mit den gerade dem Volk entwendeten Gütern. Das ist aber ein Verrat an der anamnetischen Tradition der Vorfahren.

Was Nyerere hier anprangert, ist leider zur allgemeinen Praxis vieler schwarzafrikanischer Politiker geworden. Sie bringen einen großen Teil ihres Vermögens ins Ausland, wobei es sich nicht unbedingt um ein durch eigene Arbeit erworbenes Vermögen handelt, sondern es geht oft um die Ausbeutung des Volkes. Selbst wenn es sich um ein im westlichen Sinn privat erworbenes Gut handelt, verbietet es ihnen die afrikanische Tradition, sich zu weigern, mit dem Volk zu teilen. Dies ist, was Nyerere durch seine Ujamaa-Politik in Erinnerung rufen wollte. Dabei lag ihm fern, die afrikanische Tradition kritiklos für die Moderne aufzupolieren. Seine These lautet eher: "Wir müssen unser traditionelles System nehmen, seine Nachteile korrigieren und alle die Dinge in seinen Dienst stellen, die wir von den technologisch entwickelten Gesell-

---

[42] Vgl. ebd. 13.

[43] *Ders.*, Ujamaa - Grundlage des afrikanischen Sozialismus, in: Afrikanischer Sozialismus 15.

schaften anderer Kontinente lernen können"[44]. Nyerere handelt und denkt ganz im Geist der afrikanischen Überlieferung, die sich - wie weiter oben gesagt - spiralartig vollzieht. Obwohl die Anamnesis zu ihrem Fundament gehört, ist sie bereit, sich palaverartig mit anders Denkenden zu konfrontieren. So kommt es auch in Schwarzafrika zur neuen Synthese, die aber wiederum an die Vorfahren zurückgebunden wird, denn das Ganze geschieht ja im Namen des Lebens, dessen Fülle zu erreichen, ein Auftrag der Ahnen ist.

In eine ähnliche Richtung wie Nyereres Ujamaa geht auch die Harambee-Politik des ehemaligen und ersten Präsidenten von Kenya, Jomo Kenyatta. Harambee drückt die Idee eines Zusammenhandelns, Sich-zusammen-Tuns, um etwas zu erreichen, aus. Es ist Jomo Kenyatta, der bei der Unabhängigkeit Kenyas auf eine Zusammenarbeit aller als Herausforderung der Freiheit aufmerksam machte. Er verwendete dafür den Ausdruck 'Harambee' als Ausschreien, das zum Zusammenhalt aufruft. Seitdem ist dieses Wort zum gemeinsamen Schrei des Volkes in Kenya geworden[45]. Es läßt die Solidarität zwischen verschiedenen Mitgliedern neu entstehen, um Entwicklungsprojekte gemeinsam zu realisieren. Was damit wiederbelebt wird, ist die von den Vorfahren als Vermächtnis hinterlassene Solidarität. Ja, das Ausschreien erinnert an das der Vorfahren, die sich in allem solidarisch taten, damit das Leben bis zur heutigen Generation gelangen konnte. Das heißt aber auch, daß die Arbeit dieser Generation eine anamnetische Solidarität mit den Ahnen zum Ausdruck bringt. Wenn die Menschen heute in Afrika den Schrei der Hoffnung, aber auch den des Schmerzes ausstoßen, dann vereinigt sich dieser Schrei mit dem aller Vorfahren, die selbst in ihrem Schmerz und Leid durchgehalten und immer die Hoffnung auf eine bessere Zukunft gerade auch für die Nachfahren bewahrt haben. Theologisch gedacht verlängert dieser Schrei den des Gekreuzigten, der seine Schmerzen ausgeschrien hat, aber nie die Hoffnung auf ein besseres, neues Leben in Gott verlor, der ihn gerade im Namen dieser Hoffnung von den Toten auferweckte.

Angesichts der hier der afrikanischen Tradition eingeräumten Stellung fragt sich, warum der Versuch vieler Politiker wie vor

---

[44] *Ders.*, Sozialismus und ländliche Entwicklung, in: Afrikanischer Sozialismus 22.

[45] Vgl. *J. Mutiso-Mbinda*, Towards a Theology of Harambee, in: AfER 20 (1978) 290ff.

allem der Julius K. Nyereres mißglückte. Ist dieses Scheitern nicht ein Beweis dafür, daß die afrikanische Kultur gar nicht mehr in der Lage ist, der Moderne Widerstand zu leisten? Das Problem des Mißglückens politisch-ökonomischer Versuche im Kontext afrikanischer Tradition ist m. E. im Zusammenhang mit der schon genannten Kolonialisierung der Lebenswelt durch das westliche System zu sehen. Diese System erlaubt es der afrikanischen Tradition nicht, sich selbständig zu entfalten. Es geht eigentlich nicht nur um das zerstörte Weltbild der Menschen in Schwarzafrika, sondern auch darum, daß selbst die noch existierende Welt von den Strukturen der Sünde total beherrscht ist, so daß die afrikanischen Politiker letztlich in die Knie gezwungen werden, dem westlichen sozio-ökonomischen und politischen System den Weg frei zu machen. Das afrikanische Weltbild kann dem Menschen erst dort weiterhelfen, wo der Westen bereit ist, seine bisherigen Superioritätskomplexe und seine Rationalität durch andere Rationalitäten in Frage stellen zu lassen. Das heißt aber im Klartext, daß der Westen noch lernen muß, dialogfähig zu werden.

Schlußhinweis

Die Ausführungen über das anamnetische Denken in Schwarzafrika hat Gemeinsamkeiten zwischen afrikanischem Ahnendenken und der These Walter Benjamins und ihrer Fortführung in der europäischen Theologie deutlich werden lassen. Gleichzeitig aber sind die Unterschiede unübersehbar. Auch ist schon eingangs betont worden, daß die anamnetische Solidarität in Afrika weniger Akzent auf die Leidensgeschichte lege als die herkömmliche Theologie des Westens. Ihr Hauptanliegen sind das Leben und die Erfahrungen der Vorfahren. Mit anderen Worten: Die Solidarität mit den Vorfahren kann sich nicht auf das Negative in der Geschichte beschränken. Und zwar geht es auch in Schwarzafrika immer um das Spannungsfeld Leben-Tod, aber das entscheidende ist der Sieg des Lebens über den Tod. Das Vermächtnis der Ahnen ist nämlich nicht der Tod oder das Leid, sondern das Leben. Die Autobiographie der Ahnen zeigt, wie die Vorfahren durch ihre vielfältigen Erfahrungen dazu gelangt sind, das Leben in seiner Fülle zu retten, zu fördern und der kommenden Generation weiterzugeben. An dieser Lebensgeschichte - und nicht nur Leidensgeschichte - muß die heutige Generation 'poietisch' und *dankbar* weiterarbeiten. Sie muß das Leben ständig herstellen. Erst dann kann sie auch den Sieg über Leid und Tod erringen. Die afrikanische Anamnesis ist also von Grund auf optimistisch und möchte eine bessere Welt für die Zukunft entwerfen. Darum umfaßt sie die drei Zeitdimensionen: die Vergangenheit mit den Ahnen, die Gegenwart mit der heutigen Generation und die Zukunft mit den noch nicht Geborenen. Keine der drei Welten darf in Vergessenheit geraten.

III
Über die Unfähigkeit der Einen, sich der Andern zu erinnern

von Paulo Suess, São Paulo

Es gibt viele Gründe, die Anerkennung der Anderen in ihrer irreduziblen Andersheit ins Gespräch zu bringen und doch immer wieder an der Möglichkeit dieser Anerkennung zu zweifeln. Und "irreduzible Andersheit" braucht nicht den kleinsten Nenner von Alterität im Auge zu haben, dem gegenüber es einen Bereich von "reduzibler Andersheit" geben könnte. Das Anerkennungsparadigma will die Irreduzibilität von Andersheit als solcher, bei vorausgesetzter universaler Reziprozität von Rechten und Pflichten, zum Ausdruck bringen. Dabei handelt es sich nicht nur um eine provinzielle, sozusagen ortskirchliche Angelegenheit zur Regelung des Umgangs mit autochthonen Kulturen. Ausländer- und Asylpolitik, soziale und politische Migrationsbewegungen, ethnisch, religiös und politisch motivierte Bürgerkriegssituationen sind keine Vorkommnisse "weit hinten in der Türkei", sondern spielen sich täglich im Nahbereich der Haustüre ab. Auch der Norden hat heute seine "Indios", seine Anderen, Fremden, Flüchtlinge, seine arbeits- und bodenlosen "Barbaren".

Das Anerkennungsparadigma kann also durchaus universale Relevanz für sich in Anspruch nehmen, und es wird zu untersuchen sein, ob es nicht bisher gerade an der Provinzialität seines europäisch-abendländischen Horizonts scheitern mußte. Denn es will mir scheinen, daß der Zug einer "Kultur der Anerkennung", soweit es ihm überhaupt gelingt, den Sackbahnhof europäisch-abendländischer Ursprungsidentität zu verlassen, auf zwei krummen Schienen läuft, auf den Schienen *Erkenntnis* und *Erinnerung*. Zu dieser Schienenverwerfung haben nicht Erdverschiebungen aus dunkler Vorgeschichte beigetragen, sondern vor allem die modernen Schweißgeräte verschiedener Vernunftmodalitäten. Mit ihnen wurden die Schienen bündig zusammengeschweißt, ohne den für regionale Witterungsveränderungen wichtigen Spielraum der Erfahrung vorzusehen. So hält der Zug, trotz mäßiger Geschwindigkeit und intakter Lokomotive, immer wieder irgendwo auf freiem Felde an und droht, eines Tages auf dem Abstellgleis eines Güterbahnhofs gänzlich stillgelegt zu werden.

An-Erkennung ist nur möglich im Rückgriff auf *Erkennen* und *Erkenntnis*. Erkennen und Verstehen - darum geht es ja bei einer Anerkennungshermeneutik - setzen Erfahrung im Umgang mit den Anderen in ihrem Anderssein voraus. Bei dem Erfahrungsdefizit europäisch-abendländischer Erkenntnis in Sachen Alterität ist eine solche Anerkennungshermeneutik von vielen Aporien umlagert. Dem erfahrungsarmen, von Vorurteilen und Selbstbespiegelungen bedrohten Erkennen soll - von der Politischen Theologie[1] immer wieder emphatisch angemahnt - *Erinnerung* zuhilfe kommen. Erinnerung könne abstrakter, zeitloser Vernunft die für das Lebensprojekt der Anderen notwendige anthropologische und historische Dimension geben.

Aber auch über *Erinnerung*, die sich von instrumenteller Vernunft gütlich getrennt hat und nun in Bigamie lebt mit der materialen Schönheit und Güte praktischer und der formalen Rechtschaffenheit diskursiver Vernunft, führt kein einfacher Feldweg zu den Anderen. Auch Erinnerung kommt nicht ohne die Rekonstruktion historischer Erfahrung aus. Dabei ist nicht nur mit den üblichen kommunikativen Stolpersteinen eines hermeneutischen Perspektivenaustausches zwischen partikularen Lebensformen und individuellen Lebensgeschichten zu rechnen. Bisher noch kaum wahrgenommene Gräben selbstverblendeter Partikularität mit universalen Ansprüchen tun sich auf, die den gegenwärtigen Reflexionsstand - falls da nicht noch weitere Schneisen in den eurozentrischen Wald geschlagen werden - als melancholisches Nachdenken am Hochsitz eines Holzweges erweisen.

Aufgrund der Erfahrungsarmut im Umgang mit den Anderen, die sich im Erkennungs- und Erinnerungsversuch zeigt, können diese weder durch diachronische Beschwörung noch durch systematische Ausleuchtung auf den Bildschirm unseres Bewußtseins gebracht werden. Und dies nicht nur, weil Ausleuchten ja immer schon eine "feststellende" Integration in unseren Lichtkegel bedeutet, sondern auch aufgrund konzeptueller Ungenauigkeit zwischen

---

[1] Vgl. *J.B. Metz*, Für eine anamnetische Kultur, in: Orien. 56 (1992) 205-207. Ebenso *P. Rottländer*, Ethik in der Politischen Theologie, in: Orien. 57 (1993) 152-158.

Kultur und Zivilisation, zwischen regionaler Unterschiede und universaler Gleichheit.

Zunächst gehe ich von der Unschärfe des Erkennungsparadigmas (I) aus und versuche in einem weiteren Schritt, aufzuzeigen, daß ein das Erkennungsdilemma umgehendes Erinnerungsparadigma (II) ohne den festen Boden der Erfahrung sich als sumpfiges Gelände erweist. Dann gehe ich dem hinter der sogenannten Anerkennungskultur verborgenen universalistischen Kulturkonzept nach (III), das einem lebensweltlich bestimmten, den Ort der Alterität umschreibenden Kulturkonzept sperrig im Wege steht. Ich weise ferner auf den in *Anerkennung* noch versteckten Erkennungskern hin, der sich im Programm einer *Anerkennung der Anderen in ihrer irreduziblen Andersheit* immer wieder kontrafaktisch durchzusetzen versucht. In einem weiteren Schritt weise ich auf die Ergänzungsbedürftigkeit und Aporien hin, die ein nur prozedurales Verständigungsparadigma (IV) für ein parteiisches Programm der Option für die Anderen mit sich bringt. Schließlich versuche ich, mögliche Quellen des Widerstands (V) der Anderen aufzuzeigen. Weil die Anderen keine Sonderwelt am Rande oder außerhalb der Moderne bilden, besteht die Möglichkeit, daß Aufklärung und Moderne durch die Anderen aufgeklärt und in ihrer Destruktivität gezügelt werden. Eine über sich selbst aufgeklärte Moderne bietet elementare Ressourcen zur Verteidigung des Lebensprojektes der Anderen.

I. Erkennen

Der Umgang der Einen mit den Anderen ist von einer noch nicht hinreichend reflektierten Unbestimmbarkeitsrelation geprägt. Erkenntnis, anders als Kenntnis, lebt von dem durch Erfahrung konstituierten Wiedererkennen. Russell spricht von "Wissen durch Bekanntschaft".[2] Die Anderen stellen diese Bekanntschaft der Einen in Frage und sperren sich gegen die Einpassung in die vormundschaftlich etablierten pseudouniversalen Erkenntnisstrukturen der Einen. Aber wer sind die überhaupt, diese fragenden und ideologiekritischen Anderen?

Für die indianischen Völker zum Zeitpunkt der Conquista waren auch die als Subjekte von Zivilisation und Christentum auftreten-

---

2 Vgl. *A. Kulenkampff*, Art. Erkennen , in: HPhG 2, 397-408, hier: 401.

den Eroberer Andere. Beim gesellschaftskritischen, Herrschaftsinteressen und Unterdrückungsverhältnisse freilegenden Theologietreiben in Lateinamerika interessiert nicht "der Mensch an sich" noch "der Andere als solcher". Beim theologischen An-Denken der historisch-kontemporären Möglichkeiten für menschenwürdige Gegenwart und Zukunft der Anderen geht es nicht um die ontologische Totalität des Humanum, sondern weiterhin um die Option für die Armen, um die Anderen als Arme, um die armen Anderen. Sie sind Weltmehrheit und gleichzeitig eine rechtlose "soziologische Minderheit". Die Anderen sind auch all jene, die ihre Lebensmittel aus dem Müll der Einen beziehen und deren soziale Beschädigung auf ihre vorgängige kulturelle Zerstörung, nicht aber auf etwaige "Kulturlosigkeit" hinweist.

Über diese Anderen kann man sich nur voller *Selbst*zweifel in dem dialektischen Spannungsverhältnis von Selbstbewußtsein und Selbstlosigkeit, aussprechen. Weil die Anderen nicht in Über-einstimmung mit den Einen gebracht werden können, sind sie letztlich "unbestimmbar". Von den Anderen geht ein unbestimmbarer Ton aus, der ihre Musik macht. Davor scheitert jede assimilatorische Erkenntnisbemühung, die nach Entsprechungen zwischen Denken und Gedachtem sucht und die Anderen über die Leisten der Einen schlagen will.

In der abendländischen Denktradition ist der Versuch, die Anderen zum Gegenstand von Reflexion des objektivierenden Subjekts zu machen, immer schon der Versuch einer Bemächtigung. Die von Thomas von Aquin auf den Begriff gebrachte Anpassungsformel zwischen Denken und Gegenstand[3] und die den Anderen vor dem denkenden Subjekt (*res cogitans*) zum Denkobjekt (*res extensa*) degradierende Idee Descartes' sind bewußtseinsmäßig bis heute die Standardformeln im Umgang mit den Anderen geblieben. Die Anderen Amerikas waren *res extensa*, ausbeutbare Natur (*naturales*) oder Stücke (*peças*), wie man die Sklaven nannte.

In Sachen Klugheit, Tugend und Humanität, schrieb J.G. de Sepúlveda um das Jahr 1547 in seinem "Traktat über die Gründe des gerechten Krieges gegen die Indios", seien die "Barbaren der Neuen Welt" vor den Spaniern soviel minderwertiger wie Kinder

---

[3] Vgl. Summa theologiae I q. 16, a. 1 ("veritas est adaequatio intellectus cum re").

vor Erwachsenen und Frauen vor Männern.[4] Das von der Philosophie der Neuzeit angestrebte "absolute Wissen" (Hegel) mißt alles Sein mit der Elle des Gleichen. Das totale Selbstbewußtsein umfaßt die Welt und "läßt außerhalb seiner selbst nichts übrig. (...) Das Bewußtsein von sich ist zugleich Bewußtsein vom Ganzen."[5]

Selbst ein so aufgeklärter Geist wie Friedrich Schiller konnte noch im Revolutionsjahr 1789, nahezu dreihundert Jahre nach der sogenannten Entdeckung Amerikas, seine universalgeschichtliche Elle in sehr kurzsichtiger "weltbürgerlicher Absicht" an die Anderen Amerikas anlegen: "Die Entdeckungen, welche unsre europäischen Seefahrer in fernen Meeren und auf entlegenen Küsten gemacht haben, geben uns ein ebenso lehrreiches als unterhaltendes Schauspiel. Sie zeigen uns Völkerschaften, die auf den mannichfaltigsten Stufen der Bildung um uns herumgelagert sind, wie Kinder verschiednen Alters um einen Erwachsenen herum stehen und durch ihr Beispiel ihm in Erinnerung bringen, was er selbst vormals gewesen und wovon er ausgegangen ist. (...) Wie beschämend und traurig aber ist das Bild, das uns diese Völker von unserer Kindheit geben! und doch ist es nicht einmal die erste Stufe mehr, auf der wir sie erblicken. Der Mensch fing noch verächtlicher an."[6] Und doch "[steuern] die ungleichartigsten Perioden der Menschheit zu unsrer Kultur, wie die entlegendsten Weltteile zu unserm Luxus"[7].

Und Kreolen und Mestizen Lateinamerikas haben das dann so weitererzählt. Bei Indios könne man nicht von Zivilisation, sondern nur von Barbarei, nicht von Geschichte, sondern lediglich von Ethnographie sprechen.[8] Ähnlich ethnozentrisch verblendete Texte finden sich bei Kant und Hegel, Marx und Freud, in Missionsenzykliken und Hirtenbriefen. Gleich der mittelalterlichen Christenheit betrachtet sich das aufgeklärte Europa der Neuzeit als das anthropologische Maß aller Völker. Daher glaubte es die providentielle Aufgabe zu haben, Entdecker, Erzieher, Erbe und ent-

---

[4] Vgl. *J.G. de Sepúlveda*, Tratado sobre las justas causas de la guerra contra los indios, Mexiko 1979, 101.

[5] *E. Lévinas*, Ethik und Unendliches. Gespräche mit Philippe Nemo, Wien 1986, 57.

[6] *F. Schiller*, Was heißt und zu welchem Ende studiert man Universalgeschichte? Eine akademische Antrittsrede (1789), in: *W. Hardtwig* (Hg.), Über das Studium der Geschichte, München, 1990, 19-36, hier 24.

[7] A.a.O. 30.

[8] Vgl. *F.A. de Varnhagen*, História geral do Brasil, Bd. 1, São Paulo 1978, 30.

wicklungsgeschichtlicher Brennpunkt der Anderen zu sein. In *Totem und Tabu* zum Beispiel rückt Freud die sogenannten Wilden ganz in analoge Nähe zu Neurotikern, die beide nicht scharf zwischen Denken und Tun unterscheiden könnten.[9] Und Habermas formuliert mit Hegel vorsichtig, aber doch auch ethnozentrisch: "Man ist versucht, die Identität des einzelnen in der archaischen Gesellschaft mit der natürlichen Identität des Kindes zu vergleichen, die Hegel 'eine unmittelbare, daher ungeistige, bloß natürliche Einheit des Individuums mit seiner Gattung und mit der Welt überhaupt' nennt."[10] Im Schlußdokument der 4. Generalversammlung der lateinamerikanischen Bischöfe in Santo Domingo (1992) ist mehrmals davon die Rede, daß man in die Kultur der Anderen "eindringen" und "einfallen" müsse.[11]

Für die Einen stellen die Anderen weiterhin eine erkenntnistheoretische Aporie dar. Bewußtsein, Sprache und Sinndeutung der Einen bleiben nicht nur "böswillig" ethnozentrisch, sondern "seinsstrukturell" hinter der Realität der Anderen zurück. So wie hinter der Sinnenwelt ganz allgemein das Meer der realen Welt angenommen werden muß, aus der die Naturwissenschaftler den einen oder anderen Fisch herüberziehen, so ist auch der Fluß der Realität der Anderen tiefer, als es die Inseln von Sprache, Bewußtsein und Sinn andeuten. Es gibt zwar, wie die Sprachpragmatiker lehren, keinen sprachunabhängigen Zugang zur Wirklichkeit, aber es gibt eben sprachunzugängliche Wirklichkeit, und es gibt dann noch einmal eine *meiner* spezifischen Sprache unzugängliche Wirklichkeit der Anderen und umgekehrt. Auch der Anderen Realität geht weit über das sinnlich Wahrnehmbare und sprachlich Kommunizierbare hinaus. Und selbst da, wo Sinne und Sprache in erster Instanz nicht versagen - wo man genau sehen und sprachlich umschreiben kann, was die Anderen tun -, können sie am hermeneutischen Verstehen scheitern. Sinnlich wahrnehmbare Zeichen

[9] *S. Freud*, Totem und Tabu. Einige Übereinstimmungen im Seelenleben der Wilden und der Neurotiker, Frankfurt a.M. 1970, 179.

[10] *J. Habermas*, Können komplexe Gesellschaften eine vernünftige Identität ausbilden?, in: *ders. / D. Henrich*, Zwei Reden, Frankfurt a.M. 1974, 35.

[11] Vgl. Neue Evangelisierung, Förderung des Menschen, Christliche Kultur. Schlußdokument der 4. Generalversammlung der lateinamerikanischen Bischöfe in Santo Domingo, hg. v. *Sekretariat der Deutschen Bischofskonferenz*, Bonn 1993, Nr. 35, 98, 229, 161, 303, wobei die ursprünglichen Wörter "penetrar" und "invadir" jeweils gleichlautend für den Geschlechtsverkehr bzw. für die Conquista gebraucht werden.

sind ambivalent. Selbst so einfache Dinge wie "Ja- und Neinsagen", "heute und gestern", "hier und dort" können in den einzelnen Kulturen jeweils ganz Verschiedenes bedeuten.

Zwischen den Einen und den Anderen besteht eine erkenntnistheoretisch strukturelle Unschärfe- bzw. Unsicherheitsrelation, die mit Hilfe der modernen Physik wenigstens analog umschrieben werden kann. Die durch Werner Heisenberg in die Quantenphysik eingeführte Unschärferelation besagt, daß, je genauer man die Geschwindigkeit eines Elektrons mißt, desto ungenauer wird die Bestimmung seiner räumlichen Lage und umgekehrt. Man könne ein fliegendes Elektron nur messen, so erklärt Max Planck, wenn man es sehen könne. Um es aber zu sehen, müsse man es beleuchten. Die beleuchtenden Strahlen "erteilen aber dem Elektron einen Stoß und verändern dadurch seine Geschwindigkeit in unkontrollierbarer Weise. Je schärfer der Ort des Elektrons bestimmt werden soll, um so kürzere Lichtwellen müssen wir zur Beleuchtung benutzen, und um so stärker wird der Stoß und mit ihm die Unsicherheit der Geschwindigkeitsbestimmung".[12] Unser Blick auf die Anderen, ist das nicht immer jener ihren Lauf hemmende Stoß, eine Stillegung und Feststellung besonderer Art? Wie über den Anderen schreiben und nachdenken, ohne ihn festzuschreiben oder stillzustellen?

Jeder europäisch-abendländische Anspruch auf erkenntnistheoretische und handlungspraktische Universalität steht heute in besonderer Weise unter Legitimationspflicht. Dabei vermischt sich ein diffus-traumatisches Mißtrauen der Anderen mit ihrem begründbaren ideologiekritischen Verdacht, daß sich hinter dem Vorschlag einer synthetischen Totalität - Universalgeschichte, Metakultur, Universalgrammatik, die *eine* Vernunft - eine ihre Alterität zerstörende Partikularität verbergen kann. Durch die historische Erfahrung destruktiver Assimilation und marginalisierender Exklusion sind die Anderen mit der Weitergabe von Informationen vorsichtig geworden. Sie haben keinen Grund, den Einen Zugang zu ihrem Weltbild zu verschaffen. Zu oft wurde ihr Vertrauen mißbraucht. Die den Einen zu einem besseren Verstehen mitgeteilten Informationen wurden als Waffe für die Zerstörung der Anderen benützt. Die Arkandisziplin der Anderen - die Einen sprechen oft vom sogenannten Mißtrauen der Anderen - ist eine

---

12 *M. Planck*, Die Kausalität in der Natur, in: *ders.*, Vorträge und Erinnerungen, Darmstadt 1970, 259.

historisch erworbene Weise der Selbstverteidigung. Aber selbst ein Offenbarungseid der Anderen brächte nur ein Mehr an Kenntnissen über ihre Lebensweise zustande, aber keine Erfahrung voraussetzende Erkenntnis ihrer Alterität. Alterität als Seinsmodus ist nicht mitteilbar. "Die Existenz ist das einzige", sagt Lévinas, "das ich nicht mitteilen kann: ich kann von ihr erzählen, aber ich kann meine Existenz nicht teilen."[13] Teilen gehört in die Sphäre des Habens, nicht des Seins.

Das Bewußtsein dieser erkenntnistheoretischen Aporie, das Wissen um die Tatsache, daß die Anderen aufgrund des abendländischen Erkenntnisparadigmas nicht unzerstört und unverfälscht erkannt werden können, kommt dem sokratischen "ich weiß, daß ich nichts weiß" nahe. Dieses Wissen um Grenzen und Fallibilität des Erkennens kann ein wichtiger Schritt zu einem selbstkritischen, sich der Positivität verweigernden Umgang mit Alterität sein.

II. Erinnern

Von der Kontingenz dieser Erkenntnislage verunsichert, bot die Politische Theologie den heilenden Rückgriff auf Erinnerung an. Erinnerung - jüdisch-christliche Traditionen mit aufklärerischer Vernunft versöhnend - schien nicht nur das Lebensprojekt der Anderen jenseits der ihnen historisch zugemuteten Brüche wieder aufzunehmen. Durch Erinnerung schien auch die Rekonstruktion des faktisch Vergessenen möglich. Erinnerungsarbeit als kollektive Trauerarbeit zur Überwindung historischer Traumata sollte die Möglichkeit von Zukunft nicht nur *für die Anderen*, sondern *der Anderen als Subjekte* eröffnen.

Aber Erinnerung ist keine voraussetzungslose Vermittlerin zwischen den Einen und den Anderen. Wo Erinnerung nicht von "vorgewußten Wahrheiten" abgeleitet wird, wie etwa in der Platonischen Anamnesislehre, da muß sie als Belebung von Erfahrung verstanden werden, die im Gedächtnis eine Spur hinterlassen hat, der in mühevoller Arbeit nachgegangen werden kann. Gibt es diese rekonstruierbare Erfahrung der Einen im Umgang mit der *irreduziblen Andersheit* der Anderen?

Im Rückgriff auf Erfahrung wäre dieser Erinnerungsweg bisweilen auch abkürzbar durch Stichworte aus dem Souffleurka-

---

[13] *E. Lévinas*, Ethik und Unendliches 44.

sten der Geschichte. Mit solchen den Text erinnernden Stichworten - Kallinikon, Verden, Cajamarca, Auschwitz, Candelaria - können kurzfristige Erinnerungslücken überbrückt werden. Aber aus dem Souffleurkasten kommt nichts Neues. Stichworte erinnern nur das Textbuch. Im Erinnerungsparadigma wird davon ausgegangen, daß die Anderen in ihrer *irreduziblen Andersheit* im Textbuch der Einen ganz selbstverständlich vorkommen. Es gäbe den Anderen gegenüber zwar permanente Praxismängel, temporäre Erinnerungslücken und vielleicht sogar strukturelle Gedächtnis-Black-Outs, denen aber allesamt rekonstruktiv beizukommen sei. Aber im Textbuch der Einen - ich will es einmal verkürzt das Textbuch der Moderne nennen - kommen die Anderen in ihrer irreduziblen Andersheit überhaupt nicht vor. Sie können folglich gar nicht erinnert werden. Das Computerarchiv "Andere" wurde nicht etwa teilweise oder ganz gelöscht. Dieses Archiv hat auf der Festplatte der Moderne nie existiert. Eine im Hinblick auf die Anderen reflexiv gewordene Theologie kann daher die Anderen in ihrer irreduziblen Andersheit nicht abrufen, sondern nur ihr Nicht-vorhandensein konstatieren. Ein real existierender Komet, der möglicherweise demnächst entdeckt werden wird, kann heute nicht vergessen werden, weil er auch nicht erinnert werden kann. Die Anderen sind im Bewußtsein der Moderne wie dieser Komet, um den sie nicht weiß und der das Auseinanderklaffen von Realität, sinnlicher Erfahrung und Bewußtsein signalisiert. Der Erinnerungswunsch der Einen als selbstreinigende Umkehrstrategie und als Heilsangebot an die Anderen kann wie im Märchen von des Kaisers neuen Kleidern die Blöße des erfahrungslosen Nullpunktgedächtnisses nicht zudecken.

Von der Abwesenheit der Anderen in der selbstbewußten Textur der Moderne muß auch da gesprochen werden, wo diese Anderen als Kopie oder Projektion des Ichs erinnert werden, als *alter ego*, als Zerr-· oder Götzenbild dieses Ichs oder als eine Horde von zivilisationsbedürftige Barbaren. Die Anderen nicht gesehen zu haben, offenbart idolatrische Verstocktheit. Götzen haben Augen und sehen doch nicht. Die Einen müssen sich aufklären über das Bild, das sie sich von den Anderen machen. Sie brauchen nicht die Anderen aufzuklären.

Das Selbstbewußtsein der Moderne kann also nicht die Anderen, sondern nur die Selben erinnern. Die zu Selben und Gleichen reduzierten Anderen und die als Ungleiche und Nicht-selbstbewußte, die selbst-bewußtlosen Anderen können nicht in ihrer irreduziblen

Andersheit erinnert werden. Erinnert werden kann nur Vergessen als solches, Vergessen als Vernichtung in der Gestalt von Verselbstung oder Entselbstung, als Assimilation oder Ausschluß. Die Reduktion zu Gleichen als Auflösung der Anderen in der Immanenz der Subjektivität und der Ausschluß der Ungleichen als Nicht-Subjekte sind gedächtniszerstörende Operationen. Was da übrig bleibt, ist ein Trümmerhaufen bewußtloser Sekundärerinnerungen. Erinnerbar ist da nicht der Andere, sondern das durch Immanenz und Ausschluß charakterisierte Gewaltverhältnis.

Weil die Anderen aufgrund genetischer Erfahrungslosigkeit der Einen nicht einfach erinnert werden können, muß das Textbuch der Moderne umgeschrieben werden. Auch im Christentum, das für das Selbst-Bewußtsein der Moderne wesentlich mitverantwortlich ist, wurden die Anderen sehr früh, wie auf einer Paßbehörde zwangsidentifiziert, und unter Berufung auf "heilige Texte" nötigte man sie gewaltsam hereinzukommen, oder aber sie wurden als identifikationsresistent, als nicht-identisch und nichtidentifizierbar ausgeschlossen und verfolgt.[14]

Der Anderen erinnern können sich die Anderen selbst und - hypothetisch - all jene, welche die Anderen in ihrer irreduziblen Alterität erfahren haben. Das Gedächtnis der Anderen Lateinamerikas durchzieht eine ihre Leidensgeschichte erinnerbare Spur. Leiden kann nur von denen erinnert werden, die gelitten haben. Die Einen können Leiden nur "an sich" erinnern, es objektivieren, es beschreiben oder studieren. Liebe kann nur von denen erinnert werden, die Liebe erfahren haben. Noch einmal, Erinnerung setzt Erfahrung voraus. Gefährliche Erinnerung ist die Überlieferung einer "bösen" Erfahrung. Da kann sich niemand einschleichen in diese Erinnerung. Die Einen können nicht weitererzählen, was die Anderen erfahren haben.

Damit steht das Erinnerungsparadigma vor der Sisyphusarbeit, ständig den Stein des Vergessens den Berg hinaufschieben zu müssen und von der Schwerkraft des Sich-nicht-erinnern-Könnens wieder in den Abgrund gerissen zu werden. "Erinnerungskultur"

---

14 Seit den "Retractationes" Augustins (II 31; CSEL 36, 137) beziehen sich Missionare und Theologen immer wieder auf Lk 14,23 ("nötige sie hereinzukommen") und auch auf die Berufungsvison des Propheten Jeremias. Vgl. hierzu *M.-J. Congar*, Ecce constitu te super gentes et regna (Jer.1,10) "in Geschichte und Gegenwart", in: *J. Auer / H. Volk* (Hg.), Theologie in Geschichte und Gegenwart (FS M. Schmaus), Münster 1957, 671-696.

und "Erinnerungsethik" leben von halbierter Erinnerung: Von der Erinnerung an die Verantwortung für das Gewaltverhältnis der Einen gegenüber den Anderen. Die Anderen selbst jedoch, in ihrer identitätsstiftenden Andersheit, können sie nicht erinnern. So ist das Erinnerungsparadigma wie ein Ozeandampfer, der, mit Kompaß und Funkgeräten, aber mit zu wenig Treibstoff ausgerüstet, in See sticht. Irgendwann muß er dann doch von einem Schlepper der "universalen Kommunikationsgemeinschaft" ans Ufer der Anderen gebracht werden.

Der konzeptuell, historizistisch und instrumentell reduzierte Umgang mit den Anderen muß als ein pathologischer Umgang gesehen werden. Ehe die Einen sich als Helfer der Andern ins Gespräch bringen, müssen sie sich daher über ihre eigene Pathologie Klarheit verschaffen. Aus der Psychosomatik ist bekannt, daß allen Krankheiten seelische Bilder entsprechen. Über das Bewußtwerden und die Veränderung dieser Bilder können Heilungsprozesse in Gang gesetzt werden. Vielleicht kann die "Treibstoffsituation" des Erinnerungsparadigmas dadurch normalisiert werden, daß es sich zunächst damit abfindet, die Götzenbilder, die sich die Einen von den Anderen gemacht haben, anamnetisch genau auszupinseln. Dann aber könnte versucht werden, über die Veränderung dieser Bilder eine neue Bewußtseinslage zu schaffen.

III. Anerkennen

Das Elend der Anderen Lateinamerikas bedroht und zerstört ihre Kulturen, macht aber aus den Elenden doch keine kulturlosen Wesen. Indios und Nachfahren der Negersklaven, Mindestlohnempfänger, Land-, Obdach- und Arbeitslose, die sich unter einer Brücke oder dem Vordach eines Supermarktes eingerichtet haben, widerstehen dem Tod nicht nur biologisch, sondern kulturell. Oft malen sie sich kreativ eine andere Welt aus, die ihnen die Kraft zum Weiterleben gibt. Kulturelle Alterität bringt in die Eintönigkeit des sozialen Massenelends neue Widerstandselemente. Kultursubjektivität ist oft die letzte Proprietät, die den Armen noch verblieben ist. Kulturelle Ruinen und soziales Elend weisen nicht auf Kulturlosigkeit hin, sondern auf Kulturzerstörung und Kulturwandel.

Elendsberge entstehen immer auf kulturellen Ruinen. Armut und ihre extreme Form, das Massenelend, sind eine Begleiterscheinung, oft eine Folge kultureller Zerstörung. Nicht nur menschheitsgeschichtlich ganz allgemein, sondern in Lateinamerika ganz konkret, muß Alterität zeitlich vor der Armut gedacht werden. Amerika war vor der Conquista ein Kontinent der Alterität, nicht der Armut. Die Kategorie der Alterität situiert "die" Armen in Ort und Zeit. Spezifische Gruppenzugehörigkeit, Geographie und historisches Projekt sind Grundpfeiler sozialer Identität. Alterität als Kultursubjektivität ist der den Ausgebeuteten verbliebene archimedische Punkt zur Weiterverfolgung ihres durch aufgezwungenen Kulturwandel und soziale Beschädigung nicht unmöglich gewordenen historischen Projekts.

Damit soll ein unhistorischer und elitärer Kulturbegriff verabschiedet werden, der Kultur festmacht an Ursprungskultur, an Bildung (Erziehung) oder auch einseitig an materieller Kultur (Technik, Bauwerke) oder aber an universalen Werten. Der elitäre Kulturbegriff, der Kultur durch die Aktivitäten eines Kultusministeriums abgedeckt sieht oder an einer internationalen Werteskala abträgt, ist eine Crux im interkulturellen Gespräch.[15]

Unter Kultur verstehen wir die von sozialen Gruppen und Völkern historisch konstruierte zweite Ökologie, welche für die Grundprobleme von Leben, Zusammenleben und Weiterleben regionale und gruppenspezifische Lösungen herausbildet, die sich dann in eine sozio-politische, eine ökonomische und ideologische Sphäre ausdifferenzieren können. Kultur ist nicht reduzierbar auf ein sogenanntes Weltbild, sondern meint immer schon eine aus verschiedenen Integrationsebenen konstituierte ganze Lebenswelt. Wer die Bedingungen für die Möglichkeit des historischen Projekts der Anderen überdenkt, muß vor allem die in Politik, Ökonomie, Ideologie und Administration eingelagerten kulturellen, lebensweltlichen Voraussetzungen mitbedenken.

Die Rede von der "Kultur der Anerkennung", Johann Baptist Metz spricht von der "Kultur der Anerkennung der Anderen in

---

[15] Auch das Zweite Vaticanum bezeichnet noch "das Recht aller auf menschliche Zivilisation" als sogenannte "Basiskultur" (*Gaudium et spes* 60). Auch das Dokument IV der Dokumente von Medellín (hg v. Adveniat, Essen 1970, Nr. 3, S. 49) folgt diesem elitären Kulturverständnis und nennt "die Analfabeten" einen "großen Sektor", der von Kultur ausgeschlossen sei.

ihrem Anderssein"[16], gebraucht den lebensweltlichen Kulturbegriff, der sich auf die zweite Ökologie sozialer Gruppen bezieht, in analoger und universaler Weise. Kultur als Ort der Alterität wird in der sogenannten Anerkennungskultur zum abstrakten gemeinsamen Nenner aller um Anerkennung Bemühten. Eine solche Kultur hat weder einen ausmachbaren Ort noch kennt sie soziologisch bestimmbare Subjekte. Wie man in der Alltagssprache etwa von Bakterienkulturen spricht, so können auch Kulturbildungprozesse analog als Züchtungsprozesse von kontextunspezifischen, universalen Werten verstanden werden. Es ist heute üblich geworden, von einer Kultur des Friedens, der Solidarität, der Arbeit und auch der Anerkennung zu sprechen. Weltweit operierende Institutionen, wie die UNO oder die Römischen Kurie, greifen immer wieder auf solche flächendeckenden Konzepte zurück.

Dabei geht es nicht mehr um die Kultur eines Volkes, einer sozialen Gruppe oder der Anderen, sondern um ideal gedachte, subjektunspezifische Metakulturen. Die lebensweltlich nicht ausmachbaren Subjekte der Anerkennungskultur verflüchtigen sich zu abstrakten Wertträgern einer "Anerkennung von Fall zu Fall". Denn bei der täglich beobachtbaren Ambivalenz sozialer Verhaltensweisen ist ja auch beispielsweise mit sich für Indios einsetzenden Antisemiten oder mit für die Armen kämpfenden Machisten zu rechnen, also mit Menschen, die sich für eine Gruppe Anderer einsetzen, aber gegen eine andere handeln. Wer ein Konzept, wie hier das Kulturkonzept, partikular und universal (Guarani-Kultur vs. Anerkennungskultur), wörtlich und analog, geographisch bestimmbar und global ortlos (Volkskultur vs. Wertekultur), subjektspezifisch und subjektunspezifisch gebraucht, zerstört dieses Konzept.

Das Paradigma von der Anerkennungskultur schien eine Genschwäche der Linken zu heilen und auch "nörgelnder Zwischenrede" der Anderen selbst viele Argumente aus dem Mund zu nehmen. Mit dem Schibboleth der Anerkennungskultur auf der Stirne konnte man unbefangen über den Tellerrand der Klassenfrage hinausblicken und Kultur vom Sockel eines bloßen Überbauphänomens herunterholen. Totalisierendes Einheitsdenken schien

---

[16] *J.B. Metz*, Wider die zweite Unmündigkeit. Zum Verhältnis von Aufklärung und Christentum, in: *J. Rüsen / E. Lämmert / P. Glotz* (Hg.), Die Zukunft der Aufklärung, Frankfurt a.M. 1988, 86. Ebenso *ders.*, Für eine neue hermeneutische Kultur, in: Orien. 53 (1989) 256-259, hier 257.

durchschaut und alteritätsdialektisch abgefedert. Aber auch die drohende hermeneutische Auflösung der Anderen in die "Immanenz der Subjektivität" schien jetzt ansatzweise, intersubjektiv-symmetrisch überwindbar.[17] Nun konnte man aus der solipsistischen Ecke einer verdinglichten Subjekt-Objekt-Beziehung heraustreten, sich "geschwisterlich" in die Gesellschaft der Anderen begeben und mit ihnen zwanglos-vernünftig ins Gespräch kommen.

Aber die Sprachregelung der Anerkennungshermeneutik hat sich nicht von den Fußangeln des Eurozentrismus freihalten können. Johann Baptist Metz, beispielsweise, geht von der selbstverständlichen Voraussetzung aus, daß es kein vor- oder akulturelles, "kein 'reines' oder 'nacktes' Christentum" geben könne. Es gibt ja auch keine kulturlosen Menschen. Aber er sagt dann auch, daß *das* Christentum "die aus jüdischen und griechisch-hellenistischen Traditionen assimilierte europäisch-abendländische Kultur"[18] nicht wie ein Kleid ablegen und durch ein anderes ersetzen könne. Dies mag für das europäisch-abendländische Christentum gelten, nicht aber für *das* Christentum. Wenn Metz dann noch nachschiebt, daß es keine "kultur- und geschichtsenthobene Identität" *des* Christentums gebe, die sich "erst im nachhinein" verschiedene Kulturgewänder umlegt, dann wird die Rede von der Anerkennungskultur zu einem mehrdeutigen Sprachspiel. Die Identität des Christentums besteht nicht in der Kontinuität *einer* ungebrochen eindimensionalen Geschichte. Die nachkoloniale Identität des Christentums muß über ein plurikulturell und multihistorisch durchgehaltenes Programm konstruiert werden. Sonst läuft das Christentum Gefahr, Heilsgeschichte als Parallelgeschichte der Anderen anzubieten. Historisch ist die Identität des Christentums durch ihre Gründungs- und Gründerreferentiale. Historizistisch würde sie, wenn auch noch die spezifische Aneignungsgeschichte *einer* Form des Christentums einer allgemein gültigen Identität *des* Christentums zugeschlagen würde.

Das europäisch-abendländische Kleid des Christentums ist nicht schicksalhaft und historisch irreversibel mit seinem Körper zusammengewachsen. Jedes Kleid von gestern wird morgen zur Maskerade. Statt "Kleid" könnte es sich ja auch um eine die vielen

---

[17] Vgl. *K.-M. Wimmer*, Intentionalität und Unentscheidbarkeit. Der Andere als Problem der Moderne, in: ZP.B 29 (1992) 163-167.
[18] *J.B. Metz*, Wider die zweite Unmündigkeit 86.

Gesichter des Christentums verbergende "Maske" handeln. Es wäre nun möglich übereinzukommen, daß die Maske einer Gestalt des Christentums so sehr mit seinem Gesicht zusammengewachsen ist, daß ihm diese Maske nicht einfach vom Gesicht gerissen werden kann, ohne das Gesicht selbst zu zerstören. Dann müßte nach Lösungen gesucht werden - und solchen Lösungen wird im Paradigma der Inkulturation nachgegangen -, die längerfristig eine Trennung von Maske und Gesicht ins Auge fassen oder jedenfalls verhindern, daß unter dem Vorwand der Identität die Masken der Einen den Anderen aufgenötigt werden.

Ursprung und Identität *des* Christentums dürfen nicht deckungsgleich übereinanderliegen, wie in einer ursprungsphilosophischen All-Einheits-Lehre. Der Anfang der Geschichte der Einen wird dann zum Ende der Geschichte der Anderen. Die nachgeborenen Anderen, die "erst im nachhinein" dem Christentum ihr Kulturgewand identitätsmitbegründend umlegen wollen, werden dann doch wiederum alle bei der Aneignung dieses all-einen Christentums in das Korsett einer europäisch-abendländischen Normkultur hineingeschnürt. Geschichtsenthoben aber wird Identität ja gerade dadurch, daß man den Ursprung des Christentums zum Beginn einer neuen Zeitrechnung macht. Was vor der *archä* des Christentums liegt, die Geschichte der Anderen beispielsweise, wird zur mythischen Vorgeschichte. Der "Schwarze Peter" des Mythos wird kurz und bündig den Anderen zugeschoben. Aber alle auch noch so historisch nachweisbaren Ursprungs- und Gründergeschichten sind in ihrer Tradierungsgeschichte selbst tendenziell mythisch. Die reine Geschichte - so ganz ohne *fioretti* - hat auch das Christentum nie auf breiter Basis durchgehalten.

Es muß als anthropologisches Grunddatum gelten, daß Kultur und Geschichte der Einen nie normativ sein können für die Anderen. Auch die Anderen haben eine kultur- und geschichtsverwurzelte Identität zu verteidigen, die anerkannt werden will. Die Geschichte eines Volkes zur normativen Urgeschichte anderer Völker zu machen, hieße beide Geschichten zerstören. Ein europäisch-abendländischen Ursprüngen normativ verhaftetes Christentum muß unter Ideologieverdacht gestellt werden. Ein postkoloniales Christentum, das sich nicht von vornherein auf einen nur lockeren interkulturellen und interreligiösen Dialog beschränkt und die exogamische Suchbewegung der missionarischen Dimension des Christentums nicht ausklammert, muß die Verteidigung dieser Identität zum integrierenden Bestandteil ihrer Evangelisation machen. Das Ernstnehmen von Geschichte muß sich gerade in der Anerkennung der Geschichtlichkeit eines jeden Kulturgewandes des Christentums erweisen. Damit beginnt - durchaus noch formal und unsubstantiell - die Anerkennung der Anderen in ihrem Anderssein. Im Christentum geht es weder um Bodenidentität wie in autochthonen Kulturen, noch um eine ontologisch-geschichtslose oder eine historizistisch-fixierte Ursprungsidentität, sondern um eine plurihistorische Weg-Identität.

Aber selbst wenn es eine Ursprungsnormkultur des Christentums gäbe, so würde sie nicht den wahren Zugang zum Original des Evangeliums garantieren, sondern nur den Zugang zu *einer* kulturellen Übersetzung. Die plurikulturelle Verifizierung des Evangeliums repräsentiert einen sehr viel breiteren hermeneutischen Zugang zum unzugänglichen Urgeheimnis Gottes, als dies eine noch so vollkommene Monokultur leisten könnte. Die Gefahr für das Christentum kommt nicht von seinen unvollkommenen Inkulturationsweisen, sondern von der *urbi et orbi* dekretierten Kulturhegemonie abendländisch-europäischer Provenienz, welche die Kulturnormen der Einen den Anderen als Glaubensinhalte und normative Spielregeln vorschreibt.

Einen Ausweg aus dieser Verstrickung umschreibt der von den Kirchenvätern viel variierte und in neueren kirchlichen Dokumenten[19] immer wieder zitierte Satz, daß das Christentum nicht erlösen könne, was es kulturell und geschichtlich von den verschiedensten Völkern nicht rezipiert habe. Ein Christentum, das die Alterität nicht als babylonisch-postmodernen Störfaktor betrachtet, muß den heilsgeschichtlichen Faden in Kultur und Geschichte einer jeden sozialen Gruppe aufnehmen. Daher muß im Umgang mit den Anderen von vornherein auf der Kultursubjektivität aller sozialen Gruppen bestanden und auf bewertende Prädikate wie "hoch" oder "primitiv" ("Hochkultur" vs. "Waldläuferkultur" oder "Kulturvolk" vs. "Naturvolk") verzichtet werden. Dies gilt auch für prozedurale Diskursethiken, die sich einerseits auf die Gleichbehandlung aller durch die unparteiliche Anwendung diskursiv ausgehandelter Spielregeln beschränken wollen, andererseits aber doch das "substantielle" Moment von "mehr" und "weniger" Rationalität in die Verhandlungen einbringen, wenn sie behaupten, daß mit der Universalität eines Prinzips seine Rationalität zunehme. Damit kommt Alterität, die ja nicht blockhaft abstrakt, sondern immer im

---

[19] Vgl. Vatikanum II, Ad Gentes 3; Puebla 400.

partikularen Plural zu denken ist, sofort in den Geruch ethnozen-
trischer Binnenverhältnisse eines "kollektiven Selbstbehauptungs-
systems" vormoderner Rationalität.[20] Wir können heute auch am
Kaukasus Weltbürger sein und in Rom und Tokio "Stammes-
interessen" vertreten.

Wer das Anerkennungsparadigma zu Ende denkt, wird irgendwann eingestehen müssen, daß es sich dabei nicht nur um die
Anerkennung der Anderen durch die Einen, sondern um die gegenseitige Anerkennung aller handelt. Die Anerkennung der Anderen
in ihrer irreduziblen Andersheit ist ein prozedurales Nachholprogramm für historisch verweigerte Anerkennung. Aufgrund der
schwierigen Erkenntnislage kann sich dieses Programm nicht über
substantielle Inhalte dieser Anerkennung aussprechen, selbst wenn
es dies, vom nachmetaphysischen Denken noch unberührt und von
religiösen Imperativen angespornt, möchte. Als "prozedurales
Nachholprogramm", das auf solidarische Gerechtigkeit ausgeht,
muß das Anerkennungsparadigma immer schon reziproke Anerkennung "als solche" im Auge haben. Auch die Anderen können ja
ihre Alterität nicht für sich alleine, sondern nur als anerkannte und
anerkennende Alterität wünschen. Diese Reziprozität gilt nicht nur
innerhalb der jeweiligen Lebenswelten. Sie gilt auch zwischenle-
bensweltlich. Dies ist auch vernünftig aufgrund politischer Überlegungen. Die jeweiligen Lebensprojekte können ihre Alterität und
die darin begründete Identität nur in strategischen Bündnissen und
weltweiten Interessensartikulationen verteidigen. Ein Anerken-
nungskompromiß, der die "Option für die Anderen" strategisch
erweitert zu einer "Verständigung aller", deren Lebensprojekt in
Gefahr ist, und dann noch einmal ausdehnt auf "alle Menschen
guten Willens", deren Lebensprojekt zunächst nicht unmittelbar
gefährdet zu sein braucht, operiert durchaus im reziproken Interesse der Einen und der Anderen.

Reflexive Erinnerung und selbstkritische Vernunft sind wichtige
Elemente einer bescheiden gewordenen "Anerkennungspolitik". Zu
solcher Anerkennung gehört das Wissen um die eigene Erfahrungslosigkeit im Umgang mit den Anderen, das Wissen, die Anderen
nicht erkennen, noch sich ihrer in ihrem Anderssein erinnern zu
können. Aber die Einen können auch wissen, daß sie den Anderen
vermeidbares Leid zugefügt haben und daß sie für die Anderen

---

[20] *J. Habermas,* Gerechtigkeit und Solidarität, in: *ders.,* Erläuterungen zur
Diskursethik, Frankfurt a.M. 1991, 49-76, hier 70.

solidarisch verantwortlich sind. Freilich kann eine solche Anerkennungspolitik auf die Dauer nicht idealistisch selbstlos oder auf der Basis eines "schlechten Gewissens" oder nur juristisch als Wiedergutmachungspolitik durchgehalten werden. Weil sie durch Reziprozität vor partikulären Sonderinteressen geschützt ist, kann sie als Lebensstrategie aller aufgezeigt werden. Wer sich für die Anderen einsetzt, streitet für eine gemeinsam bewohnbare Welt der Gleichzeitigen und für eine lebenswerte Zukunft der kommenden Generationen.

IV. Verständigen

Gewarnt durch die Aporien des Erkenntnisparadigmas und den Autoritarismus subjektzentrierter Vernunft, hat Jürgen Habermas für solche Reziprozität - freilich prozedural erkältet und ohne kompensierende Parteilichkeit - das "Paradigma der Verständigung zwischen sprach- und handlungsfähigen Subjekten" eingeführt.[21] Gewiß, so Habermas, "schrumpft das Universum derjenigen Fragen, die sich unter dem moralischen Gesichtspunkt rational beantworten lassen, im Zuge einer Entwicklung zur multikulturellen Gesellschaft im Inneren und zur Weltgesellschaft im internationalen Verkehr".[22] Je größer diese Vielfalt und das Miteinander sich immer fremder werdender Lebensweisen, desto abstrakter müssen die Reziprozität garantierenden Prinzipien werden.

Eines dieser "letzten" Prinzipien eines nachmetaphysischen Philosophietreibens ist die *eine* Vernunft. Sie wird jüngst von ihren Novizenmeistern zwar pfingstlich-polyglott eingekleidet, ohne aber ihre selbstverständlich vorausgesetzte Einheit in Beweisnot zu bringen. Alteritätsfreundlich sind sie sich handelseinig, daß "die Einheit der Vernunft in der Vielfalt ihrer Stimmen"[23] zu Wort kommen müsse. Durch die Vielheit der auf der Tagesordnung zugelassenen Stimmen und im innerkirchlichen Bereich durch die

21 *J. Habermas,* Der philosophische Diskurs der Moderne, Frankfurt a.M. ²1985, 345.
22 *J. Habermas,* Erläuterungen zur Diskursethik 202.
23 *J. Habermas,* Die Einheit der Vernunft in der Vielfalt ihrer Stimmen, in: *ders.,* Nachmetaphysisches Denken. Frankfurt a.M. 1988, 153-186.

Forderung nach einer "kulturell polyzentrischen Weltkirche"[24] schien kontextuelle Farbe in die Universalien *Vernunft* und *Heilsangebot* zu kommen. Beim näheren Hinsehen taucht jedoch der Verdacht auf, daß es sich bei der *einen* Vernunft nicht um den Chor der vielen Stimmen, sondern um die prekäre Übersetzung und Auslegung doch noch ontologisch vorgegebener oder lebensweltlich verstrickter Vernunft handelt. Diese eine Vernunft lebt noch von jenem ontologisch-lebensweltlichen Fundus, den sie leugnet. Man könnte daher in sehr vielen Fällen auch einfach von einer universal extrapolierten europäisch-abendländischen Binnenvernunft und ihren *vielen* Übersetzungen sprechen.

Intelligente Eroberer der ersten Generation - und daran muß Lateinamerika sich immer wieder erinnern - haben sich stets zur Vermittlung ihrer "vernünftigen" Interessen gute Übersetzer gehalten. Ximenes Cisneros (1436-1517), Franziskaner, Kardinal, Großinquisitor und einer der großen Ideologen der ersten Stunde der spanischen Conquista, war auch der geistig-materielle Motor für die Abfassung der Complutenser Polyglotte der Heiligen Schrift. Cortés, um ein anderes Beispiel vermittlungsbedürftiger Macht zu nennen, erwählte die Schlüsselfigur der Conquista Neu-Spaniens, Malinche, seine indianische Übersetzerin, gleich zu seiner Konkubine. Nach der Zerstörung des Aztekenreiches rief er dann den Franziskanerorden zur ideologischen Orientierung der Besiegten nach Neu-Spanien. In einer sehr aufschlußreichen Katechese belehrten die sogenannten Zwölf Apostel kurz nach ihrer Ankunft in Mexiko im Jahre 1524 die ihrer Ämter enthobenen aztekischen Vorsteher und Priester, daß in ihren kulturell-religiösen Traditionen "sich nichts Rechtes, nichts Wahres, was wert ist, geglaubt zu werden" finde. Vor der einen Vernunft der Conquista wird die Tradition der Anderen herabgestuft zu "leeren Worten" und "Irrtümern, die euch eure Väter hinterlassen haben".[25]

---

[24] *J.B. Metz*, Einheit und Vielheit: Probleme und Perspektiven der Inkulturation, in: Conc(D) 25 (1989) 337-342. *Ders.*, Im Aufbruch zu einer kulturell polyzentrischen Weltkirche, in: *F.X. Kaufmann / ders.*, Zukunftsfähigkeit. Suchbewegungen im Christentum, Freiburg i.Br. 1987, 93-123. - Natürlich wäre da noch zu fragen, ob ein nur "kultureller Polyzentrismus" vielleicht doch noch die Tür für einen nichtkulturellen Zentrismus offenhält.

[25] *M. León-Portilla* (Hg.), Los diálogos de 1524 según el texto de fray Bernardino de Sahagún y sus colaboradores indígenas, Mexiko 1986, 113, 155, 193 f.

Jede Conquista versuchte solche "Einheit der Vernunft", an der die Vielheit der Anderen nicht partizipierte, zu vermitteln. José de Acosta, der erste Jesuitenprovinzial Perus, qualifiziert diese Vielheit als "barbarisch" und "babylonisch". "Früher sollen 72 Sprachen die Konfusion des Menschengeschlechts angerichtet haben. Aber diese Barbaren unterscheiden sich untereinander durch ihre 700 oder mehr Sprachen."[26] Und diese Vielheit ist nicht nur "barbarisch", sondern auch zu "arm", um darin die Glaubensgeheimnisse auszudrücken. Die zweite Generation ideologischer Besetzer glaubt schon nicht mehr an "Übersetzung". "Häufig fehlen die rechten Ausdrücke, um die wichtigsten Geheimnisse des Glaubens zu erklären", schreibt Acosta. "Und Dinge von solcher Transzendenz durch Interpreten zu erklären und die Geheimnisse der Erlösung dem guten Glauben und der Ausdrucksmöglichkeit von so einfachen Leuten anzuvertrauen (...), die Erfahrung selbst lehrt uns, wie unangebracht, ja schädlich dies ist."[27]

Wer die Welt aus der Perspektive der südlichen Halbkugel beobachtet, muß zumindest den Verdacht hegen, daß im nachmetaphysischen Denken die *eine* Vernunft auch eine unhistorische Universalgrammatik sein kann. Aufgeschreckt durch aktuelle Beispiele ethnisch-religiöser Zerstörungswut und Rassenhasses, geht es den Universalisten ja um ganz wichtige Dinge, wie Gerechtigkeit für alle, weltweite Solidarität, nachbarschaftliche Toleranz und friedliches Zusammenleben in der einen Welt. Aber der Verdacht ist nicht von der Hand zu weisen, daß gerade die jahrzehnte-, oft jahrhundertelang aufgezwungene Universalgrammatik der tiefere Grund für eine weltweit beobachtbare Irruption des Ethnozentrismus ist. Historisch gesehen muß die europäisch-abendländische "Universalgrammatik" für die Erfahrungslosigkeit im Umgang mit den Anderen verantwortlich gemacht werden. Bekanntlich war das Jahr 1492 neben der Conquista nicht nur das Jahr der Vertreibung der Araber und Juden aus Spanien. Es war auch das Jahr der ersten Grammatik Kastiliens. Ihr Schöpfer, Antonio de Nebrija, unterstreicht in seinem Vorwort, daß die Rolle der durch diese Grammatik kontrollierbaren Einheitssprache so wichtig sei wie der Glaube, die Waffen und die Gesetze.[28] Auch die Anerkennung einer Grammatik kann nur ein Bündnis auf Zeit

---

[26] *J. de Acosta*, De procuranda indorum salute, Bd. 1, Madrid, 1984, 93.

[27] A.a.O. 95.

[28] *A. de Nebrija*, Gramática castellana, Salamanca 1492 (Madrid 1980).

sein, ein Uhrenvergleich bei verschiedener Laufgeschwindigkeit der jeweiligen Uhren.

Die eine Vernunft wird tendenziell immer provinzielle Varianten als kontingent-unvernünftig, als "zufälligen Fundus gelungener Überlieferungen"[29] abtun oder zur Ordnung rufen. Gelungene Traditionen, die in Kulturen historisch weitergegeben werden, sind ja nicht fertig vom Himmel gefallen, sondern das historische Ergebnis sozialer, kommunikativer Vernunft. Auf solche historisch und sozial konstruierte Vernunft muß auch eine "prozedurale Vernunft" immer wieder zurückgreifen.

Die *eine* Vernunft muß daher ständig über ihre eigene Provinzialität aufgeklärt werden. Lebensweltliche Rationalität muß nicht evolutionär naturhaft oder teleologisch gesteuert auf universale Rationalität zulaufen. Es handelt sich dabei, wie bei verschiedenen Sprachspielen, um zwei verschiedene Modalitäten von Rationalität, an denen wir gleichzeitig teilnehmen können. Die Spannung zwischen *universal* und *partikular* muß nicht eliminatorisch durch Einverleibung, nicht evolutionistisch durch Entwicklung, noch pluralistisch durch Beliebigkeit, sondern kann auch in polarer Gleichzeitigkeit vermittelt werden. Die *eine* Vernunft ist durch schlaue Appropriation ebenso gefährdet wie die Monokultur des Bauern durch Witterungsschäden. Nur die in die verschiedenen Lebenswelten ausgelagerte Vernunft kann appropriationsgesichert und krisenfest gedacht werden. Dies soll nicht heißen, daß lebensweltliche Vernunft nicht krisenanfällig wäre, sondern lediglich, daß nicht alle lebensweltliche Vernunft gleichzeitig krisenbedroht ist, wie dies bei der einen Vernunft der Fall sein kann. Mono- und Metakulturen sind, ebenso wie Makrostrukturen, global krisenanfälliger und appropriationsungesicherter als eine Vielzahl mikrostruktureller, statistisch oft kaum noch relevanter, aber de facto existierender Lebenswelten.

Das Dilemma prozeduraler Uneindeutigkeit zeigt sich gerade da, wo man es am wenigsten erwartet, nämlich bei formalen Rechtsverträgen. Die bis zur Unterzeichnung intersubjektiv ausgehandelter Rechtsverträge herrschende "prozedurale Vernunft" kann - arglistige Täuschung ausschließend - zu bemerkenswerten Interpretationsvarianten führen, die im Grunde nur beweisen, daß man partiell aneinander vorbeiverhandelt hat. Habermas würde bescheiden anmerken, daß dies eben mit der aus der "Unbestimmtheit

---

[29] *J. Habermas*, Faktizität und Geltung, Frankfurt a.M. 1992, 17.

des diskursiven Verfahrens" resultierenden Fallibilität und mit der "Provinzialität unseres endlichen Geistes gegenüber der Zukunft" zusammenhängt.[30] Die eine Vernunft könnte dann "prozedural" so zusammenschrumpfen, daß man am Ende nur noch weiß, vor welcher Gerichtsinstanz man Klage führen kann. Insofern gibt es gar keine rein "prozedurale Vernunft", die vom vertragstextlichen Inhalt ausgesperrt werden könnte. Auch die Grammatik einer natürlichen Sprache ist kein nur prozedurales Gerüst. Auch Grammatiken haben einen ihren Formalismus sprengenden historischen Kern mit semantischer Ausstrahlung. Vernunft kann nicht nur auf Verfahrensfragen intersubjektiver Kommunikation reduziert werden. Vernünftig sind ja nicht nur die Spielregeln, sondern auch das gelungene Spiel. Auch im nachmetaphysischen Denken können die Spielregeln nicht als *die* Vernunft gedacht werden. Sie sind nur eine Stimme einer vielstimmig und nicht nur gegenwartsträchtig ausgelagerten Vernunft. Auch kommunikative Verfahrensvernunft muß mit einem ihre Formalität relativierenden Zeitkern gedacht werden.

Denn was geschähe sonst mit de facto an der Teilnahme eines ideal durchformalisierten Kommunikationsgeschehens Verhinderten? Wo würden die Interessen der heute sprach- und handlungsunfähigen Subjekte wahrgenommen? Wo blieben die Opfer der Geschichte, wo die kommenden Generationen? Die Gegenwart der Diskursteilnehmer darf nicht die Zukunft der Anderen sein. Diskursive Reziprozität kann nie nur im Hier und Heute verankert werden. Man braucht nicht nur zornig oder vergeßlich in die Vergangenheit zurückzublicken und paternalistisch oder vormundschaftlich in die Zukunft zu schauen. Wenn des Nachbarn Haus brennt, muß man keine Rechtsvollmacht besitzen - sozusagen eine Diskursteilnehmerbescheinigung -, um mit dem Löschgerät einzugreifen. Nichtgeleistete advokatorische Solidarität, die scharf von Paternalismus getrennt gedacht werden muß, kann als unterlassene Hilfeleistung eingeklagt werden. Der in den jeweiligen Lebenswelten aufgeschüttete Berg des Kontrafaktischen muß in gestufter, jedoch reziproker Verantwortlichkeit abgetragen werden. "Gestufte Verantwortlichkeit" bezieht sich auf das in modernen Demokratien anerkannte Prinzip "progressiver Steuerzahlung" und braucht hier wohl nicht weiter erläutert zu werden.

---

[30] *J. Habermas*, Erläuterungen zur Diskursethik 207.

Diskursive Argumentation kann nicht *moralisch* gedacht werden ohne den Imperativ zu Solidarität und zu rechtlich einklagbarer Verantwortlichkeit. K.-O. Apel hat daher versucht, seine Diskursethik als eine Zweistufenethik zu konzipieren. Die prinzipielle Gleichberechtigung aller privilegierten Teilnehmer einer ideal, d.h. universal gedachten Sprechsituation dürfe nicht getrennt werden von der Verpflichtung zur "Mitverantwortung für die argumentative (...) Auflösung der in der Lebenswelt auftretenden moralisch relevanten Probleme".[31] Freilich bleibt hier offen, wie es überhaupt möglich sein soll durch *substantielle* Solidarität *formale* Mehrheitskoalitionen der Einen gegen die Anderen zu verhindern. Auch Minderheitenrechte werden von Mehrheiten beschlossen.

V. Widerstehen

Die eine Welt soziokulturell und staatlich mehr oder weniger organisierter Menschen ist der voraussetzbare gemeinsame Nenner zwischen den Einen und den Anderen. In dieser einen Welt kann es Zeit und Raum geben für sehr verschiedene vernünftige Lebensprojekte. Reziproke Verantwortlichkeit heißt daher zunächst nicht, für eine substantiell gemeinsame Zukunft zu kämpfen, sondern dafür, daß die Einen und die Anderen sich nicht aus- oder einschließende Zukunft haben. In der einen Welt muß Platz sein für das undiskutierbare Geheimnis des Andersseins in symmetrischen, transparenten, veränder- und diskutierbaren Gesellschaftsstrukturen. Vernunft muß nicht eliminatorisch noch synthetisch, weder bipolar noch instrumentell gedacht werden. Die Verschiedenheit der Lebensprojekte braucht auch keinen postmodernverstockten Bruch mit den "sperrigen" Anderen zu erzeugen. Vernunft kann durchaus komplementär-kooperativ und alternativ gedacht werden, und dies nicht nur im Hinblick auf sich ergänzende Projekte, sondern schon im Feld verständigungsorientierten Handelns "prozeduraler Vernunft". In den Naturwissenschaften gilt es als selbstverständlich, daß es sehr verschiedene, komplementäre und alternative Versuchsreihen geben kann, die zu den gleichen

---

[31] *K.-O. Apel*, Kann der postkantische Standpunkt der Moralität noch einmal in substantielle Sittlichkeit "aufgehoben" werden? Das geschichtsbezogene Anwendungsproblem der Diskursethik zwischen Utopie und Regression, in: *ders.*, Diskurs und Verantwortung, Frankfurt a.M. 1988, 103-153, hier 116.

Ergebnissen führen. Das "gleiche Ergebnis" bedeutet in diesem Zusammenhang das je in Alterität gelungene und reziprok anerkannte Lebensprojekt. Da wir uns Vernunft ja als in die verschiedenen Lebenswelten ausgelagert vorzustellen versuchten, ist solches Gelingen nicht von metadiskursiven Vereinbarungen abhängig. In mikrostrukturellen Lebensverhältnissen, wie zum Beispiel auf einem Indiodorf, wird ja häufig viel mehr um diskursiven Konsens gerungen, als dies zum Beispiel in modernen Parlamenten der Fall ist, wo dann einfach mehrheitlich abgestimmt wird.

In einer Welt faktischer Ungleichheit, trotz gleich-gültiger Rechte und Pflichten aller, hat Solidarität neben dem diskursiven Moment immer auch einen strategischen Kern. Wie kann das Lebensprojekt der Anderen argumentativ universal und praktisch konkret gerettet werden? Im folgenden soll versucht werden, generative Widerstandsenergien für das Projekt der Anderen aus drei verschiedenen Argumentationsquellen mit je eigenen Rationalitätsschwerpunkten zu schöpfen: Zunächst hausintern aus dem theologischen Argumentationsfundus des Christentums (1), dann aus der Lebenswelt der Anderen selbst (2) und schließlich exogamisch "universal" aus dem Arsenal der über sich selbst aufgeklärten Moderne (3).

1. Eine über sich selbst aufgeklärte Anerkennungspraxis ist bereit, die Anderen auch als Unerkannte, d.h. nur in ihrer Bedürftigkeit Erkannte und in ihrer Alterität Erahnte, anzuerkennen und ums Wort zu bitten. Und sie kann dafür aus dem begrenzt verallgemeinerungsfähigen Traditionsreferential des Christentums theologische Argumente ins Feld führen: der Bund Gottes mit den Schwachen und die Befreiung aus Sklaverei; Inkarnation und Auferstehung des Jesus von Nazareth, die der Hoffnung auf ein gelungenes Leben eine neue, lebensweltlich-universale und solidarische, jedoch historisch nicht einlösbare Dimension geben. Das "gelungene Leben" und Geschichte können ja immer nur perspektivisch "horizontal" zusammengedacht werden.

Anerkennungspraxis im Lichte der Option für die Anderen kann sich dann vor allem auf die biblische Rede vom Weltgericht berufen, in der sich Jesus von Nazareth mit unerkannten armen Anderen identifiziert, mit Hungernden, Fremden, Obdachlosen, Nackten, Kranken und Gefangenen (vgl. Mt 25,33 ff). Er verlangt diesen in Notlage geratenen Anderen keine Unschuldsbeweise oder Wohlverhaltenserklärungen ab. Ein "prinzipieller" Unschuldsbeweis würde ja auf ein objektivierendes Erkennen und Rechtfertigen hinauslaufen. Man muß in den Augen Jesu nicht *arm* und *gut*, oder *gefangen*, aber *unschuldig* sein. Die Anderen sind die göttliche Heimsuchung der Welt.

Die voraussetzungslose Präsenz Gottes im Anderen disqualifiziert von vornherein jede Rechtfertigung einer gestuften Verantwortlichkeit. Wer leidet, muß nicht Recht haben oder für die Wahrheit leiden. Die Anderen müssen nicht eine zu ihrer Notlage noch hinzukommende "gute Sache" vertreten. Sie brauchen nicht als "gute Arme" oder "edle Wilde" idealisiert zu werden. Idealisierungen sind immer mythologische Verschleierungen. Die Idealisierung der Anderen würde ihre Entgeschichtlichung bedeuten. Auch unter den Anderen gibt es Konflikte. Es gibt auch "häßliche" und böse Andere. Nicht weil die Anderen Recht haben oder weil sie gut sind, sondern ihrer Armut wegen rettet sie Gott. Leid und Armut der Anderen haben im Christentum eine der konventionellen Ethik vorgelagerte Dringlichkeit und Praxisrelevanz. Die je Anderen - auch für die Anderen gibt es Andere - sind die Bedingung für die kontextuelle Rede von Gott.

Dieser theologische, selbstlos-verantwortliche Umgang mit den Anderen lehrt, die Geschichte Israels und des Christentums weniger historizistisch-normativ als paradigmatisch-bildhaft zu lesen. Was da in der Geschichte eines Volkes geschehen ist, ist trotz seiner Einmaligkeit ein mehrdimensionales Beispiel, nicht zu wiederholender Nachahmung (normativ), sondern zu kontextualisierender Nachfolge (paradigmatisch). Im Bild vom Exodus könnten dann die Nachfahren afrikanischer Sklaven in Amerika durchaus ihre Befreiungsgeschichte gegen das sie versklavende koloniale Christentum lesen. Gleichzeitig hat der Moses der Heilsgeschichte der Anderen andere Namen. Die "Altchristen" können die Befreiungsgeschichte der Anderen im Schlüssel des Exodus lesen. Die Anderen selbst aber dürfen ihre Heilsgeschichte nicht sofort paradigmatisch überhöht oder archetypisch universal lesen. Sie müssen wissen, daß es zu ihrer Geschichte keine parallele Heilsgeschichte gibt, sondern daß Gott ihr Heil in ihrer Geschichte wirkt.

Niemand kann es leugnen, daß Lateinamerika und andere Kontinente den Glauben an Jesus Christus historizistisch erstarrt und in kolonialem Gewand erhalten haben. Zur Vermittlung christologischer Traktate an Indios zum Beispiel sahen sich die Missionare genötigt, auf philosophische Konzepte Platons, Aristoteles', des Stoizismus und anderer philosophischer Schulen zurückzugreifen, da man glaubte, das indianische Kulturgewand dem Christentum nicht mehr "im nachhinein" umlegen zu können. Aber auch die hellenistisch-abendländische Konzeptualisierung "göttlicher Wahrheiten" zeichnet sich, so sagt es schon das Vierte Laterankonzil, mehr durch Unähnlichkeit als durch Ähnlichkeit mit seinem Gegenstand aus.[32] Nur ein paradigmatisch-bildhafter Umgang mit der Bibel kann konzeptuelle Kolonisation und historizistische Verengung überwinden.

Dies muß nicht bedeuten, daß es unter "kolonialen" Bedingungen nicht möglich wäre, Wesentliches von der Botschaft Jesu Christi kognitiv zu vermitteln. Auch in einer Fremdsprache kann man ja Befehle und Absichten mitteilen und Inhalte in groben Umrissen vermitteln. Solange solche Vermittlung nicht sinnlich, bildhaft, emotional nachvollziehbar und lebensweltlich vernetzt verläuft, muß damit gerechnet werden, daß sie den von *Evangelii Nuntiandi* bedauerten "oberflächlichen Firnis" produziert (Nr. 20). Die lateinamerikanische Volksreligiosität repräsentiert Versuche, konzeptueller Einschnürung kreativ zu entkommen. Trotz der Schwierigkeit *jeder* kulturellen Vermittlung des Evangeliums muß es als ein Apriori seiner Verkündigung gelten, daß die Geheimnisse Gottes auch in konzeptuellen Schlüsseln und Bildern indianischer Kulturen aussagbar sind. Auch die Geschichte der Guarani und Maya, der Yanomami und Aymara ist eine Heilsgeschichte, in der es möglich ist, von Jesus Christus und Gottes Reich zu sprechen, ohne daß die Geschichte Israels und des Christentums zerstörerisch von außen hinzukommen müßte.

Jesus von Nazareth hat sich ja nicht ursprungsphilosophisch als *archä* oder als *logos* bezeichnet. Ohne genealogisch nachweisbaren Ursprung identifiziert er sich mit dem *Weg*, nicht mit der Herkunft und nicht mit der Ankunft. Nicht der nach Ithaka zurückkehrende Odysseus, sondern der auf dem Weg bleibende Abraham ist das produktive Glaubensvorbild der Christen. Die subsidiäre Wichtigkeit der Ursprungsidentität relativiert daher auch jegliche Ankunftsmentalität. Krippe und Grab stehen leer. Christen brauchen nicht *anzukommen*, sondern müssen nur auf dem Weg bleiben. Der *Weg* ist das Bild für das *An-archische*, für das Ursprunglose des Christentums. Die Anderen sind auf ganz besondere Weise die Erben dieser an-archischen Züge, ohne eigenes Dach und Land, stets auf dem Weg und unter der Brücke. Niemand

---

[32] DH 806: "quia inter creatorem et creaturam non potest similitudo notari, quin inter eos maior sit dissimilitudo notanda".

weiß, wo ihre Wiege stand. Die Geburtsgeschichte Jesu ist nicht umsonst der historisch letzte Teil der Evangelienredaktion.

"Faktisch muß man", so der am biblischen Erbe der Juden sich inspirierende Emmanuel Lévinas, "die eigentliche Identität des menschlichen Ich von der Verantwortlichkeit her benennen, das heißt ausgehend von diesem Setzen oder diesem Ab-setzen des souveränen Ich im Selbstbewußtsein - Ab-setzen, das gerade in seiner Verantwortung für den *Anderen* besteht. (...) Ich, nicht-auswechselbar, ich bin ich einzig in dem Maß, in dem ich verant-wortlich bin."[33] Die Verantwortlichkeit vor dem *an-archischen* Anderen ist älter als die stets mitgeborene Substanz, älter als "Anfangen" und "Prinzip".[34] Die Identität des Christentums er-wächst nicht aus seinen "ursprünglichen" Kulturgewändern, son-dern aus seiner selbst-losen Verantwortung vor den an-archischen Anderen.

2. Die an-archische Vielfalt der Anderen ist *ein* Geheimnis ihres Widerstands. Die ideologische Kolonisation der Anderen ist immer wieder an der Vernunft gescheitert, die in die plurikulturellen Le-bensprojekte ausgelagert ist. Und niemand kann bis heute mit Bestimmtheit sagen, daß selbst da, wo die Stimme der Anderen das Echo der Einen zu sein schien, wo sie also fremdbestimmt, mimeti-sch, monokulturell assimiliert oder zerstört schienen, ob dies nicht auch eine ihrer Kriegslisten war. Niemand weiß es genau, ob die Anderen die Einen wirklich kopiert oder bewußt nur nachgeäfft haben. Die Vieltonmusik der Anderen will die Stimme der Einen nicht erwürgen oder jetzt ihrerseits zum Echo reduzieren, sondern dazu ermutigen, daß Antworten Hören voraussetzt und Ver-Ant-wortung Zuhören. Diese Ver-Antwortung bedeutet nicht schon von vornherein, sich dem Druck eines universal gedachten Dialogs aller Gesprächsteilnehmer auszusetzen, sondern eben zunächst nur das Zulassen der Stimme der Anderen als unbestimmbar und un-übersprechbar. Wer 500 Jahre zum Schweigen verurteilt war, muß jetzt nicht, im Namen reziproker Vernünftigkeit, einer unter vielen Sprechern sein. Er soll ruhig kompensatorisch das erste und das letzte Wort haben. Eine nur präsentische Reziprozität, ohne diese historisch-kompensatorische Dimension, wäre geradezu unver-

---

[33] *E. Lévinas*, Ethik und Unendliches 78.

[34] Vgl. *E. Lévinas*, Humanismus und An-Archie, in: *ders.*, Humanismus des anderen Menschen, übersetzt und mit Einleitung versehen von L. Wenzler, Hamburg 1989, 61-83, hier: 82.

nünftig. Im Zuhören könnten die Einen entdecken, daß auch sie unverstanden und unbestimmbar sind und daß die Anderen durchaus darum wissen.

Eine nicht nur an Rettung von außen appellierende Verantwortlichkeit wird sich darüber aufklären müssen, daß das Kraftwerk des Widerstands der Anderen nicht nur aus der *memoria passionis* betrieben werden kann. Es gibt da lebensgesgeschichtlich nicht nur das unvergessene Leid und die Wut über den verlorenen Groschen, sondern auch die Freude über die gefundene Drachme. Auch das gelungene Fest, die erfolgreiche Kriegslist und die Freude des Augenblicks sind widerstandsfähig und handlungsrelevant. Die Anderen leben nicht nur ein kaputtes, sondern auch ein partiell immer wieder gelungenes Leben. Die Anderen haben eine besondere Lebenskunst entwickelt, Freude und Trauer in den tönernen Gefäßen ihres Lebens gleichzeitig mit sich herumzutragen. Das Lachen auf den Gesichtern der Anderen ist nicht nur "wunderbar", sondern ihre Gegenoffensive. Meisterlich verstehen sie es, das Groteske am sogenannten Sieger freizulegen. Die Abschirmstrategien kolonisierender Gringos sind immer auch lächerlich. Zu behaupten, daß man nach Auschwitz nicht mehr beten, dichten oder lachen könne, ist m. E. eine sehr deutsche Bekundung von Authentizität, die glaubt, auf ein todernstes Ereignis todernst antworten zu müssen. Jüdischer Humor nach Auschwitz, aber auch das Lachen auf den Gesichtern der Nachfahren der Negersklaverei zeigen zum mindesten, daß man auch anders reagieren kann. An den Leiden der Geschichte sich inspirierende Humorlosigkeit und der Schrei nach Rache könnten ein letzter Triumph der Sieger sein, denen es dann gelungen wäre, so wichtige Widerstandskräfte wie Gebet, Dichtung und Humor zu zerstören. Die letzte Besetzung der Anderen durch die Sieger wäre eine ganz normale Rache und todernste Vergeltungswut der Zerstörten. Selbstverständlich geht es hier nicht um ein anmaßendes Drängen auf Versöhnung, sondern um die Vermeidung einer Vergiftung der Anderen durch Rollentausch.

3. Aber der lebensweltliche Widerstand der Anderen muß auch "modern" auf den Feldern von Ökonomie, Politik und Ideologie durchgehalten werden. Da wäre über die Widerstandskräfte und Freiheitsspielräume der Subsistenzwirtschaft zu verhandeln, ohne dabei den Waren- und Arbeitsmarkt, sogenannte Marktgerechtigkeit und den parallelen Markt der Anderen aus dem Auge zu verlieren. Spielräume der Alterität können nur im Zusammenhang mit

ökonomischer Unabhängigkeit gesichert werden. Auf der politischen Ebene wäre über faktische Möglichkeiten und Grenzen des Rechtsstaates, des Selbstbestimmungsrechtes, der Menschenrechte, des allgemeinen Wahlrechtes, über politische Bündnisse und länderübergreifende Artikulation und Solidarität zu sprechen. Auf der ideologischen Ebene müßte über die koloniale Rolle von Schulen, über offizielle Mehrsprachigkeit innerhalb eines Staatsgebiets, über das Definitionsmonopol von Markt und Kommunikationsmittel, über gemeinsame Aufgaben in einer plurikulturellen Gesellschaft und vieles andere diskutiert werden.

Die Anderen in ihrer Alterität sind nicht nur geheimnisvoll unbestimmbar. Sie sind auch Subjekte von Gesellschaften und einer Weltgesellschaft, die sie in ihrem Anderssein bedrohen, aber ihnen gleichzeitig formale Rechtsmittel in die Hand geben, die es gestatten, sich gegen diese Bedrohung zu mobilisieren und zu organisieren. Mit den Errungenschaften der hinreichend über ihre Ambivalenz unbefriedigten Aufklärung können sich heute indianische Gesellschaften und türkische Gastarbeiter besser verteidigen, als dies noch jüdische Dorfgemeinschaften und sogenannte Hexen und Ketzer im Mittelalter konnten. Man mag dagegen einwenden, daß dies sehr wenig sei, wenn man bedenkt, wie ja auch die Bedrohung der Anderen durch die Globalisierung von Zerstörungsprozessen in diesem Zeitraum sehr viel größer geworden sei. Eine solche buchhalterische Kosten-Nutzen-Rechnung der Geschichte mag die Anderen wenig interessieren angesichts der Gefährdung ihres Lebensprojektes und realer Möglichkeiten, dieses Projekt im Bündnis mit allen Überlebenswilligen und aufgrund einklagbarer Rechte zu verteidigen.

Keines der Lebensprojekte der Anderen ist strategisch so selbstgenügsam, daß es nicht der politischen Artikulation all derer bedürfte, deren Projekt ebenso bedroht ist wie das ihre. Die Lebensprojekte der Anderen - ihr je gelungenes Leben - setzen gesellschaftliche Veränderungen voraus. Solche Veränderungen sind weder antimodernistisch, postmodern oder systemintern zu haben. Mit den Anderen Notwendigkeit und Folgen solcher Veränderungen verantwortlich zu erörtern und ihnen die dazu nötigen Instrumente (Rechtsmittel zum Beispiel) zu garantieren, das kann durchaus integrierender Teil einer reziproken und solidarischen Anerkennungshermeneutik sein, die sich nicht voluntaristisch vereinsamt und prozedural distanziert, sondern *praktisch verantwortlich* versteht. Die Anderen sind nicht die Subjekte eines provinziellen

Bewahrens, sondern repräsentieren den permanenten Widerstand gegen monokulturell verstockte und klassenteilig gespaltene Provinzialität im Gewande universaler Ansprüche. Es sind die Anderen, welche der instrumentellen Vernunft der unbefriedigten Aufklärung Zügel anlegen, um sie dann doch immer wieder vor den Wagen einer auf reziproke Anerkennung setzenden Alterität zu spannen. Die unbestimmbaren Anderen können selbstbestimmte Subjekte eines die Grundrechte garantierenden Rechtsstaates sein. Freilich sind Rechte realer oder auch nur soziologischer Minderheiten in repräsentativen Demokratien, deren parlamentarische Vertreter ja von Stimmenmehrheiten und damit von Mehrheitsinteressen abhängen, stets besonders gefährdet. Ein Abgeordneter, der die Interessen ethnischer oder soziologischer Minderheiten wahrnimmt, setzt die für sein Mandat notwendige Simmenmehrheit und die für seinen Wahlkampf nötigen Geldmittel aufs Spiel. Diese Situation verschärft sich in sogenannten jungen Demokratien, in denen es noch nicht vollständig gelungen ist, lebensweltliche Patriarchal- und Verwandtschaftsstrukturen durch demokratische Loyalitäten zu ersetzen. Hier kann oft nur durch politischen Druck bestimmter Sektoren der Zivilgesellschaft oder durch internationale Solidarität ein Minimum an Grundrechten garantiert werden.

Auch das individuelle und kollektive Selbstbestimmungsrecht der Anderen als Emanzipation aus Vormundschaft und als gegenseitige Anerkennung von Rechten und Pflichten in einem diskursiv möglichen Konsens ist als eine alteritätsfreundliche Errungenschaft der Moderne zu betrachten. Die Verteidigung des Lebensprojekts der Anderen kann philosophische und strategische Ressourcen der Moderne für sich geltend machen, sei es aus der Diskussion um universale Gerechtigkeit und Solidarität, Gleichheit und Freiheit, sei es aus der praktischen Erfahrung der Arbeiterorganisation oder von Befreiungsbewegungen. Auch die Einsicht, daß Problemlösungen nur dann vernünftig sind, wenn sie der intersubjektiven Konsensfähigkeit aller Beteiligten und Betroffenen ausgesetzt wurden, kann durchaus "modern" und "formal" gegen die Definitionsgewalt der Mehrheit oder der ökonomisch stärkeren Minderheit eingeklagt werden.

Schließlich kann auch das Wissen darum, daß Geschichte die Summe vieler kontingenter Geschichten und keine mit einem besonderen Telos ausgestattete und diesen Geschichten vorgelagerte Universalgeschichte ist, zu Autonomie in reziproker Anerkennung beitragen. Die Tatsache, daß die Anderen heute vielfach faktisch in Bürgerkriegssituationen leben, in denen nicht mehr so ohne weiteres an aufgeklärte Vernunft appelliert werden kann, soll nicht dazu verleiten, mit den noch vorhandenen Resten von Vernünftigkeit eine makrostrukturelle Apokalypse heraufzubeschwören. Die um die Fallibilität des menschlichen Geistes und um die Ambivalenz menschlicher Projekte wissende Vernünftigkeit muß sich ganz neu in mikrostruktureller Nachbarschaft bewähren, ohne jedoch den Horizont weltweiter Vernetzung aus dem Auge zu verlieren. Die deutlich vernehmbaren Klopfzeichen der Anderen an den ausweglosen Zellen markostruktureller Analysen, aus denen sie als nicht statistisch bzw. marktrelevant entlassen wurden, deuten darauf hin, daß auch die Hochrechnungen der Hoffnungslosigkeit an der Fehlbarkeit des menschlichen Geistes partizipieren.

IV
Autonomie und Solidarität

Begründungsprobleme sozialethischer Verpflichtung[1]

von Thomas Pröpper, Münster i. W.

Wenn ein Dogmatiker so offensichtlich, wie es mein Thema an-
kündet, in sozialethische Gefilde einbricht, tut er gut daran, sein
Vorhaben zu erklären und wohlweisliche Schutzvorkehrungen zu
treffen, damit er nicht beim Tanz auf fremdem Parkett ins
Schleudern gerät und sich nur zum Gespött der Gastgeber (in
meinem Fall also der Sozialethiker) macht. Deshalb zunächst,
erste Vorbemerkung, mein Vorhaben: ich will es kurz anhand der
Signalwörter des Titels erläutern. Was ich vortragen möchte,
beruht auf der entschiedenen theologischen Option für einen
autonomen Ansatz der Ethik. Ziel ist, vom Prinzip der Autonomie
zur Idee der Solidarität zu gelangen, wobei Solidarität - was im
Blick auf die Begriffsgeschichte durchaus nicht selbstverständlich, inzwischen aber angesichts der globalen Interdependenzen
bei den großen uns bedrängenden Problemen wohl plausibel sein
dürfte - in einem *universalen*, alle Menschen einschließenden
Sinne gemeint ist und zudem keiner einschränkenden Bedingung
unterworfen sein soll. In Frage stehen (und auf diesen Punkt will
ich mich konzentrieren) eben die *unbedingte Verpflichtung* zu

---

[1] Unveränderter Text eines Vortrags, der am 18.5.1993 im Rahmen der Ring-
vorlesung "Christliche Sozialethik im Gespräch mit anderen theologischen
Disziplinen" in Münster gehalten wurde und deshalb zuerst im "Jahrbuch für
christliche Sozialwissenschaften" Band 36 (1995) erschien. Auf eine nachträgliche, in vieler Hinsicht naheliegende Erweiterung habe ich verzichtet und
den Ausführungen lieber den Charakter eines Aufrisses und Diskussionsbei-
trages gelassen. Ich widme sie Helmut Peukert, dessen Denken ich mich seit
langem verbunden weiß, in dankbarer Freundschaft zum 60. Geburtstag. - Zur
Ausführung und theologischen Aneignung der transzendentalen Freiheitsana-
lyse, die im Folgenden nur unter einigen ethikrelevanten Aspekten aufgenommen wird, vgl. *Th. Pröpper*, Erlösungsglaube und Freiheitsgeschichte. Eine
Skizze zur Soteriologie, München [3]1991, 171-224 (Lit.).

solcher Solidarität und ihre angemessene *Begründung*. Daß der Anspruch, sie im Ausgang vom Autonomieprinzip erreichen zu können, gegenwärtig wachsendem Mißtrauen begegnet, so etwa das Dialogprinzip dem Autonomiegedanken entgegengesetzt, die Andersheit des Anderen gegen das Subjektivitätsdenken ausgespielt wird - dies stellt für mich die eigentliche Herausforderung dar; durch einen konkreten Versuch (darum geht es im ersten Teil) möchte ich diesem Mißtrauen begegnen. Da andererseits die Anerkennung des Autonomieprinzips auch bei Theologen keineswegs selbstverständlich, vielmehr das Verhältnis der katholischen Theologie zu ihm traditionellerweise gestört ist und seine Aufnahme durch die theologische Ethik auch noch heute (wenn mein Eindruck nicht trügt) weithin nur halbherzig geschieht, möchte ich im zweiten Teil über die Ankündigung des Themas hinaus meine Option für eine autonome Ethik noch etwas eingehender theologisch begründen - woraus sich dann abschließend die Aufgabe ergibt, die beiden dabei Unterschiedenen, autonome Ethik und christlichen Glauben, wieder zueinander ins Verhältnis zu setzen.

Und nun - zweite Vorbemerkung - mein wohlweisliches Absicherungsmanöver. Was ich vortragen möchte, entspringt nämlich gar nicht einer übermütigen Lust zur dogmatischen Grenzüberschreitung, sondern ist integrierter Teil der Grundlagenreflexion, mit der ich Rechenschaft über die philosophischen Implikationen der *Dogmatik* zu geben versuche. Auch dies sei in aller Kürze erläutert.[2] Dogmatik ist ja, ihrem Selbstverständnis entsprechend, Hermeneutik des Glaubens: systematische Darstellung seines Inhalts und in eins Vergegenwärtigung seiner Bedeutung. Solche Vermittlungsarbeit aber kann sie in methodisch kontrollierter Weise nur leisten, wenn sie einerseits die wesentliche "Sache" des Glaubens inhaltlich bestimmt - in dieser Hinsicht bezeichne ich die Selbstoffenbarung Gottes in der Geschichte Jesu als die Grundwahrheit christlicher Theologie - und wenn sie sich andererseits über die Anforderungen klar ist, denen das Denken, das sie für ihre Vermittlungsaufgabe beansprucht, unterliegt. Denn dieses Denken muß nicht nur der wesentlichen Gegebenheit der

---

[2] Vgl. zum Folgenden *Th. Pröpper*, Freiheit als philosophisches Prinzip der Dogmatik. Systematische Reflexionen im Anschluß an Walter Kaspers Konzeption der Dogmatik, in: *E. Schockenhoff / P. Walter* (Hg.), Dogma und Glaube. Bausteine für eine theologische Erkenntnislehre. FS für Bischof Walter Kasper, Mainz 1993, 165-192.

Glaubenswahrheit entsprechen und sich für ihr inhaltliches Verständnis als geeignet erweisen, es muß nicht nur in sich selbst konsistent sein und mit dem nichttheologischen Wissen vereinbar, sondern es muß auch, wenn die Glaubensvermittlung mehr als unkritische Akkomodation an zufällige Plausibilitäten sein soll, insbesondere dazu taugen, den von der Glaubenswahrheit unablösbaren Anspruch auf universale, jeden Menschen angehende und ihn unbedingt beanspruchende Bedeutung einsehen zu lassen. Dies wiederum ist auf nichtzirkuläre Weise nur möglich, wenn als Basis solcher Einsicht ein Unbedingtes im Menschen selbst namhaft gemacht werden kann. Dies Unbedingte aber kann nur die *Freiheit* sein. Ich will jetzt auf eine Aufzählung weiterer Argumente für die dogmatische Aneignung des Freiheitsdenkens verzichten - klar muß nur sein, daß seine Aufnahme natürlich die Verpflichtung zur Anerkennung auch der *Ansprüche* einschließt, die aus der Unbedingtheit der Freiheit resultieren. Die für die Dogmatik relevanten Bestimmungen, Einsichten und Fragen ergeben sich, wenn die Analyse auf die Wesensverfassung der existierenden Freiheit in ihrer formalen Unbedingtheit und ihrer gleichzeitigen realen Bedingtheit reflektiert und dann die Frage nach der ihrer Unbedingtheit entsprechenden und durch sie gebotenen Verwirklichung verfolgt. Und weil es mir nun scheint, daß einige der Einsichten, die sich auf diesem Wege einstellen, wohl auch für die Ethik und Sozialethik von Interesse sein könnten, spreche ich dies, um die Chance eines Brückenschlags zu nutzen, an dieser Stelle nur einmal ganz ungeschützt aus. Im Blick auf den Erfolg freilich möchte ich mich vorsichtiger ausdrücken und lieber nur sagen: ich nutze die Gelegenheit, einen Versuchsballon aufsteigen zu lassen.

1. Ethische und sozialethische Aspekte transzendentalen Freiheitsdenkens

Um den Einstieg zu sichern und die Einordnung zu erleichtern, will ich Ausgangspunkt und Methode des Gedankengangs, den ich gleich vortragen möchte, zuvor kurz charakterisieren. So entschieden ich nämlich bei der menschlichen Freiheit einsetze, werde ich mich doch hüten, sie vorab beweisen zu wollen. Denn sie läßt sich nun einmal nicht beweisen (jedenfalls nicht auf objektiv-wissenschaftliche Weise). Wohl aber läßt sich "beweisen", in reflektierender Besinnung einsehen, daß sie sich nicht beweisen läßt. Und beweisen zudem (wie es *Kant* mit der Auflösung seiner dritten Antinomie vorgeführt hat), daß ihre Möglichkeit nicht auszuschließen ist. Für die Annahme ihrer Wirklichkeit aber kann es genügen, daß wir uns Freiheit alltäglich unterstellen, sie durch retorsive Argumente verteidigen und uns ihrer reflektierend vergewissern können. Freiheit wird thematisierbar, indem sie in einem reduktiven Verfahren als die unbedingte Bedingung gedacht wird, ohne die sich spezifisch humane Vollzüge wie Moralität, Kommunikation, Recht usw. nicht als möglich begreifen lassen. Ein solches, transzendentalphilosophisch zu nennendes Verfahren trägt dem Sachverhalt Rechnung, daß die ursprüngliche Evidenz moralisch-unbedingter Verpflichtung niemals andemonstriert, sondern eigentlich nur aufgeklärt und somit auch nur auf rekonstruktive Weise begründet werden kann. Damit steht es in der Nachfolge *Kants*, geht aber über ihn mit *Fichte* und der neueren Transzendentalphilosophie (*Hermann Krings, Hans Michael Baumgartner* und anderen[3]) doch insofern hinaus, als es den sittlichen Willen, den Kant in den ethischen Grundlegungsschriften zunächst nur seiner Form nach bestimmte, auch in seiner unbedingten Aktualität zu denken und diese kriteriologisch in Anschlag zu bringen versucht. Von der Transzendentalpragmatik *Karl-Otto Apels* wiederum, die als Entwurf einer postkonventionellen Moral und wegen ihrer im Rahmen des "linguistic turn" energisch aufrechterhaltenen Letztbegründungsansprüche zu Recht viel Beachtung findet, unterscheidet sich der von mir bevorzugte Weg durch die Hartnäckigkeit, mit der er die für die Ethik konstitutive Unterscheidung von Gut und Böse einklagt und auf der Frage nach dem Verbindlichkeitsgrund moralischen Sollens insistiert. Vor allem durch diese Frage und den Versuch, sie durch den Rückgang auf ein Unbedingtes zu lösen (d.h. die Konstitution von Geltung durch es zu denken), trennt sich der transzendentalphilosophische vom transzendentalpragmatischen Ansatz, der sich seinerseits mit der Identifikation von pragmatisch nicht hintergehbaren Regelbedingungen der Kommunikation begnügt oder es doch beim bloßen Faktum ihrer Anerkennung beläßt.

---

[3] Vgl. *H. Krings*, System und Freiheit. Gesammelte Aufsätze, Freiburg / München 1980; *H.M. Baumgartner* (Hg.), Prinzip Freiheit. Eine Auseinandersetzung um Chancen und Grenzen transzendentalphilosophischen Denkens, Freiburg / München 1979.

Aber nun zu dem Gedankengang selbst, der (wie gesagt) eigentlich die dogmatische Absicht verfolgt, die den Menschen unbedingt angehende und beanspruchende Bedeutung der Selbstoffenbarung Gottes zu zeigen - ein Ziel, zu dem er freilich erst über Zwischeneinsichten gelangt. Ich werde sie jeweils durch einen Hauptsatz markieren und sie, soweit es mir aus der Perspektive des Dogmatikers möglich ist, in ihrer ethischen Relevanz kurz erläutern.

Der *erste* Satz lautet: *Freiheit soll sein.* Diese vielleicht zunächst verwunderliche Formulierung bringt doch nur auf den Begriff, daß der Mensch das Wesen ist, das nicht nur einfachhin ist, sondern das zu sein *hat*. Zum Bewußtsein seiner Freiheit erwacht, findet er sich in eine Distanz zu der Wirklichkeit versetzt, in der und als die er bereits existiert. Zu ihr kann er nun in ein freies Verhältnis eintreten, kann die konkrete Gestalt seiner Identität projektieren und sie wirklich ausbilden - er kann es, aber er muß es auch, wenn seine Freiheit nicht im Haltlosen verschweben und ungenutzt bleiben soll. Aber selbst in diesem Fall würde er wählen - und sei es auch nur in der Weise, daß er auf den bewußten Gebrauch seiner Freiheit verzichtet und sich vom Zufall abhängig macht. Kurz: Freiheit ist zu denken als ursprüngliche Fähigkeit der Distanzierung, als grenzenloses Sichöffnen, als ursprüngliches Sichverhalten und Sichentschliessen - und sie ist mit alledem unbedingt: durch nichts außer ihr zu erklären. Sie ist (mit einem Wort) als *Fähigkeit der Selbstbestimmung* zu denken; *wirkliche* Selbstbestimmung ist sie erst durch die tatsächliche Affirmation eines Inhalts. In diesem Prozeß nun spielt sie eine dreifache Rolle: sie ist 1. das durch sich selber Bestimmbare, 2. das sich (durch die Affirmation eines Inhalts) selber Bestimmende, aber 3. in ihrer formalen Unbedingtheit auch der Maßstab für die wirkliche Selbstbestimmung. Und erst dies Dritte, daß sie sich zu sich selber entschließt und auf ihr eigenes Wesen als Kriterium ihrer Selbstverwirklichung verpflichtet, garantiert ihre *Autonomie* - ein Begriff übrigens, der zugleich ihre Endlichkeit indiziert. Denn Autonomie heißt ja nichts anderes, als daß die *Freiheit sich selber Gesetz* ist, *sich selbst als Aufgabe gegeben*. Das Phänomen ursprünglich ethischer Evidenz, also die Erfahrung unbedingter Verpflichtung läßt sich überhaupt nur auf diese Weise erklären: daß der bedingt existierenden Freiheit die Unbedingtheit des eigenen Wesens bewußt wird und sich als Anspruch geltend macht, an dem sie ihr Handeln orientieren soll. Nicht anders wäre das Gewissensphänomen zu begreifen: als der an die Freiheit in ihrer vorfindlichen Existenz ergehende Anruf der eigenen Wesensbestimmung ... Soviel also zum ersten Satz: Freiheit soll sein. Indem er als ethisches Grunddatum die Selbstaufgegebenheit der Freiheit benennt, sichert er die Autonomie und unbedingte Gültigkeit aller Forderungen, die in ihm begründet sind.

Im zweiten Schritt geht es darum, die oberste *inhaltliche* Norm ethischen Handelns zu finden. Sie ergibt sich durch die Reflexion auf die möglichen Gehalte der Freiheit. Ist Freiheit nämlich, wie wir sahen, bei ihrer realen Selbstbestimmung dem Maßstab des eigenen Wesens verpflichtet, dann kann der Unbedingtheit ihres Sichöffnens letztlich nur ein Inhalt gemäß sein, der sich seinerseits durch formale Unbedingtheit auszeichnet: die andere Freiheit also, die Freiheit der Anderen. Erst im Entschluß für andere Freiheit wird die Unbedingtheit freier Affirmation angemessen betätigt, erst in ihm vollzieht sich menschliche Freiheit im vollen Sinne *als* Freiheit, während sie in der Objektwelt einen ebenbürtigen Inhalt nicht finden, sondern sich selbst nur als perennierendes Streben verzehren, sich in die schlechte Unendlichkeit verlaufen und als "nutzlose Leidenschaft" aufreiben könnte. Der *zweite* Satz muß also lauten: *Freiheit soll andere Freiheit unbedingt anerkennen.* Der ethische Ernst dieser Forderung wird freilich erst sichtbar, wenn sie nicht nur auf die glücklichen Fälle begrenzt bleibt, wo ein Wechselverhältnis gegenseitiger Anerkennung zustande kommt und gelingt, sondern auch dort noch befolgt wird, wo die Bejahung einseitig und ohne Erwiderung bleibt und sich zu den Kosten und Risiken innovatorischen Handelns bereitfinden muß. Es ist gerade dieser Verzicht auf jede Bedingung, das Interesse am Freisein und somit auch Frei*werden* der Anderen, aller Anderen, was der Idee der Solidarität erst ihre ethische Dignität gibt. Eine normativ dimensionierte humane Interaktion, schreibt *Helmut Peukert*, zielt "auf die Genese von Subjekten. Sie ist auch advokatorisch, stellvertretend notwendig"[4]. Und insofern wäre der Satz, den wir aufgestellt haben, noch durch zwei weitere zu erläutern. Der erste könnte lauten: Begegne jeder möglichen Freiheit so, daß du sie schon anerkennst und zuvorkommend als wirkliche behandelst; und der zweite: Gib niemals einen Menschen auf und verweigere ihm deine Anerkennung nicht, auch

---

[4] *H. Peukert*, Über die Zukunft von Bildung, in: Frankfurter Hefte, FH-extra 6 (1984) 129-137, 134.

wenn er sie nicht mehr oder noch nicht erwidert oder nicht erwidern kann[5] ... Übrigens stimmt der Grundsatz, der die Freiheit auf die unbedingte Anerkennung jeder anderen (wirklichen und möglichen) Freiheit verpflichtet, präzise mit der Forderung überein, die *Kant* in seiner dritten, also der (von seinen Kritikern oft übersehenen) durchaus schon inhaltlich bestimmten Fassung des kategorischen Imperativs formuliert hat und die eben besagt, daß ein Mensch niemals als Mittel, sondern jederzeit als Zweck an sich selbst zu behandeln sei. Zugleich ist hier der Ort, dem eingangs erwähnten Mißtrauen entgegenzutreten; es gipfelt zumeist in dem Vorwurf, ein autonomer Ansatz der Ethik müsse notwendig die ursprüngliche Dignität intersubjektiver Verpflichtung verfehlen, da er den Mitmenschen zur Funktion des eigenen Selbstseins depotenziere. Ein solches Verdikt, meine ich, kann nur äußern, wer das eigentliche Pathos der bisherigen Überlegungen und ihren wesentlichen Ertrag übersieht: ihre Spitze gegen jeden autarken Individualismus und ihre Einsicht, daß gerade die Selbstverpflichtung der Freiheit doch die Anerkennung des Anderen in der Unbedingtheit seiner Freiheit und somit auch die Freilassung in seine ursprüngliche Andersheit fordert. Vermutlich beruhen die Mißverständnisse auch darauf, daß man die transzendentallogischen Begründungsverhältnisse nicht hinreichend vom realen Konstitutionsprozeß unterscheidet. Denn allerdings wird faktisch das Bewußtsein unbedingter Verpflichtung durch mitmenschliche Begegnung vermittelt und vom Anderen her eröffnet: Im Anblick des Fremden, im Angerufensein meiner Freiheit und ihrer Beanspruchung durch ihn geht ihr die Evidenz des Ethischen auf. Aber damit ist die unbedingte Verbindlichkeit des Anspruchs, den ich

---

[5] Auch noch im letzten Fall scheint mir die Verpflichtung zur unbedingten Anerkennung begründbar: zum einen, weil Menschen von Natur aus zwar keineswegs schon frei, wohl aber zur Freiheit bestimmt sind und ethisches Handeln an dieser Bestimmung auch im äußersten, aussichtslos scheinenden Fall schon deshalb orientiert bleiben muß, weil es sich gegen die Möglichkeit ihrer Verwirklichung jenseits menschlicher Möglichkeiten nicht abschließen darf; zum anderen und grundsätzlich aber, weil unbedingte Bejahung das unbedingte Seinsollen des Bejahten intendiert und sich damit in Widerspruch zum Gedanken seiner definitiven Vernichtung setzt. "Dem Tod eines Menschen zustimmen, heißt, in gewisser Weise ihn dem Tod ausliefern", schreibt *Gabriel Marcel* (Das ontologische Geheimnis. Drei Essais, Stuttgart 1961, 79) - ein Gedanke, der auch in *Helmut Peukerts* Begriff der "anamnetischen Solidarität" impliziert ist.

vernehme, keineswegs auch schon einsichtig geworden. Wie ist sie überhaupt denkbar? Und wie zu begründen? Methodisch sehe ich dafür keinen anderen Weg, als bei der Freiheit desjenigen, der sich beansprucht erfährt, einzusetzen (denn sie ist das einzige Unbedingte, dessen er unmittelbar bewußt werden kann) und dann eben zu zeigen, daß er gerade dadurch sich selber entspricht, daß er vom Anderen sich beanspruchen läßt. Für die ethische Grundlagenreflexion jedenfalls wäre es fatal, den Ansatz der Autonomie als monologischen Subjektivismus zu perhorreszieren und die Prinzipien der Alterität und Kommunikation dann nur noch heteronom einklagen zu können. Denn dies hieße im Endeffekt nichts anderes, als auf die Begründung *un*bedingter Verpflichtung überhaupt zu verzichten.

Mit unserem Satz, der die unbedingte Anerkennung von Freiheit fordert, haben wir zwar die inhaltliche Grundnorm ethischen Handelns erreicht, doch kann sie, da sich weitere Normen aus ihr nicht mehr unmittelbar ableiten lassen, nur als das oberste Beurteilungskriterium fungieren, an dem jede Einzelnorm und der Prozeß der Normfindung selber zu messen sind. Was konkret das Freisein von Menschen fördert oder behindert, hängt immer auch von kontingenten historischen Gegebenheiten ab. Hier hat die sittliche Urteilskraft ihr Betätigungsfeld, das sachgerechte Erkenntnisbemühen, im Zweifels- und Konfliktfall der ethische Diskurs, nicht zuletzt auch die situative Aufmerksamkeit. Bedenkt man nun aber, daß wirkliche Anerkennung stets (wie ich es nenne) die Struktur des *Symbols* hat, die unbedingte Bejahung sich also durch bedingte, endliche Inhalte, Handlungen oder Verhältnisse vermittelt, die das Seinsollen der anderen Freiheit ausdrücken und (wenigstens anfanghaft) auch realisieren, und achtet man ferner darauf, daß zu diesen symbolischen Wirklichkeiten nicht etwa nur die Blumen zum Geburtstag oder der Besuch eines Kranken gehören, sondern ebenso die Ordnungen des Rechts, des Marktes, der Arbeit und überhaupt alle umfassenden Systeme, die für den Bestand der Freiheit grundsätzlich ebenso wesentlich sind, wie sie faktisch die Freiheit von Menschen behindern oder sogar auslöschen können - dann läßt sich doch noch ein *dritter*, wenngleich ebenfalls nur allgemeiner Satz formulieren. Er könnte lauten: *Freiheit trägt Verantwortung für eine Welt, durch deren Verhältnisse die Bestimmung aller Menschen zur Freiheit gefördert wird und ihre Anerkennung eine gemeinsame Darstellung findet.* Erst dieser Satz, denke ich, schlägt die Brücke zu den

spezifisch *sozial*ethischen Themen, weil er die objektiv-institutio-
nelle Vermittlung von Freiheiten in den Blick rückt. Wesentlich
scheinen mir drei Aspekte. Erstens die prinzipiell *mediale* Auffassung aller Ordnungen und Systeme als objektivierter, strukturie-
render Gestalten menschlicher Interaktion. Zweitens das Bewußtsein der unaufhebbaren *Dialektik von Freiheit und System*. Die
Wesensbestimmung der Freiheit erschöpft sich nicht in den Ordnungen, in denen sie Bestand hat und mit anderen koexistiert. Nur
im Widerspruch zu den Systemen, die sie als Bedingung der eigenen und der gemeinsamen Existenz setzt, kann sie deshalb ihre
Unbedingtheit und die Unbedingtheit anderer Freiheit behaupten;
ein System, das solchen Widerspruch ausschließen wollte, wäre
daher ebenso inhuman wie eine Freiheit, die sich jeder Einbindung
entzöge. Wesentlich ist drittens die *Orientierung* der notwendigen
Veränderungen *am unbedingten Seinsollen jeglicher Freiheit*.
Eine Wirtschaftsethik z.B., die dieses Kriterium zugunsten sy-
steminterner Funktionalität absorbierte, verdiente nicht mehr
ihren Namen. Der Begriff von Solidarität, den ich starkgemacht
habe, hat gerade darum Konsequenzen für das gesellschaftliche
Handeln, weil er die Ethik des Rechts konstruktiv auf eine Ethik
des Guten bezieht und darauf insistiert, daß gelingendes Leben die
Versöhnung von Individualität und Sozialität zur Voraussetzung
hat. Anerkennung ist ja mehr als bloß das gleichgültige Geltenlas-
sen des jeweils Anderen und seiner legalen Rechte; die korrektive
Funktion, die die Solidaritätsidee gegenüber dem klassischen
Liberalismus erfüllte, bleibt deshalb weiterhin aktuell: aktuell jedenfalls in einer Gesellschaft, in der die subjektive Teilnahmslo-
sigkeit aller gegen alle das Pendant zu ihren objektiven Verbrechen bildet, die sie sich gleichzeitig verschleiert.

Ich erlaube mir nun, damit ich mein Ziel als Dogmatiker errei-
che, noch einen *vierten* Schritt zu vollziehen. Obwohl er sozia-
lethisch nicht unmittelbar relevant ist, benötige ich ihn doch für
die noch ausstehenden Hinweise zum Verhältnis von autonomer
Ethik und christlichem Glauben. Meine dogmatische Leitfrage
war ja, ob die Freiheitsreflexion etwas für das Gottesverhältnis
erbringt und womöglich sogar etwas, das auch ethische Verbindlichkeit hätte. Die Möglichkeit dazu eröffnet sich tatsächlich,
sobald man die schon angedeutete Aporie in den Blick faßt, daß
Menschen, wenn sie andere Freiheit unbedingt und ernsthaft bejahen, etwas intendieren und sogar schon beginnen, was sie dennoch
selbst nicht vollenden und einlösen können: das unbedingte Sein-

sollen der Freiheit, das wir stets nur symbolisch, also nur begrenzt und prinzipiell vorläufig ins Werk setzen können. Diese Aporie für definitiv unlösbar zu halten, ist nun jedoch theoretisch nicht zwingend, weil sich hier zugleich die Idee einer Freiheit auftut, die nicht nur formal, sondern auch material unbedingt wäre: Einheit von unbedingtem Sicherschließen und ursprünglicher Eröffnung allen Gehalts, theologisch gesprochen: Einheit von Liebe und Allmacht. In der Idee Gottes wird also die Wirklichkeit gedacht, die Menschen voraussetzen müssen, wenn das unbedingte Seinsollen, das sie im Entschluß zu sich selbst und zu Anderen intendieren, als begründbar und somit überhaupt als möglich gedacht werden soll. *Ob* sie aber vorausgesetzt werden darf, wird auch schon für ihre gegenwärtigen Freiheitsvollzüge nicht bedeutungs- und folgenlos sein ... Der Gewinn dieses Schrittes liegt nun darin, daß er (wie es mein Ziel war) den Glauben an Gott und seine Selbstoffenbarung in seiner unbedingten Bedeutsamkeit philosophisch erschließt - und zwar in einer Weise, die durchaus auch ethische Verbindlichkeit hat. Wenn nämlich das unbedingte Seinsollen, das im Entschluß der Freiheit intendiert ist, allein durch Gott verbürgt werden kann, dann würde sich die Freiheit mit der Ablehnung Gottes ja in Widerspruch setzen zu dem, was sie selbst will, wenn sie tut, was sie - sich selber und anderer Freiheit verpflichtet - tun *soll*. Insofern wäre Sünde, als Selbstverweigerung gegenüber Gott und seiner Zuwendung verstanden, tatsächlich Schuld: Schuld auch im genuin ethischen Sinn. Allerdings ist dabei zu beachten, daß dieses Resultat noch von einer Voraussetzung abhängt, die es zu einem bloß hypothetischen macht. Denn unsere Analyse der Freiheit war ja lediglich bis zur *Idee* Gottes gelangt. Zwar kann sie ihn denken als den, der allein zu vollenden vermag, was zu beginnen in jedem Fall unsere Pflicht ist; doch verbietet es gerade der transzendentale Charakter dieser Idee, aus ihr auf Gottes Dasein zu schließen oder seine Offenbarungswahrheit vorwegnehmen zu wollen. Kann philosophische Reflexion nun aber schon über Gottes Existenz nichts entscheiden, dann kann sie auch seine Bejahung nicht fordern, so daß es für die autonome Ethik bei der Aussage bleibt, es sei menschliche Pflicht, Gott zu bejahen, *wenn* er uns seine Zuwendung schenkt. Wenn also überhaupt Sünde als aktuelles Gottesverhältnis möglich wird und tatsächlich geschieht, dann ist sie auch Schuld.

Umgekehrt ist Schuld, als genuin ethisches Phänomen begriffen, natürlich als solche nicht auch schon Sünde. Es ist (um es mit *Kierkegaard* zu sagen) eben die Bestimmung "vor Gott"[6], die noch hinzukommen muß, um menschlicher Schuld die spezifische Qualität der Sünde zu verleihen. Dies ist nun allerdings nicht so zu verstehen, als würden die ethischen Pflichten dadurch unmittelbar zu positiv gesetzten göttlichen Geboten, obwohl sie nun - wie die Adaption humaner ethischer Reflexion durch die christliche Ethik seit jeher beweist - durchaus zu Kriterien avancieren, an denen der Glaube sich praktisch zu bewähren hat. Aber schon die Spitzenaussagen der Bergpredigt werden nicht einfach als positives Gesetz ausgesprochen, sondern als praktische Folge der Verheißung und Selbstzusage Gottes, die ihnen unmittelbar vorausgeht. Was also ethische Schuld zur Sünde qualifiziert, ist im wesentlichen die Weigerung des Menschen, auf diese Zusage zu setzen und aus ihren Möglichkeiten zu leben. Gläubige Praxis, so verstehe ich es, ist *darstellendes* Handeln: ein Handeln, durch das Menschen für andere weitergeben und auf symbolische, niemals erschöpfende Weise realisieren, was sie selber empfangen haben. Und nicht materiale Differenzen konstituieren das Spezifikum christlicher Ethik gegenüber der autonomen, sondern daß sie diese in die "Perspektive der wirksamen Hoffnung" rückt.[7] Die praktische Relevanz dieser Hoffnung wird man freilich umso höher einschätzen, als sie den Menschen gilt, wie sie sich tatsächlich finden, während die Unerbittlichkeit ethischen Sollens davon absieht und wohl auch absehen muß. Dementsprechend liegt die wesentliche Bedeutung der theologischen Kategorie Sünde darin, daß sie die ethische Verfehlung in einen umfassenden Zusammenhang rückt[8]: in den Zusammenhang der umgreifenden Sündenmacht, in die der Mensch immer schon einwilligt und die er immer schon fortzeugt, einerseits und in den Zusammenhang der in Jesus Christus offenbaren und seither menschlich bezeugten Liebe Gottes andererseits. Letztlich ist Sünde das Zurückweichen vor den Zumutungen der Liebe aus mangelndem Vertrauen auf die Verheißungen der Liebe und damit auf Gott selbst, der für diese

---

[6] *S. Kierkegaard*, Die Krankheit zum Tode (GTB 620), Gütersloh [2]1982, 75.

[7] *E. Schillebeeckx*, Christus und die Christen. Die Geschichte einer neuen Lebenspraxis, Freiburg 1977, 581.

[8] Vgl. zum Folgenden *J. Werbick*, Schulderfahrung und Bußsakrament, Mainz 1985, 45f. 49.

Verheissungen einstehen will. Sie ist (mit einem Wort) die Deutung ethischer Schuld von den Möglichkeiten Gottes her, an denen wir im Glauben Anteil gewinnen könnten.

2. Autonome Ethik und christlicher Glaube

Dieser zweite Teil, weitaus kürzer als der erste, ist nur ein Nachtrag zum bisher Gesagten. Zum einen möchte ich - angesichts der traditionell-katholischen Abwehr des Autonomiegedankens, aber auch im Blick auf die gegenwärtigen Diskussionen - die Option für einen autonomen Ansatz der Ethik, von der ich ausging, nochmals bekräftigen, zum anderen aber auch das positive Verhältnis von autonomer Ethik und christlichem Glauben noch genauer bestimmen und deshalb auf einige Grundprobleme hinweisen, bei denen die Angewiesenheit des ethischen Daseins auf die Sinnvorgabe des Glaubens deutlich hervortritt.

Unter den genuin theologischen Gründen, die sich für die Anerkennung des Autonomieanspruchs menschlicher Freiheit anführen lassen, hat m.E. die Tatsache besonderes Gewicht, daß Gott selber sich bei der geschichtlichen Mitteilung seiner Liebe an die Freiheit des Menschen gebunden hat und sie unbedingt achtet - sichtbar am Weg Jesu bis an sein ohnmächtiges Ende. Ein ganz anderes, aber ebenso schwerwiegendes Argument ergibt sich daraus, daß auch die Möglichkeit allgemeinverbindlicher ethischer Diskurse, an denen der christlichen Ethik doch gelegen sein muß, die Anerkennung des Autonomieprinzips voraussetzt. Ich will diese und andere mögliche Argumente aber jetzt nicht weiter verfolgen, sondern nur so klar wie möglich das Kernproblem bezeichnen, auf das die theologische Autonomiedebatte zuläuft und an dem sich, wie ich meine, ihre Angemessenheit zum neuzeitlichen Reflexionsstand entscheidet. Denn die eigentliche Herausforderung liegt ja darin, daß im Zuge der anthropologischen Wende des Denkens nicht nur die Erkenntnis des sittlich Gebotenen, sondern auch der *Geltungsgrund* moralischen Sollens in das vernünftige *Subjekt* gesetzt wird - und dies wiederum heißt, daß die Berufung auf den Willen Gottes zur Begründung ethischer - Pflichten nicht nur entbehrlich, sondern überdies die Aufgabe dringlich wird, angesichts des prinzipiellen Heteronomieverdachts die Anerkennung des die Menschen beanspruchenden Gottes selbst noch als sittlich verbindliche auszuweisen. Daß diese Zuspitzung des Problems theologischerseits durchweg wahrgenommen und angemessen erörtert würde, läßt sich wohl schwerlich behaupten. Häufig begnügt man sich damit, an *Thomas von Aquin* anzuknüpfen, seine schöpfungstheologische Konzeption zu aktualisieren und damit die Autonomiefrage schon für abgegolten zu halten. So etwa stellte die "Autonome Moral" von *Alfons Auer*, obwohl ihr Erscheinen für heftige Aufregung sorgte, doch nur den überfälligen Versuch dar, gegenüber dem moraltheologischen Positivismus die der Welt selbst eingestiftete Rationalität zu normativer Geltung zu bringen; für die Sollensproblematik genügte Auer dabei noch der Hinweis, daß der Mensch "die Tendenz der Welt auf ihre je bessere Verwirklichung hin in seinem Bewußtsein als unausweichliche Verbindlichkeit" erfahre.[9] Aber auch *Franz Böckle*, der sich in seiner "Fundamentalmoral" ein gutes Stück weit auf das Freiheitsdenken einläßt, bricht dann der entscheidenden Herausforderung doch lieber die Spitze ab, indem er den Gedanken, "daß ein bedingtes Subjekt durch sich selbst oder durch andere bedingte Subjekte unbedingt beansprucht wird", schlicht als Widerspruch beurteilt, die Notwendigkeit einer "theonomen Legitimation des sittlichen Anspruchs" somit als erwiesen betrachtet und sich deshalb befugt sieht, ihn unverzüglich "aus der Beanspruchung des kontingenten Menschen durch den absoluten Gott" herzuleiten.[10] Aber so einfach, denke ich, kommt man an Kant nicht vorbei und zu Thomas zurück. Denn eine Gehorsamspflicht, für die unmittelbar auf den Schöpfergott rekurriert wird, bleibt nicht nur philosophisch unausgewiesen, sondern hätte auch kaum schon moralische Dignität. Zu zeigen ist vielmehr (und eben dies habe ich im ersten Teil versucht), daß die menschliche Freiheit sich *selber* entspricht, wenn sie von Gott sich beanspruchen läßt. Die Möglichkeit, ihre Autonomie zugleich theologisch aus theonomer Perspektive zu deuten, bleibt davon

---

[9] *A. Auer*, Autonome Moral und christlicher Glaube, Düsseldorf 1971, 36.

[10] *F. Böckle*, Fundamentalmoral, München [4]1985, 91. 85. Differenzierter allerdings *D. Mieth* (Art. Autonomie, in: NHthG 1, [2]1991, 139-148), der Kants Verständnis von Autonomie "im Sinne der Identität von Freiheit und Norm" ausdrücklich aufnimmt (144) und eine weiterführende Zuordnung von autonomer Ethik und Glaubenspraxis bietet. Gleichwohl scheint auch für Mieth weniger die eigentlich geltungstheoretische Frage nach der Begründung unbedingten Sollens als das Interesse an der "methodisch richtigen Erkenntnis" und "methodischen Selbständigkeit der sittlichen Vernunft" (145. 148) im Mittelpunkt zu stehen.

unberührt. Es ist ja Gott, der als Schöpfer der menschlichen Freiheit durch ihr Wesensgesetz zu ihr spricht. Aber theologisch ebenso wesentlich ist, daß er die geschaffene Freiheit sich selbst übergibt und bedingungslos freiläßt. Gerade darin erweist sich die göttliche Souveränität seiner Herrschaft: daß er unbedingte Freiheit neben sich wollte - eine Freiheit, die erst wahrhaft zu ihm, ihrem Gott, kommt und nicht anders zu ihm kommen *soll*, als daß sie zugleich zu sich *selbst* kommt. Nicht obwohl, sondern *weil* er frei ist, ist der Mensch auf Gott hingeordnet und kann dies eben im Maße der Bewußtheit seiner Freiheit als *eigene* Bestimmung erfahren.

Erst mit dieser Einsicht, denke ich, wird das Schema der Konkurrenz, in dem die Neuzeit die Beziehung von göttlicher und menschlicher Freiheit weithin gedacht hat, von Grund auf überwindbar. Zugleich bietet sie die Möglichkeit, auch die Sünde nicht nur als Widerspruch gegen Gott, sondern ebenso ursprünglich als Selbstwiderspruch des Menschen, als Verfehlung seiner wesentlichen Bestimmung zu begreifen und sich damit auf eine Sichtweise einzulassen, die der Theologie zwar seit jeher bewußt war, aber erst in der Neuzeit für das Sündenverständnis zentral wird: grundlegend bei *Kant* und dann klassisch durchgeführt in *Kierkegaards* Analysen der Sünde als Verzweiflung. Erst sie erlaubt es, den Menschen auf eine nicht nur äußerliche, nicht bloß heteronom- anklagende Weise bei seiner Verantwortung vor Gott zu behaften. Auch wenn das Wesen der Sünde erst in der Aktualität des Gottesverhältnisses konstituiert und offenbar wird, ist sie deshalb doch keineswegs nur der Schatten, den der Glaube auf die Selbstbeurteilung des Menschen zurückwirft, sondern als Verfehlung seiner Wesensbestimmung wirksam auch dort, wo die aufgehende Möglichkeit des Glaubens niedergehalten und das Bewußtsein der Sünde verdunkelt wird. Wäre es anders, wäre die Sünde nicht eine Grundverkehrtheit des Menschen selbst, die dann auch seine konkrete Wirklichkeit heimsucht: ein schlimmes, durchaus erfahrbares Übel - dann würde man den Menschen die Not ihrer Sünde erst einreden müssen, um ihnen sodann den Trost des Glaubens bieten zu können.[11] Sünde ist, anthropologisch gesehen, der von vorneherein hoffnungslose Versuch des Menschen, das Problem der Freiheit, als die er existiert, aus eigenem Vermögen

---

[11] Vgl. auch *W. Pannenberg,* Anthropologie in theologischer Perspektive, Göttingen 1983, 88f.

108

lösen zu wollen: auf dem Weg einer Selbstbehauptung nämlich, die sich dazu verurteilt hat oder verurteilt glaubt, ohne Gnade leben zu müssen.

Das zuletzt Gesagte führt uns nochmals zum Verhältnis von autonomer Ethik und christlichem Glauben. Mit zwei Hinweisen möchte ich abschließend versuchen, nun auch die faktische Angewiesenheit der Ethik auf die Sinnvorgabe und Verheißung des Glaubens anzudeuten. Der erste betrifft die beiden Grundaporien, die im Vollzug des ethischen Handelns aufbrechen und es insbesondere dann gefährden, wenn die Existenz eines Menschen sich *nur* moralisch versteht. Die erste Aporie resultiert aus dem grundlegenden Mißverständnis darüber, was von moralischem Handeln letztlich zu erwarten ist, oder anders gesagt: sie ergibt sich aus der mangelnden Unterscheidung zwischen dem, was Sache der Ethik, und dem, was Sache des Glaubens ist. Wir sahen ja, daß Menschen die letzte Sinnhoffnung ihrer Freiheit, ihr in der unbedingten Bejahung intendiertes unbedingtes Seinsollen, doch selber nicht einzulösen vermögen. Zwar können sie diesen Sinn ihres Daseins füreinander "darstellen" und vermitteln, aber sie können es doch begründet nur dann, wenn er als schon eröffnet vorausgesetzt werden darf.[12] Was damit in den Blick rückt, ist nichts anderes als die anthropologische Relevanz der Rechtfertigungslehre. Denn Rechtfertigungsglaube bedeutet, daß der Mensch sich befreit wissen kann von der Notwendigkeit, die letzte Berechtigung seines Daseins (eben sein *absolutes* Bejahtsein und die Gültigkeit seines unbedingten Seinsollens) selber gewährleisten zu müssen - ein selbstauferlegter, aber zerstörender Zwang, weil seine unstillbare, angstgetriebene Dynamik den Menschen wesentlich überfordert und gerade auch sein moralisches Tun pervertiert: pervertiert zum Mittel einer verbissenen, aber letztlich vergeblichen Selbstvergewisserung.[13] Indem also der Glaube das ethische Handeln von der Sinnproblematik unseres kontingenten Daseins entlastet, *begrenzt* er die Ansprüche der

---

[12] Es ist wesentlich für die Liebe, formuliert *E. Schillebeeckx,* Christus 817, daß sie "die Existenz jemandes gutheißt ... Aber unsere geschöpfliche Liebe ist darin nur eine Bejahung der schöpferischen Liebe Gottes, aus der sie ihre Wahrheit bezieht".

[13] Natürlich resultieren entsprechende Aporien und zerstörende Überforderungen auch dann, wenn die Begründung des Daseinssinnes vom *Anderen* erbracht oder *für* ihn geleistet werden soll.

Ethik. Aber, und dies ist entscheidend: er tut es *zugunsten* der Ethik.

Die zweite Aporie zeigt sich, sobald die Sinnbedürftigkeit der Ethik selber bewußt wird. Was zu ihr zu sagen ist, hat bereits *Kant* mit maßgeblicher Klarheit durchdacht.[14] Denn so rigoros er das von allen erstrebte Glück als Prinzip autonomer Sittlichkeit ausschloß, anerkannte er es doch als dem natürlichen Endziel des Menschen gemäßen Bestandteil des moralisch gebotenen "höchsten Guts". Moralität und Glück sind nicht identisch: weder ist das Glücklich-sein-Wollen Tugend, noch die Moral schon das Glück. Ebensowenig ist ihr Zusammenhang synthetisch gegeben: beide folgen auch nicht auseinander, wie der faktische Weltlauf zur Genüge beweist. Gerade weil Kant sich so tief auf ihren realen Unterschied einließ und dennoch keines von beiden aufgab, weder das Verlangen nach Glück noch die Unbedingtheit der Pflicht, konnte das Problem ihrer Vereinigung überhaupt so bedrängend für ihn werden. Kaum jemals, urteilt *Paul Ricoeur*, wurde schärfer gesehen, daß die Versöhnung von Freiheit und Natur, die Synthese von Sittlichkeit und Glück nur eine erhoffte sein könne und eines transzendenten Urhebers bedürfe.[15] Die Möglichkeit einer absurden Ethik freilich hat Kant nie erwogen, er hätte sie kaum für vollziehbar gehalten. Die Sinnhaftigkeit der Moral war für ihn vielmehr so fraglos, daß sie ihrerseits sogar zur Basis der Gottesgewißheit avancierte. Aber auch wenn man Kant in diesem Punkt nicht mehr folgt, bleibt davon unberührt doch seine Einsicht, daß moralisches Handeln, *wenn* es denn sinnvoll sein soll, über diesen Sinn jedenfalls selber nicht mehr verfügt. Die Unterscheidung zwischen dem, was Sache des Menschen ist, und dem, was allein Sache Gottes sein kann, konnte eindeutiger

---

[14] In seiner Grenzreflexion der zunächst als Basistheorie wissenschaftlicher Rationalität ausgewiesenen Theorie kommunikativen Handelns hat *H. Peukert* (Wissenschaftstheorie - Handlungstheorie - Fundamentale Theologie. Analysen zu Ansatz und Status theologischer Theoriebildung, Düsseldorf 1976) Kants Dialektik der praktischen Vernunft als Dialektik der kommunikativen Vernunft reformuliert und so in beispielhafter wissenschaftstheoretischer Vermittlung die Relevanz der jüdisch-christlichen Tradition, die Gott als rettende Wirklichkeit für die Toten behauptet, aufgewiesen und kritisch vergegenwärtigt.

[15] Vgl. *P. Ricoeur*, Die Freiheit im Licht der Hoffnung, in: *ders.*, Hermeneutik und Strukturalismus. Der Konflikt der Interpretationen I, München 1973, 199-226, 216ff.

kaum festgestellt werden. Und auch diese Unterscheidung, im Glauben vollzogen, kommt der Ethik zugute, weil sie dem lähmenden Anschein letzter Vergeblichkeit widerspricht und uns somit ermutigt zu tun, was wir als Menschen tun können.

Mein letzter Hinweis zur Angewiesenheit der Ethik auf die Sinnvorgaben des Glaubens rückt einen Sachverhalt in den Blick, den ich bei allen Überlegungen vorausgesetzt habe und der gleichwohl nicht gesichert, sondern heute eher gefährdet erscheint. Die Evidenz des Freiheitsdenkens, das ich starkgemacht habe, hängt nämlich an der Aktualität des Freiheitsvollzugs - an der Voraussetzung näherhin, daß sich die einzelne Freiheit im unvertretbaren Akt ihrer Selbstwahl zu sich selber entschließt und auf ihr eigenes Wesen als Maß ihrer Selbstbestimmung verpflichtet. Bedenkt man nun aber, daß sie in die Realität dieses Vollzugs, unbeschadet seiner Ursprünglichkeit, doch durch den Anruf anderer Freiheit faktisch vermittelt wird und überdies, um ihr volles Wesensmaß zu erfassen, wohl auch von religiösen Sinnvorgaben abhängig war, und beachtet man zugleich die reale gesellschaftliche Bedingtheit aller Freiheitsvollzüge - dann wird die Frage bedrängend, ob und wieweit das Faktum selbstverpflichteter Freiheit überhaupt vorausgesetzt werden kann. Die laufenden realen Prozesse, flankiert von Strömungen des Denkens, die dem ohnehin bedrängten Freiheitsbewußtsein das letzte Zutrauen zu sich nehmen, rufen eher Befürchtungen wach. Anonymisierung der Schuld, Manipulation der Leitbilder und Werte, fragmentiertes Bewußtsein, diffuse und fragile Identitäten, Verlust einer Sprache, die noch unbedingt Angehendes aussagt, Ästhetisierung und Individualisierung der Verbindlichkeiten, Schwinden moralischer Kompetenz - die Symptome einer Regression des Freiheitsbewußtseins sind unübersehbar. Und was sein wird, wenn die historisch noch wirksamen Sinnvorgaben des Glaubens erst einmal völlig verabschiedet, aufgebraucht und vergessen sind, steht durchaus noch dahin. Die Konsequenz für Theologie und Kirche kann deshalb nur sein, nach realen Vermittlungsprozessen des Glaubens zu suchen, durch die Menschen sich unbedingt anerkannt und zur verbindlichen Übernahme ihrer Freiheit ermutigt erfahren. Dabei läßt sich die hermeneutische Aufgabe der Glaubensvermittlung vom praktischen Interesse an der Subjektwerdung aller nicht trennen. Denn gerade weil die Wahrheit des Glaubens als Erfüllung menschlicher Freiheit erst in deren autonomer Zustimmung zum Ziel kommt, wird auch die Frage nach den realen Bedingungen für die Konstitution verantwortlichen Subjektseins unabweisbar und dringend. Und hier, denke ich, liegt auch das Interesse, das christliche Sozialethik und Dogmatik wie kein anderes verbindet.

V

Die Priorität der Ethik der Befreiung gegenüber der Diskursethik

von Enrique Dussel, Mexiko City

"In unserer Stimme wird die Stimme der Anderen zu hören sein, derer, die nichts haben, die zum Schweigen verurteilt sind." *(Zapatistische Nationale Befreiungsarmee)*

Einleitung

Mit dem Denken Helmut Peukerts, dem mein Artikel zum sechzigsten Geburtstag gewidmet ist, habe ich mich an anderer Stelle kritisch befaßt.[1] In diesem Aufsatz will ich mich mit einer Kritik Karl-Otto Apels, auf den sich Peukert ja kontinuierlich bezieht, an der Philosophie der Befreiung auseinandersetzen. In der Tat hat Apel das Thema "Die Diskursethik vor der Herausforderung der lateinamerikanischen Philosophie der Befreiung"[2] in letzter Zeit verschiedentlich aufgegriffen, sowohl auf dem XIX. Weltkongreß der Philosophie, der im August 1993 in Moskau stattfand, als auch auf dem vierten internationalen Seminar über den Dialog zwischen der Diskursethik und der lateinamerikanischen Philosophie der Befreiung Ende September 1993 in São Leopoldo in Brasilien.

Apels in São Leopoldo gehaltener Vortrag beginnt mit einer kurzen Einführung, in der der Ort der Debatte benannt wird. Bei ihm folgen dann neun Punkte. Im meinem Aufsatz geht es

---

[1] Vgl. *E. Dussel*, Theologie und Wirtschaft. Das theologische Paradigma des kommunikativen Handelns und das Paradigma der Lebensgemeinschaft als Befreiungstheologie, in: *R. Fornet-Betancourt* (Hg.), Verändert der Glaube die Wirtschaft? Theologie und Ökonomie in Lateinamerika, Freiburg 1992, 39-59.

[2] Vgl. *K.-O. Apel*, Die Diskursethik vor der Herausforderung der lateinamerikanischen Philosophie der Befreiung, in: *R. Fornet-Betancourt* (Hg.), Konvergenz oder Divergenz? Eine Bilanz des Gesprächs zwischen Diskursethik und Befreiungsethik, Aachen 1994, 17-38.

zunächst in einem ersten Teil um die jeweiligen Ausgangs-
punkte. Es sind dies bei der Ethik der Befreiung die Erfahrung
der Interpellation des Armen als ethische Evidenz und bei der
Diskursethik die Letztbegründung. Danach folgt im zweiten
Teil eine Rechtfertigung der Diskursethik vor dem Vorwurf
des Eurozentrismus, die zeigt, daß Apel eine ideologiekriti-
sche, aber keine historizistische Sicht favorisiert. Anschließend werde ich in Teil drei eine kritische Beschreibung einiger
Positionen der Philosophie der Befreiung vorlegen. Es geht um
die ambivalente "Verbindung" des hegelianisch-marxistisch-
heideggerianischen Historizismus mit der unbedingten Ethik
von Lévinas sowie um das Verhältnis der transontologischen
Metaphysik gegenüber dem Teil A der Diskursethik. Im vierten Teil werde ich die Thematik des Skeptikers und des Zynikers behandeln, um mit einem Vorschlag zur realistischen
Bewertung des Nord-Süd-Konfliktes im Hinblick auf dessen
Lösung zu schließen.

Eine befriedigende Antwort auf die Vielzahl der Einwände,
die sich gleichzeitig auf sehr unterschiedlichen Ebenen bewegen, würde eine weitaus umfassendere Behandlung als die in
diesem Aufsatz vorgelegte verlangen.[3] Ich werde mich in
diesem Artikel primär mit einigen neuen Einwänden beschäftigen, und dies gleichsam als Fortführung der bereits an anderen
Stellen festgehaltenen Debatte.[4]

---

[3] Ich habe eine großangelegte Arbeit begonnen, die "Ethik der Befreiung"
heißen und eine neue Version derjenigen Ethik sein wird, die ich zwischen 1970 und 1975 geschrieben habe; vgl. *E. Dussel*, Para una ética de
la liberación latinoamericana, Buenos Aires 1973, Tomo I-II; Mexico,
1977, Tomo III; Bogota, 1979-1980, Tomo IV-V. Die neue Arbeit wird
selbstverständlich die von Apel und anderen gegenüber der Ethik der Befreiung formulierten Fragen aufgreifen.
[4] Zum gegenwärtigen Stand der Debatte zwischen Diskursethik und Ethik
der Befreiung vgl. *E. Dussel*, Die Lebensgemeinschaft und die Interpellation des Armen. Die Praxis der Befreiung, in: *R. Fornet-Betancourt* (Hg.),
Ethik und Befreiung, Aachen 1990, 69-96; *ders.*, Die Vernunft des Anderen. Die Interpellation als Sprechakt, in: *R. Fornet-Betancourt* (Hg.), Diskursethik oder Befreiungsethik?, Aachen 1992, 96-121; *ders.*, Vom Skeptiker zum Zyniker. Vom Gegner der Diskursethik zu dem der Befreiungs-
philosophie, in: *R. Fornet-Betancourt* (Hg.), Die Diskursethik und ihre
lateinamerikanische Kritik, Aachen 1993, 55-65; *ders.*, Auf dem Weg zu
einem philosophischen Nord-Süd-Dialog, in: *A. Dorschel* u.a. (Hg.),

I. Einige Bemerkungen zum Ausgangspunkt

Apel anerkennt durchaus, daß die Armut, das Massenelend in der Welt des peripheren Kapitalismus qua Faktum als eine "authentische Erfahrung" und folglich als eine "ethische Erfahrungsevidenz"[5] betrachtet werden muß. Jedoch wendet er ein[6], daß diese Evidenz immer vermittelt ist durch eine "empirisch sozialwissenschaftliche Interpretation" und deshalb mehrdeutig wird. Dieser Ambivalenz kann sich keine Behauptung der "Befreiungspraxis" oder eine mit ihr verknüpfte Theorie entziehen. In besagter interpretativer Vermittlung ist man indessen immer dem Risiko des Dogmatismus ausgeliefert; aber was noch schwerer wiegt: daß "die Philosophie der Befreiung aus der unbezweifelbaren Evidenz ihres zugleich empirischen und ethischen Ausgangspunktes nicht ohne weiteres einen Primat konkreter Evidenz und intersubjektiver Gültigkeit für ihre theoretische Ausarbeitung und praktische Umsetzung ableiten kann"[7].

Apel sieht den Vorteil der Diskursethik folglich darin, daß sie ihren Ausgang bereits von einer transzendentalen und intersubjektiv gültigen Begründung her nimmt. Er bemerkt jedoch nicht, daß die Problematik der Diskursethik auf einem der transzendentalen Begründung vorgängigen Moment beruht sowie in noch höherem Maße in Problemen besteht, die vor-

Transzendentalpragmatik, Frankfurt a.M. 1993, 378-396; *ders.*, Von der Erfindung Amerikas zur Entdeckung des Anderen, Düsseldorf 1993; *ders.*, Ethik der Befreiung. Zum "Ausgangspunkt" als Vollzug der "ursprünglichen ethischen Vernunft", in: *R. Fornet-Betancourt* (Hg.), Konvergenz 83-109.

[5] *Apel*, Diskursethik, in: *R. Fornet-Betancourt* (Hg.), Konvergenz 17-38, 19f.

[6] Er wiederholt damit etwas, was er schon andeutete in *K.-O. Apel*, Die Diskursethik vor der Herausforderung der Philosophie der Befreiung. Versuch einer Antwort an Enrique Dussel, in: *R. Fornet-Betancourt* (Hg.), Diskursethik oder Befreiungsethik?, Aachen 1992, 18ff.

[7] *Apel*, Diskursethik, in: *R. Fornet-Betancourt* (Hg.), Konvergenz 17-38, 20.

gängig sind zur historisch-empirischen Anwendung, die in Teil B der Apelschen Diskursethik behandelt wird.[8]

In der Tat, *vor* der Durchführung erreicht der Reflexionsprozeß, der seinen Ausgang von der *Faktizität* her nimmt, das transzendental-pragmatische Niveau von Teil A, und selbstverständlich muß, bevor sich die ethischen Prinzipien auf empirisch-historischer Ebene des Teiles B der Begründung anwenden lassen, das reflexive Subjekt *immer schon apriorisch unterstellen*, daß der Andere als Person anerkannt wurde - *apriorisch* bezüglich des Prozesses der Transzendierung und *aposteriorisch* bezüglich der *Faktizität* selbst, des "Immer-schon-in-der-Welt-Seins"[9], wo man argumentiert oder arbeitet oder liebt etc. Das heißt, niemand muß gegenüber einem Stein, einem Tisch, einem Pferd oder gegenüber dem Sklaven des Aristoteles argumentieren oder etwas produzieren, um es mit dem Anderen zu tauschen, denn es "gibt" keinen Anderen. Es gibt ausschließlich Dinge, mit denen nicht argumentiert wird: man kennt sie, oder man gebraucht sie, denn man hat die Macht dazu.

Für Aristoteles ist die *Freundschaft* "die Liebe des Ähnlichen zum Ähnlichen"[10]. Es gibt eine gewisse "*Ähnlichkeit*"[11] oder "*Gleichheit*"[12]. Deshalb wird gegenüber dem Sklaven nicht argumentiert, denn ihm kommt nicht der Status der Ähnlichkeit zu. Wir würden heute sagen: Sklaven sind kein Teil der realen Kommunikationsgemeinschaft, deren Teilnehmer sich als gleichwertig anerkennen. Nun könnte jemand einwenden, daß der Sklave ja ein potentieller Teilnehmer dieser Kommunikationsgemeinschaft sei, nämlich in dem Sinne, daß er betroffen sei durch ein mögliches Übereinkommen hinsichtlich seiner Interessen. Die Schwierigkeit liegt jedoch faktisch darin, daß die "*An-erkennung*" des Anderen als gleichwertige Person und *als Anderer* unter asymmetrischen Bedingungen bereits eine ethische Erfahrung, das Faktum, darstellt, wo-

---

[8] Vgl. *K.-O. Apel*, Diskursethik als Verantwortungsethik, in: *R. Fornet-Betancourt* (Hg.), Ethik und Befreiung, Aachen 1990, 11-44.

[9] Wir bezeichnen dies mit dem frühen Husserl als "Lebenswelt", mit Heidegger als "Welt" oder mit Lévinas als "Totalität": Das Empirisch-Alltägliche ist vorgängig zur Reflexion oder zum Ausdruck eines Sprechaktes.

[10] *Aristoteles*, Nikomachische Ethik VIII, 1, 1155 b 8.

[11] A.a.O., 1155 a 34.

[12] A.a.O., VIII, 6, 1158 b1.

durch der Sklave bereits vor seiner *Erkenntnis als Person* als *Beherrschter oder Ausgeschlossener* wahrgenommen wird. Die ethische Basisnorm, nämlich: jedes Argumentieren unterstellt die Teilnahme an einer Gemeinschaft von sich als gleichwertig betrachtenden *Personen*, wird also ausgehend vom *Apriori* der "An-erkennung" des Anderen entwickelt. Die Grundnorm wird von der An-erkennung des Anderen *als Person* deduziert. Diese An-erkennung ist vorgängig zu jedem wissenschaftlichen und reflexiven Akt, vorgängig also zu jeder Begründung und überhaupt zu jeder Möglichkeit von Argumentation. Genau dieses Thema stand bei der Tagung in São Leopoldo zur Debatte. Ich wiederhole ein Zitat, das ich bereits dort verwendet habe:

"Die Nähe bedeutet also eine Vernunft vor der Thematisierung der Bedeutung durch ein denkendes Subjekt, vor der Sammlung der Begriffe in eine Gegenwart, eine *vor-ursprüngliche Vernunft*, die aus keinerlei Initiative eines Subjekts hervorgeht, eine *an-archische Vernunft*."[13]

Im illokutionären Moment des Sprechaktes, wenn "ich dir sage, daß p", wird eine "Begegnung", das "von Angesicht zu Angesicht" Lévinas'[14], oder die "*praktische* Beziehung" mit dem Anderen als Person - im: "Ich→dir..." - als Anderer konstituiert. Dies ist die absolute und vorgängige Bedingung, damit besagter "Akt" ein "kommunikativer" Akt ist.

Deswegen, und wenn wir von einer Position der Asymmetrie ausgehen, setzt die "An-erkennung" des Sklaven[15] *als Person* folgendes voraus:

---

[13] *E. Lévinas*, Jenseits des Seins oder anders als Sein geschieht, Freiburg / München 1992, 361; vgl. *A. Sidekum*, Ethik als Transzendenzerfahrung, Aachen 1993; *H. Schelkshorn*, Ethik der Befreiung. Einführung in die Philosophie Enrique Dussels, Freiburg 1992.

[14] Dies Thema ist behandelt in *Dussel*, Vernunft § 1.1. Vgl. auch *M. Theunissen*, Der Andere. Studien zur Sozialontologie der Gegenwart, Berlin 1965. Schade, daß Theunissen sich nicht auch mit Lévinas auseinandergesetzt hat. Es mutet seltsam an, wenn der junge Philosoph 1965 schrieb: "Zweifellos gibt es nur wenige Realitäten, die das philosophische Denken unseres Jahrhunderts so stark in ihren Bann gezogen haben wie der Andere... Es ist... Thema der Ersten Philosophie." (*Theunissen*, Der Andere, 1), und sich später nicht mehr mit dieser Frage beschäftigte.

[15] Für Aristoteles existiert keine Möglichkeit einer Freundschaft mit dem Inferioren, mit dem Anderen als Anderen: "Was den Sklaven betrifft, man

a) eine "Erkenntnis" des Sklaven *als Funktion* oder Sache (faktisch funktional im System),

b) eine "Erkenntnis" des Sklaven *als Person* (zweiter, bereits ethischer Akt),

c) eine nachträgliche "An-erkennung" (ein reflexiver Akt im dritten Sinn[16]), durch die der Betreffende jetzt quasi im Gegenzug *in seiner Person* zuerst als Mensch betrachtet wird, bevor er innerhalb eines Herrschaftssystems *als Sklave* identifiziert, *als Negierter* situiert und ethisch beurteilt wird: *als beherrschter und ausgebeuteter* Sklave.

Das bloße Zurkenntnisnehmen des Sklaven als Funktion oder Sache, das Zurkenntnisnehmen der Frau im patriarchalen System als Ausgeschlossene oder "Unterlegene", des "Schwarzen" in der Gesellschaft der weißen Rasse etc. ist in bestimmter Weise "die Opferung der *Personen, Werkzeuge*, um die *Sache* zu erhalten"[17]; das heißt, sie als funktionalen Teil des (Sklaven-)Systems zu betrachten, so wie auch der Lohnarbeiter im System des Kapitals[18] wahrgenommen wird. Das ethische Moment par excellence liegt im praktischen Erkennen, das die bloße instrumentelle Funktionalität, das *Werkzeug* im Sinne von Marx, durchbricht und den Anderen als Person, als Anderen sowie das System im Sinne von Luhmann als Totalität (Lévinas) konstituiert. Diese ursprünglichethische Rationalität existiert *vorgängig zu jeder Argumentation* und ist deshalb auch vorgängig zum Apelschen Prozeß der Transzendentalisierung und Begründung: "Eine Vernunft vor dem Anfang, vor jeder Gegenwart, denn meine Verantwor-

---

kann keine Freundschaft mit ihm haben", weil dies eine Degradierung implizieren würde. In diesem Denken existiert nichts dem Mitleid, der Solidarität oder der Barmherzigkeit Vergleichbares; vgl. *Aristoteles*, Nikomachische Ethik, VIII, 11, 1161 b 4.

[16] Das "An-" der "An-erkennung" spielt genau auf dieses Verwiesensein, Sich-selbst-Widerspiegeln und Reflektieren von C auf D an.

[17] *K. Marx*, Bemerkungen über die neueste preußische Zensurinstruktion, in: MEW.EB, Bd.1, 4.

[18] System wird hier noch im Luhmannschen Sinne verstanden: "Unsere These, daß Systeme existieren, läßt sich heute mit größerer Präzision eingrenzen: es existieren selbstreferentielle Systeme", so *N. Luhmann*, Soziale Systeme, Frankfurt a.M. 1984, 31. Das Individuum in einem solchen System handelt als Funktion.

tung für den Anderen gebietet mir vor jeder Entscheidung, vor jedem Beschluß."[19]

Wenn argumentiert wird, dann deshalb, weil der Andere Person ist und nicht umgekehrt. Das empirische *Faktum*, das ich an anderer Stelle erörtert habe[20] und das Apel als Evidenz der ethischen Forderung akzeptiert, verlangt nach einer Reflexion, um als *ethisch* gelten zu können: von dem bereits als Person erkannten Anderen her läßt sich die Sklaverei als Perversität, als Negativität entdecken. Dieses *Faktum* manifestiert sich gegenüber der "Funktion" im System, in der Totalität, es manifestiert die Person des Anderen als "negierter Teil", als nicht-autonomes Subjekt oder als Interpellierender - das schon deshalb, weil die einzige selbstreferentielle und autopoietische Struktur das System selbst als Totalität ist. Aus diesem Grund verortet sich das Subjekt der Erkenntnis jetzt als mit-verantwortlich[21] für die Negation des Anderen. Darin zeigen sich Solidarität im Angesicht des Elends und Mitleid[22]. Alle diese Momente konstituieren den "Akt der Anerkennung des Anderen". Sie gehen somit weit über die Untersuchung von Honneth hinaus.

Erst in einem zweiten Moment, wenn man in kritischer Absicht und mit Blick auf die intersubjektive Gültigkeit nach dem Grund, der Struktur, dem System etc. fragt, die der ethischen Verneinung des Anderen zugrunde liegen, erst wenn man versucht, eine *Erklärung* dafür zu finden, dann und nur dann greift man auf die wissenschaftlich-interpretative Vermitt-

---

[19] *Lévinas*, A.a.o., 361.

[20] Vgl. *Dussel*, Ethik der Befreiung, in: *R. Fornet-Betancourt* (Hg.), Konvergenz 83-109.

[21] Dies ist die apriorische "Ver-antwortung", die vorgängig zu der "Verantwortung" von Hans Jonas und Karl-Otto Apel zu verstehen ist.

[22] Eine "mitleidende Ethik" wird richtig situiert durch die von Horkheimer gestellte Frage: "Diese Liebe läßt sich nicht verstehen ohne die Orientierung an einem zukünftigen, glücklichen Leben des Menschen, eine Orientierung, die sich nicht offenbart, sondern dem Elend der Gegenwart entspringt" (zitiert nach *R. Mate*, La razon de los vencidos, Barcelona 1991, 143). Horkheimer ist der Meinung, daß es sich beim Mitleid um ein "moralisches Empfinden" handelt. Ich dagegen denke, daß es sich dabei um ein primäres Moment der ursprünglichen ethischen Vernunft handelt. Diese Differenz ist grundlegend, weil wir eben keine mehrdeutige Sentimentalität des Mitleids behaupten.

lung[23] zurück, die weder neutral noch unschuldig ist. Hier gewinnt die Ethik der Befreiung ein *Kriterium* für ihre Kritik, für die intersubjektive Gültigkeit, für die Wahl des wissenschaftlichen Instrumentariums zur Interpretation und darüber hinaus für die Teilnahme an dieser oder jener Kommunikationsgemeinschaft, an der beherrschenden oder an der beherrschten und ausgeschlossenen, ein Kriterium, welches jeder Philosophie fehlt, die die gegebene Welt, z.B. den gegenwärtigen Kapitalismus, einfach zum einzigen Ausgangspunkt erklärt. Der Mangel eines solchen Kriteriums kennzeichnet die Diskursethik sowohl bezüglich des Reflexionsprozesses auf das Transzendentale wie auch bei dem Versuch, die ethische Norm formal bzw. prozedural anzuwenden.

Das *Faktum* ist nicht in einer sofort einsichtigen, empirisch-positivistischen Unmittelbarkeit gegeben - eine solche Annahme käme einem naiven und dogmatischen ethischen Positivismus gleich -, weil sich besagtes *Faktum* von einer im heideggerschen Sinn vorausgesetzten Welt her erst konstituiert, und weil das Faktum in ethischer Hinsicht außerdem "erarbeitet" wird in Form einer sich entwickelnden An-erkennung des Anderen, dessen Negation als Beherrschung oder als Ausschließung bereits wahrgenommen und entsprechend als Perversität gewertet worden ist. Allerdings leitet sich aus besagtem *Faktum* nicht *automatisch* die intersubjektive Gültigkeit seiner theoretischen Erarbeitung und praktischen Umsetzung ab. Der Grund hierfür liegt darin, daß die intersubjektive Gültigkeit genauso Resultat der wissenschaftlichen Vermittlung wie eines gemeinsamen Argumentationsprozesses ist. Damit diese intersubjektive Gültigkeit eine *kritische* ist, muß sie einen Vermittlungsprozeß mit den *kritischen* Sozial- oder anderen Wissenschaften durchlaufen - wie z.B. mit der

---

[23] Mit Recht forderte Christoph Türcke auf dem Seminar von São Leopoldo von der Ethik der Befreiung eine wissenschaftliche Vermittlung, weil sie sonst in eine leere Bewegung metaphysischer Kategorien fallen würde. Wissenschaftliche Vermittlungen wurden von der Philosophie der Befreiung immer verwendet, aber immer im Bewußtsein, daß die kritische empirische Wissenschaft gesucht und ausgewählt wird, nicht aber einfach existiert (wie z.B. auch die kritische Politische Ökonomie zur Zeit von Marx), sondern daß sie geschaffen wird. Dies heißt, daß es eine ethische Vorgängigkeit gibt, die als Kriterium den Gebrauch der wissenschaftlichen Vermittlung determiniert.

Dependenztheorie bezüglich des Nord-Süd-Verhältnisses innerhalb des Weltsystems[24] oder, im Rückgriff auf Marx, mit der Kritik des gegenwärtigen Kapitalismus.

Die Ethik der Befreiung ist in der Lage, von der "An-erkennung" des Anderen her, vom Imperativ und der ethischen Grundnorm her, die da lautet: "Befreie den in seiner Würde negierten Anderen!", unabhängig davon, ob der Andere der Arme, die Frau, die Arbeiterklasse, die periphere Nation, die unterdrückte Kultur des Volkes, die diskriminierte Rasse, die zukünftigen Generationen, etc. ist, den Prozeß durchzuführen, der im Zuge eines diskursiven Verfahrens zur intersubjektiven Gültigkeit des betreffenden *Faktums* gelangt, etwa dem des Elends der Ausgebeuteten bzw. Ausgeschlossenen. Man darf dabei nicht vergessen, daß es *hegemoniale* oder *beherrschende* Kommunikationsgemeinschaften gibt, und daß sich deshalb die originär ethische Gültigkeit zu Beginn nur zwischen den Unterdrückten und Ausgeschlossenen selbst einstellen kann.[25]

Ich werde hierzu im letzten Abschnitt bei der Frage der Priorität oder Nichtpriorität der Begründung zurückkehren, wenn ich das Thema des Kampfes, des Kampfes um "An-

---

[24] Vgl. *F. Hinkelammert*, Diskursethik und Verantwortungsethik: eine kritische Stellungnahme, in: *R. Fornet-Betancourt* (Hg.), Konvergenz 111-146.

[25] Dies ist in seiner Gesamtheit das Thema der Bewußtwerdung der Gemeinschaften von Beherrschten (z.B. der Arbeiterklasse) und Ausgeschlossen (z.B. der indigenen Ethnien in Lateinamerika): Von der analektischen Affirmation der Andersheit des Anderen als Betroffenen, Beherrschten oder Ausgeschlossenen in der anfänglichen Asymmetrie (die Ethik der Befreiung ist eine Ethik, die vom Normalfall der Asymmetrie ausgeht und so universal ist, im Gegensatz zur Diskursethik, die allein von der Symmetrie ausgehen kann und so eine partikulare Ethik des Rechtsstaates ist, der Realität ist nur für die herrschende Minderheit der Menschheit) durch die aktive Bewußtwerdung (die eigene gemeinschaftliche An-erkennung) - in der die wissenschaftliche Vermittlung entscheidend ist - bis zur Interpellation der Solidarität, einen effektiven oder politischen Prozeß der Befreiung (oder der vollen Teilhabe an einer zukünftig symmetrischen Kommunikationsgemeinschaft) einzuleiten. Gleichzeitig würde dies eine Rethematisierung von Theorie und Praxis bedeuten; vgl. *Dussel*, Ethik der Befreiung, in: *R. Fornet-Betancourt* (Hg.), Konvergenz 82-109.

erkennung" im radikalen Sinne im Gegenüber zum Zyniker und in Zurückweisung des Skeptikers behandle.

II. Eurozentrismus, Historizismus und das Ökonomische

Bei der Thematik des Eurozentrismus, des Historizismus sowie des Ökonomischen berührt Apel die ideologische Frage.[26] Er akzeptiert, daß es auf ideologischer Ebene in unterschiedlichen Graden einen gewissen Eurozentrismus sowohl in der europäischen als auch in der nord- und lateinamerikanischen Philosophie gibt. Ich bin kein Anhänger der es sich zu einfach machenden Ansicht, daß der Eurozentrismus der europäisch-nordamerikanischen Philosophie und die eurozentrische Inauthentizität der imitativen lateinamerikanischen Philosophie bloß Ausdruck eines Ursache-Wirkungs-Verhältnisses des weltweiten Kapitalismus sind, der eine Struktur aufweist, die sich ebenfalls vereinfachend als Zentrum-Peripherie-Verhältnis charakterisieren läßt. Das Phänomen des Eurozentrismus ist viel umfassender; es betrifft sowohl das Kulturelle, das Politische als auch die Philosophie.[27] Deshalb muß ich einmal mehr betonen, daß ich nicht akzeptieren kann, wenn meine Position als "quasi-marxistische Ideologiekritik" klassifiziert wird - gemeint ist hier der Standardmarxismus, den ich immer abgelehnt habe.

Unter Eurozentrismus verstehe ich die Identifizierung der europäischen Partikularität mit der *Allgemeinheit*. Kein Philosoph kann heute den Eurozentrismus hinter sich lassen, wenn er sich nicht kritisch und ausdrücklich zur Frage des Eurozentrismus verhält. Nur wenn dessen Existenz eingestanden wird, kann ein kritisches und reflexives Bewußtsein entstehen - eben das ist bei Apel der Fall.

Ich denke nicht, daß es sich beim Eurozentrismus um die Konstruktion eines "Überbaus" handelt, die automatisch auf

---

[26] Vgl. *Apel*, Diskursethik, in: *R. Fornet-Betancourt* (Hg.), Konvergenz 17-38.
[27] Vgl. *S. Amin*, Eurocentrism, New York 1989. In meiner in Arbeit befindlichen "Ethik der Befreiung" werde ich diese Frage ausgehend von einer unterschiedlichen Sicht der Weltgeschichte behandeln. Einiges ist dazu bereits gesagt in *Dussel*, Erfindung.

eine kapitalistische "Basis" antwortet, ganz einfach weil meiner Meinung nach Marx dem "Basis-Überbau-Schema" keine zentrale Bedeutung beimißt.[28] Im Gegenteil gehe ich von einem subtileren Eurozentrismus aus, den ich als "entwicklungsideologischen Fehlschluß" bezeichnet habe. Dieser besteht in der Behauptung, daß alle Kulturen dem vorgezeichneten Weg Europas folgen, also von der Vormoderne zur Moderne, vom klassischen Kapitalismus zum Spätkapitalismus.[29] Gleiches läßt sich von der Behauptung sagen, der heutige Europäer befinde sich in einer "postkonventionellen" Situation - im Sinn der höchsten Stufen der Moralentwicklung entsprechend dem Kohlbergschen Modell. Ich behaupte dagegen, daß keine *Sittlichkeit* jemals postkonventionell sein wird, sondern daß jede Universalmoral einschließlich der von Apel und Habermas sich tatsächlich immer innerhalb einer vorgegebenen konventionellen Sittlichkeit artikuliert - z.B. der europäisch-nordamerikanischen, konservativen, liberalen oder sozialdemokratischen Sittlichkeit. Es wäre naiv zu glauben, daß sich der kritische europäische Philosoph in seinem alltäglichen Leben auf postkonventionelle Weise situieren könnte, ohne zuzugeben, daß seine konkreten "Reaktionen" die eines Mitglieds der westlichen Kultur sind - an diesem Punkt ist Charles Taylor voll zuzustimmen. Gegenüber einem Buddhisten, der das "Ich" und die "Person" verneint, um die Individualität zugunsten des Nicht-Leidens zu überwinden, repräsentiert die Diskursethik, die als Personen die symmetrischen Teilnehmer einer Kommunikati-

---

[28] Vgl. *E. Dussel*, Las Metáforas teológicas de Marx, Estella 1993, 302ff. Des öfteren habe ich in meinen Arbeiten nachgewiesen, daß Marx in seinen Spätwerken (von 1857 bis zu seinem Tod) keine einzige vollständige Seite dieser Frage gewidmet hat bis auf einige beiläufige Bemerkungen im Vorwort "Zur Kritik der Politischen Ökonomie" (MEW Bd.13, 10) und in bezug auf Engels. Marx dachte zirkulär: Eine determinierende determinierte Determinierung: die Produktion determiniert den Konsum; der Konsum determiniert die Produktion, etc.; vgl. *E. Dussel*, La producción teórica de Marx. Un comentario a los "Grundrisse", Mexiko 1985.

[29] Die Peripherie des Kapitalismus, wie Lateinamerika, ist modern seit Ende des 15. Jahrhunderts, sie ist eben die Peripherie der Modernität. Der periphere Kapitalismus kann kein "Spät- oder Metropolenkapitalismus" sein, weil es dann keinen Kapitalismus geben würde; der Kapitalismus bedarf strukturell einer Peripherie.

onsgemeinschaft anerkennt, eine semitisch-abendländische Sicht des Menschen, was ersichtlich ist an ihrem Verständnis von *Person*, das im Buddhismus nicht existiert, aber von Boethius über Thomas bis hin zu Kant im jüdischen, christlichen sowie islamischen Denken verankert ist.

Auch der späte Marx argumentiert, zumindest nach 1868, nicht auf der Basis einer rationalistischen oder historizistischen hegelianischen Sicht des Geschichtsprozesses, der in notwendigen Etappen verläuft, die sich antizipieren lassen. Dies wurde an anderer Stelle bereits behandelt.[30] Außerdem hat auch die Kritik Poppers am behaupteten Historizismus von Marx ihren letzten Kredit verspielt.[31]

---

[30] Vgl. *Dussel*, Ethik der Befreiung, in: *R. Fornet-Betancourt* (Hg.), Konvergenz 83-109. Im Brief an Mikhailovski von 1877 schreibt Marx: "For him (sich auf den russischen Intellektuellen beziehend) ... an historico-philosophical theory of the Universal Progress, fatally imposed on all peoples, regardless of the historical circumstances in which they find themselves (...) this is to do me both too much honour and too much discredit." (zit. nach *T. Shanin*, Late Marx and the Russian Road. Marx and the Peripheries of Capitalism, New York 1983, 59f). Marx widersetzt sich explizit dem Aufgreifen einer "historisch-philosophischen Theorie, die fatalerweise allen Völkern aufgezwungen wurde". Wer würde heute anerkennen, daß Marx gleichermaßen abgelehnt hat, ein sozialistisches System zu propagieren? "Dem Herrn Wagner zufolge ist die Mehrwerttheorie von Marx der Eckstein seines sozialistischen Systems. Da ich (Marx) niemals ein sozialistisches System konstruiert habe, muß es sich um eine Fantasie der Wagners, Schäffles oder sonstiger handeln." (Randglossen zu A. Wagner..., in: MEW Bd. 19, 357). Marx ist präziser und weniger pretentiös als selbst Popper; er ist bescheidener als viele seiner Kritiker, und vor allem nahm er sich viel Zeit zum geduldigen Lesen derjenigen Autoren wie Smith, Ricardo, Malthus etc., die er kritisierte.

[31] Vgl *F. Hinkelammert*, Crítica a la razón utópica, San José 1984 (Kap. 5). Die "Unmöglichkeit der perfekten Planung" zu beweisen - dies wäre durchaus richtig, denn niemand kann über eine unendliche Intelligenz mit unendlicher Geschwindigkeit verfügen - ist nicht dasselbe wie zu versuchen, die "Unmöglichkeit der möglichen Planung" zu beweisen. Popper verwechselt beide Momente; vgl. *K. Popper*, Das Elend des Historizismus, Tübingen [3]1971. Das gleiche läßt sich auch über das "Mißverstehen" des Konzeptes des "Bewegungsgesetzes" bei Marx sagen, das nichts gemein hat mit einer empirischen Voraussagbarkeit, sondern auf der Logik "essentieller Determinationen" basiert: wenn sich das Kapital konstant vermehrt, muß die Profitrate abnehmen. Dies heißt nicht, daß

Es ist zwar wahr, daß Marx die "Moralen", die hegelianischen *Sittlichkeiten*, als relativ in bezug auf ihre Zeit - z.B.
die der Bourgeosie - kritisiert, jedoch verfügt er über Kriterien, die die historisch-ökonomischen Systeme transzendieren.
Deshalb bin ich zu dem Schluß gekommen, daß "*das Kapital
eine Ethik ist*"[32]. Marx hat ein universales Kriterium seiner
Ethik: die Würde[33] des Subjekts, die Person, die lebendige
Arbeit. Von diesem Kriterium her kann er das Kapital als
dasjenige System kritisieren, das das Subjekt, die lebendige
Arbeit subsumiert - *Subsumption* ist die ethische Kategorie
schlechthin von Marx -, veräußert sowie als Subjekt und autonome Person negiert. Das Subjekt als lebendige Arbeit ist
das Subjekt der Argumentation, von dem die Pragmatik ihren
Ausgang nehmen muß. Das bedeutet, daß die Pragmatik ihren
Ausgang von einer Ökonomik nehmen muß, aus der sie erst
ihre letztgültigen materiellen Kriterien gewinnt. Es ist evident,
daß die Ökonomik gleichermaßen immer die Pragmatik voraussetzt, und zwar als konsensuelle intersubjektive Vermittlung bei der Leitung des Ökonomischen.[34] Das Ökonomische

---

es nicht auch Kompensationsmaßnahmen geben kann, die es erlauben, die
Profitrate beizubehalten oder gar zu erhöhen: Das "Gesetz" läßt Platz für
eine "Tendenz". Aber dies hat rein gar nichts zu tun mit den Popperschen
"Voraussagen".

[32] Vgl. *E. Dussel*, El último Marx (1863-1882) y la liberación latinoamericana. Un comentario a la tercera y a la cuarta redacción de El Capital,
Mexico 1990, 429ff.

[33] Marx spricht dabei vom Selbstwertgefühl; vgl. *K. Marx*, Das Kapital,
in: MEGA Bd. 6, Berlin 1987, 209; noch deutlicher schreibt er: "Die Arbeit ist die Substanz und das immanente Maß der Werthe, aber sie selbst
hat keinen Werth", in: *ders.*, Das Kapital, MEGA II. Abt., Bd. 6, 500. "Da
der Werth nur ein irrationaler Ausdruck für den Werth der Arbeitskraft"
ist, ebd., 502. Die lebendige Arbeit, das Subjekt selbst, die Person hat
keinen Wert, sie hat Würde.

[34] Vgl. *P. Ulrich*, Transformation der ökonomischen Vernunft. Fort-
schrittsperspektiven der modernen Industriegesellschaft, Bern 1992. Ulrich situiert dies jedoch auf der Ebene der theoretisch-ökonomischen Vernunft und nicht auf der der konkret praktisch-ökonomischen Vernunft.
Deshalb spricht er von einer ökonomisch-pragmatischen Vernunft und
Gemeinschaft und nicht von einer im eigentlichen Sinne vor-pragmatisch-
ökonomischen Vernunft oder von einer Gemeinschaft des Lebens oder der

zeigt die Leiblichkeit des Menschseins an, die auf ethischer Ebene ihre Reproduktion als unumgängliche Voraussetzung jedweder nachfolgenden Aktivität verlangt. Die Person ist *Leiblichkeit*[35], weil das, worüber wir sprechen, kein Engel ist, der bloß argumentiert, sondern ein *leibliches, lebendiges* menschliches Wesen ist. Franz Hinkelammert hat dazu in São Leopoldo folgendes ausgeführt:

"Der Zugang zur *körperlichen* Wirklichkeit - d.h. die eigene *körperliche* Unversehrtheit im zwischenmenschlichen Verhältnis - und der Zugang zu den Gebrauchswerten im Verhältnis von Mensch und Natur, ist das *Wahrheitskriterium* von Normen im konkreten Fall."[36]

Es ist die Ebene der ursprünglichen Ökonomik, die der leiblichen menschlichen Existenz, die ihrer Reproduktion bedarf, in der ich die *Ökonomik* situiert habe - und die man nicht mit der *Ökonomie* verwechseln darf. Teilnehmer an einer Produzenten- oder Lebensgemeinschaft zu sein, ist die erste Bedingung für das argumentierende Subjekt als *lebendiges* Subjekt.[37] Die Ethik der Befreiung betrachtet als Kriterium und Ausgangspunkt die leidende Leiblichkeit des Beherrschten und Ausgeschlossenen: die Andersheit des in seiner Würde negierten Anderen.

III. Die trans-ontologische Transzendentalität

Apel wünscht von der Philosophie der Befreiung Klarstellungen bezüglich einiger fundamentaler Fragestellungen. Die Philosophie der Befreiung erkläre nicht, wie sich eine ontologische oder historizistische Position vertreten läßt, die von Hegel, Marx und Heidegger inspiriert ist, oder wie sich die

---

Produzenten, wie Marx sich ausdrückte, vorgängig zur Kommunikationsgemeinschaft. Zuerst lebt man, dann argumentiert man.

[35] Dies ist auch für Marx eine entscheidende Determinierung: "nur eine Objektivität, die mit ihrer unmittelbaren Leiblichkeit übereinstimmt", *K. Marx*, Grundrisse der Kritik der politischen Ökonomie, Berlin 1974, 235.

[36] *F. Hinkelammert*, Diskursethik, in: *R. Fornet-Betancourt* (Hg.), Konvergenz 111-146, 131.

[37] Vgl. *Dussel, Marx; ders.*, Skeptiker; *ders.*, Erfindung.

Position einer transontologischen Metaphysik eines Lévinas einnehmen läßt; es sei auch nicht zu verstehen, wie man den Futurismus bei Marx ausblenden könne; ebenso wenig sei klar, was die Differenz zwischen dem "Griechischen" und dem "Semitischen" bedeute; vor allem aber bleibe offen, wie sich "das Ganze aller möglichen Wahrheit als auf *einen Logos* bezogen" denken läßt.[38] Diese Positionen erscheinen Apel als widersprüchlich oder zumindest als ambivalent und verwirrend. Ich bin froh über die Fragen, die er mir hiermit stellt, weil dies mir erlaubt, eine Schwierigkeit zu benennen, die Apel und Habermas beim Verständnis des Ansatzes von Lévinas und der Philosophie der Befreiung haben. Bei dieser Schwierigkeit handelt es sich um die Frage der "Andersheit"[39].

Apel formuliert in bezug auf "das Ganze", durch das sich bei Platon und Hegel die dialektische Ontologie entwickelt hat, daß beide "mit dem Ganzen des Seins und seiner im Logos begreifbaren Wahrheit (...) das Ganze aller nur denkbaren Horizonte des Seinsverstehens - und insofern der dialektischen Nichttrennbarkeit des Seins (als der Identität) und des Nichtseins (als des Andersseins)"[40] meinten.

Auf andere Weise drückte Parmenides dies bereits vor Platon aus: "Denn dasselbe ist Denken und Sein"[41]. Das Sein als Verständnis des Seins[42] kann mit dem *Logos* (Platon), mit dem *Verstehen* (Heidegger), das das *Denkbare* ist, übereinstimmen. Schon in meiner Arbeit "Método para una filosofia de la liberacíon"[43] habe ich genau die *Unmöglichkeit* der Übereinstimmung, der Unmittelbarkeit und der Identität zwi-

[38] *Apel*, Diskursethik, in: *R. Fornet-Betancourt* (Hg.), Konvergenz 17-38, 28.

[39] Vgl. *Dussel*, Lebensgemeinschaft §1; *ders.*, Vernunft §1.1; *ders.*, Skeptiker §3; *ders.*, Ethik der Befreiung, in: *R. Fornet-Betancourt* (Hg.), Konvergenz 83-109, § 2.1-2.3. In diesem Aufsatz möchte ich in der "Andersheit" des Anderen zwei Dimensionen differenzieren: als Beherrschte im System und in der Totalität (durch Subsumption) und als Ausgeschlossene - diese letzte Dimension werde ich, um Mißverständnisse zu vermeiden, als "Exteriorität" bezeichnen.

[40] *Apel*, Diskursethik, in: *R. Fornet-Betancourt* (Hg.), Konvergenz 17-38, 28.

[41] In: *H. Diels*, Fragmente der Vorsokratiker, Zürich 1864, 231.

[42] Vgl. *E. Dussel*, Philosophie der Befreiung, Hamburg 1989, 36ff.

[43] *E. Dussel*, Método para una filosofia de la liberación, Salamanca 1974.

schen dem Sein/der Wahrheit des Seins und der *Realität*
aufgezeigt.[44] Ausgehend von Sartres "Kritik der dialektischen
Vernunft", von Zubiris "Sobre la esencia" und besonders von
Lévinas her erweitere ich diese Nicht-Identität der "Welt" -
des Seinsverständnisses, des Seins, der Wahrheit - mit der
Realität[45] der physischen Dinge, aber noch mehr mit der

---

[44] In meiner "Philosophie der Befreiung" (§2.2.2.3.1) unterscheide ich
zwischen "Welt" im Heideggerschen Sinn, mit der das Sein, die Ontologie
und die Wahrheit des Seins korrespondiert, und "Kosmos": "die Totalität
der realen Dinge, ob sie dem Menschen bekannt sind oder nicht".
"Kosmos" rekurriert auf die "omnitudo realitatis", "Welt" auf die existen-
tiale Totalität aus dem Horizont des "Seinsverständnis". Das "Noumenon"
von Kant ist das Ding, insofern es denkbar ist, das aber niemals tatsächlich erkannt wird, sondern immer nur Gegenstand des Verstandes ist. Für
Zubiri ist das Ding nicht das Denkbare, sei es erkannt oder nicht, sondern
das, was autonom aus sich heraus als real besteht. Die Rose blüht aus sich
heraus, unabhängig davon, ob sie erkannt wird oder nicht. Das "aus sich
heraus"-Blühen ist ihre Realität. Das "Sein" ist der Horizont der Denk-
barkeit, wie Apel sagt: "das Ganze aller nur denkbaren Horizonte des
Seinsverstehens"; die Realität ist eine aus sich heraus bestehende Ordnung ohne konstitutive Beziehung zur Erkenntnis. Die Realität, das Reale
kann fragmentarisch erkannt werden, aber niemals als Ganzes: die Identität zwischen Realität und Denken (Realität und Sein/Wahrheit) ist empirisch unmöglich, nicht einmal auf lange Sicht hin (in the long run), wie
Peirce und Apel denken; vgl. die Kritik von *Hinkelammert*, Diskursethik,
in: *R. Fornet-Betancourt* (Hg.), Konvergenz 111-146: Die asymptotische
Annäherung der Wirklichkeit an ihre Idealsituation, 1994. Über Zubiri
hinausgehend zeigt Hinkelammert die faktische Unmöglichkeit einer solchen Identität zwischen Realität und Sein/Wahrheit, weil es für die Erkenntnis der Realität notwendig ist, eine Technologie der Beobachtung
anzuwenden (Faktizität), die es jedoch wiederum unmöglich macht, die
Distanz zu überwinden. Die Realität wird durch das Instrument defor-
miert; vgl. *Hinkelammert*, Crítica, cap. 5a: "Die Realität transzendiert die
Wirklichkeit", 231ff. Gemäß dem "Prinzip der Unmöglichkeit" ist es unmöglich, daß die Empirie identisch mit der Realität ist. Darin besteht
volle Übereinstimmung zwischen Zubiri und Lévinas.
[45] Das Wort "Realität" möchte ich klar abgrenzen von drei weiteren Begriffen Hegels. Es ist weder identisch mit dem "Sein", noch mit der
"Existenz", noch mit der "Wirklichkeit"; vgl. die "Kleine Logik" der Enzyklopädie Hegels, § 86, 123 und 142. Die "Realität", von der ich spreche, geht darüber hinaus. Sie ist transzendental zu den hegelianischen
Begriffen des "Seins", der "Existenz" und der "Wirklichkeit". In mehreren

Realität der "*res eventualis*", die die menschliche Person des Anderen ist.[46] Mit Sartre eröffnete sich uns die Problematik von einer Ontologie der Sozialwissenschaften her. Aber es war Lévinas, der die Problematik der *Realität*, die transzendental zum Sein ist, für unsere Gruppe lateinamerikanischer Philosophen Ende der sechziger Jahre in einen ethischen Kontext, in den der praktischen Vernunft als "*der Andere*" (Autrui), situierte. Wenn schon die Realität der physischen Dinge immer durch eine unerkennbare Exteriorität sogar vor den Wissenschaften geschützt ist, um wieviel mehr dann die Realität des Anderen: Niemals per definitionem ist jemand - ich oder auch wir als Gemeinschaft - in der Lage zu behaupten, den Anderen innerhalb des Seinsverständnisses, innerhalb seiner Welt zu *verstehen*.[47] Im Fall des Anderen multipliziert sich die Unaussprechlichkeit des Individuums mit der Unaussprechlichkeit der Freiheit und der Bedingungslosigkeit der anderen Welt als fremde Geschichte.[48] Dies stellt eine absolute Grenze dar für

---

anderen Arbeiten habe ich diese Abgenzung behandelt. Ich behaupte, daß Marx diese Unterscheidungen bewußt sind: Man kann den Mehrwert eines Produktes (Sein), einer Ware (Existenz) fassen, ohne an das wirkliche Sein zu stoßen - im Falle des Nichtverkaufs der Ware verliert sich der Mehrwert ins Nichts (Annihilierung). Andererseits ist die "lebendige Arbeit" die wirkliche, über das Kapital hinausgehende Realität; eben darin liegt die Transzendentalität der Realität des Subjektes der Arbeit in bezug auf das Sein des Systems, der Totalität, dem Kapital; vgl. *Dussel*, Marx, cap. 9-10.

[46] Dies ist das Thema, das Ignacio Ellacuría noch abstrakt in seinem Buch "Filosofía de la realidad historica" (Madrid 1991) behandelt. Ich erinnere mich, daß er 1972 während einer Konferenz in der UCA in San Salvador mir am Ende meines Vortrages eröffnete, daß er gerade zum ersten Mal von der Philosophie der Befreiung gehört habe, einer Bewegung, zu der er später Artikel von großer Bedeutung beisteuerte. Ich muß zu seinem Buch bemerken, daß es einer Vermittlung durch die kritischen Sozialwissenschaften bedarf, um nicht Gegenstand eines erneuten metaphysischen Mißbrauchs ohne analytische Vermittlung zu werden. Es gibt bereits einige Lesarten seines Buches, die auf einem solchen metaphysischen Mißbrauch beruhen.

[47] Vgl. *M. Olivetti*, Analogia del Soggetto, Roma 1992, 132.

[48] Diese Frage bearbeitet Vattimo gründlich in seinem Werk über Schleiermacher; vgl. *G. Vattimo*, Schleiermacher filosofo dell'interpretazione, Torino 1986. Den Weg hierzu eröffnete ihm Schelling in seinen Berliner

den *Logos*, für das Verstehen und für das Sein als ontologischem Horizont der Welt, meiner und unserer Welt. Der Andere befindet sich jenseits des Seins (Transzendentalität) - dies ist die These von Lévinas und der Philosophie der Befreiung. In diesem Sinn des Jenseits-der-Ontologie, also als trans-ontologisch, kann Ethik (oder Meta-Physik[49] für Lévinas) begriffen werden, nämlich als rationale Erfahrung des Anderen als Anderer (An-erkennung). Ich kann den Horizont meiner Welt öffnen und pragmatische Aspekte des Anderen fragmentarisch erfassen; der Andere kann sich offenbaren und verständlich machen, und durch einen gegenseitigen Lernprozeß sind wir in der Lage, ein *gemeinsames intelligibles Klima* zu schaffen. Aber niemals kann der Andere als Subjekt, als Zentrum "seiner" Welt, als eigene Geschichte, *vollständig* durch den Logos verstanden werden. Handelt es sich bei diesem Sachverhalt um die traditionelle Frage der Unaussprechlichkeit des Individuums, der Inkommensurabilität oder der Inkommunikabilität? Es handelt sich hierbei um etwas davon verschiedenes; es ist die Freiheit des Anderen als niemals handhabbare, niemals dem Ganzen verständliche, niemals dem Ganzen durch den Logos mitteilbare Andersheit. Es handelt sich dabei um die Affirmation der unhintergehbaren Grenze der Vernunft: die Vernunft des Anderen, die selbstverständlich ihre Welt versteht und darin rational ihre Rationalität ausübt. Jedoch bestreiten wir, daß die Ontologie die Macht hat, sich als das äußerste aller möglichen Momente zu behaupten - und genauso bestreiten wir, daß der Beobachter die Macht hat, sich meine/unsere und deine/eure Welt vor Augen zu stellen und beide unvermeidlich aus einer Position des Dritten, aus der Welt und Warte des Beobachters zu konstituieren; auf diese Weise würde die Ontologie weiterherrschen, was eben Apel unterstellt. Demgegenüber ist es notwendig, das zu entdecken, was wir die "ursprüngliche ethische Vernunft" genannt haben, die die *rationale* Weise darstellt, sich auf die

---

Vorlesungen von 1841 über die "Philosophie der Offenbarung"; vgl. *Dussel*, Método, 115ff.

[49] Selbstverständlich ist diese Meta-Physik postmetaphysisch, soweit unter Metaphysik der naive unkritische Realismus verstanden wird.

Andersheit zu beziehen, auf die distinkte[50] Vernunft des Anderen und nicht bloß auf die Differenz-in-Identität. Von meiner/unserer Welt her und in ihr *offenbart* sich der Andere als transzendent; in der Welt erscheint ein Angesicht (Phänomen), das das Jenseits-der-Welt anzeigt: "den Anderen". Die ethisch-praktische Erfahrung des von "Angesicht zu Angesicht", der Respekt gegenüber dem als autonome Person an-erkannten Anderen, ist primär keine Erfahrung eines Verstehens des Seins, sondern ein "Sein-lassen-des-Anderen" in der Erwartungshaltung gegenüber seiner "Offenbarung"[51]. Aus all diesen Gründen bestreiten wir nicht die Möglichkeit des Dialoges, der rationalen symmetrischen Kommunikation, aber wir insistieren auf der Unmöglichkeit, die Exteriorität und die realen Asymmetrien-Diachronien zu überwinden. Die Behauptung, den Anderen im Horizont meiner/unserer Welt vollständig zu verstehen oder ihn unter sie zu *subsumieren*, läßt sich nicht aufstellen. Der Respekt, die An-erkennung seiner Andersheit, Exteriorität ist das "pour-Autrui" der menschlichen ethischen Subjektivität. Hierüber habe ich bereits viel geschrieben, und deshalb brauche ich mich an dieser Stelle nicht zu wiederholen.[52]

Mit dieser Problematik befaßte sich auch Horkheimer, ohne sie allerdings zu lösen, als er über die "Gefühle der Empörung, des Mitleids, der Liebe, der Solidarität" schrieb und dabei folgendes sagte: "Das Leben der meisten Menschen ist so elend, der Entbehrungen und Demütigungen sind so zahlrei-

---

[50] Die deutsche Übersetzung der "Philosophie der Befreiung" übersetzt "dis-tinto" durch Divergenz; der richtige Begriff wäre jedoch "Dis-tinktion". "Identität-Differenz" sind Momente der Welt, der Totalität; die "Distinktion" des Anderen jedoch geht über den Horizont der Totalität der Welt als Seinsverständnis hinaus: Sie ist transzendental wie die Person des Sklaven gegenüber dem System der Sklaverei, in der der Sklave eine interne Differenz darstellt. Die Lohnarbeit ist für Marx "Differenz" im System des Kapitals; die lebendige Arbeit oder die Subjektivität des Arbeiters als solche ist "distinkt": vorgängig und nachträglich zur "Subsumption", zur "Inklusion" der Distinktion als bloße Differenz.

[51] Eine "Offenbarung" des Anderen von seiner Freiheit her ist keine bloße Manifestation des Phänomens. Dies untersuchte Schelling 1841, um Hegel zu überwinden; vgl. *Dussel*, Philosophie der Befreiung, Hamburg 1989, 61f; *ders.*, Para una ética, Bd II, 146ff.

[52] Vgl *Dussel*; Para una ética; *ders.*, Método; *ders.*, Philosophie.

che, Anstrengungen und Erfolge stehen meist in einem so krassen Mißverhältnis, daß die Hoffnung, diese irdische Ordnung möchte nicht die einzig wirkliche sein, nur zu begreiflich ist. Indem der Idealismus diese Hoffnung nicht als das, was sie ist, erklärt, sondern sie zu rationalisieren strebt, wird er zum Mittel, den durch Natur und gesellschaftliche Verhältnisse erzwungenen Triebverzicht zu verklären."[53]

Dies ist ein Vorschlag für eine Ethik der Befreiung, aber im Unterschied zu Horkheimer wird sie, da sie ein historisches Subjekt hat, in bezug auf das sie sich artikulieren kann - den sozialen Block der Unterdrückten und Ausgeschlossenen des peripheren Kapitalismus, die große Mehrheit der Einwohner der sogenannten Dritten Welt - und da sie die Hoffnung von einer ursprünglich ethischen Vernunft und einem Befreiungsprojekt her "rationalisieren" kann, zu einem philosophischen Projekt, dem Horkheimer selbst nicht zustimmen konnte. Die Diskursethik führt diese Problematik auf die bloß diskursive, kommunitäre, *symmetrisch-synchrone* Vernunft zurück, ohne den Horizont der Andersheit jenseits der negativen Dialektik zu entdecken. Die symmetrisch-synchrone Kommunikation ist *horizontal*, tautologisch - dies ist z.B. die Position des Aristoteles, die ich als "griechisch" bezeichne, und auch die der Diskursethik. Wenn Kommunikation oder Gerechtigkeit dagegen als Endpunkte eines Prozesses verstanden werden, der seinen Ausgang bei der Asymmetrie-Diachronie nimmt, werden beide in einer *vertikalen* Relation konstituiert - dies ist die bantu-afrikanische, ägyptische, mesopotamische, semitische Position[54]: von unten nach oben. Diese Unterschiede sind Teil

---

[53] M. *Horkheimer*, Materialismus und Metaphysik, in: *ders.*, Kritische Theorie Bd. I, Frankfurt a.M. 1968, 44.

[54] In meiner sich in Arbeit befindenden "Ethik der Befreiung" lege ich dieses Thema im ersten Kapitel dar. Die bantu-afrikanische, primitiv-ägyptische (ab dem 4. Jahrtausend vor Christus), mesopotamisch-semitische Welt wie die des Hammurabi, die Welt der Phönizier, Aramäer, Hebräer, Christen bis hin zu der der Moslems, repräsentiert eine Sittlichkeit, in der "den Hungernden zu speisen, den Nackten zu bekleiden..." (Buch der Toten) oder "der Witwe, dem Waisen und dem Fremden Recht zu gewähren" (Codex Hammurabi) ethische Forderungen sind. In diesem Sinne spreche ich von "semitisch" (vgl. *E. Dussel*, El humanismo semita, Buenos Aires 1969). Diese vertikalen ethischen Forderungen des Erbarmens und des Respekts gegenüber der Person des Armen und Beherrsch-

der konkreten Geschichte der *Sittlichkeiten*, die gleichfalls die universale Moral bedingen, welche weiterhin eingefügt ist in eine "konventionelle" Sittlichkeit, was in gewisser Weise unvermeidlich ist.

IV. Zur Begründung der ethischen Gültigkeit der Befreiungspraxis als Kampf um die An-erkennung und als antiskeptische Begründung

Ich bin einverstanden mit der Einschätzung, daß die gültige Argumentation und damit auch die Ethik der Befreiung unmöglich wären,[55] wenn es nicht gelänge, den Skeptiker zurückzuweisen. Jedoch sind zwei Ebenen der Gültigkeit zu unterscheiden: a) diejenige der Gemeinschaft der Philosophen und Wissenschaftler, in der der Skeptiker anzutreffen ist, und b) diejenige der historisch-politischen Gemeinschaft des Alltags, wo Macht und Ungerechtigkeit ausgeübt werden und als deren Folgen Hunger, Tod und Erniedrigung der Beherrschten und elendig Ausgeschlossenen produziert werden. Die Möglichkeit oder Unmöglichkeit der Befreiungs- und Diskursethik entscheidet sich auf der ersten Ebene. Die Möglichkeit oder Unmöglichkeit des Lebens des Unterdrückten und Armen entscheidet sich auf der zweiten Ebene. Besagte erste Ebene ist *nachrangig* bezüglich des Gewichtes und der *Priorität*, das und die der ethischen Begründung der Befreiungspraxis des Beherrschten und Ausgeschlossen selbst zukommen - diese letztere ist die rational, ethisch und real entscheidende Ebene. Was stellt das erste, zentrale und grundlegende Problem der

---

ten existieren nicht in der indoeuropäischen Welt der Herrscher über Pferd, Eisen, Sklaverei, bei den "hellenischen" Völkern (vgl. *E. Dussel*, El humanism helénico, Buenos Aires 1975). Apel hat mich nach dem Unterschied zwischen dem Semitischen und dem Griechischen gefragt. Ich antworte so: das Griechische und das Semitische sind historisch konkrete Sittlichkeiten, die griechische die der Sklavenherrscher, die semitische dagegen ist ethisch weitaus komplexer. Offenkundig ist Horkheimer sensibler für die semitischen Positionen, wie dies auch Hermann Cohen aus Marburg war.

[55] Vgl. *Apel,*Diskursethik, in: *R. Fornet-Betancourt* (Hg.), Konvergenz 17-38, hier: 30-34.

philosophischen Ethik dar? Ist es ihre Selbstbegründung als Ethik oder etwa die Begründung der ethischen Gültigkeit der geltenden Praxis, die keine solche sein kann ohne die, die sie hegemonial ausüben, oder ist es etwa die Begründung der ethischen Gültigkeit der Befreiungspraxis der Beherrschten und Ausgeschlossenen? Man darf den Wagen nicht vor die Pferde spannen! Die Selbstbegründung der Ethik stellt ein *zweites Moment* dar, das auf rationale Weise das *erste Moment* der Begründung der ethischen Gültigkeit des praktischen Aktes par excellence sichert: die Befreiungspraxis der Beherrschten und Ausgeschlossenen[56], die die eindeutige Mehrheit der Menschheit sind und immer waren. Dies ist die grundlegende Finalität jeder Ethik als Ethik und nicht etwa die Begründung der herrschenden Ordnung, die als herrschende eine der Beherrschung ist und somit nicht als ethisch gelten kann.

Wenn das erste, der *ordo realitatis*, die Begründung der Gültigkeit der Praxis des Unterdrückten und Ausgeschlossenen selbst ist - da ja die Auseinandersetzung mit dem Zyniker in der in ihrer ethischen Gültigkeit gerechtfertigten Praxis der Unterdrückten stattfindet; die zynische Vernunft[57] ist begründet in der Macht der Herrschaft des Systems, und sie leitet die Anwendung der strategischen Vernunft -, dann genießt besagter Diskurs Vorrang vor der sich gegenüber dem Skeptiker vollziehenden Begründung - der Skeptiker stellt ja die Rationalität, den *ordo cognoscendi*, von einer Institutionalität her in Frage, die nicht aufhören kann, der Macht des Zynikers untergeordnet zu sein. Für eine Diskursethik, die ihre Anwendung und deshalb auch die Begründung der Gültigkeit von Praxis einschließlich der Befreiungspraxis von einer begründeten Basisnorm her transzendental deduziert, ist der Vorrang der transzendentalen Begründung evident. Für eine Ethik der

---

[56] Die Praxis der Beherrschung besitzt keine ethische Gültigkeit, obwohl sie durchaus empirisch und folgenreich ist.

[57] Für mich ist der Zyniker kein Skeptiker, der sich angesichts der Unmöglichkeit, nicht in Widersprüche zu geraten, in einen Zyniker verwandelt. Nein. Es handelt sich zum Beispiel um einen General einer Besatzungsarmee, der niemals, weil dies gegen die militärische Disziplin verstoßen würde, auf die Idee käme, mit dem Feind einen Dialog zu führen und ihn als Anderen zu begreifen, mit dem sich in einen Dialog, in einen Diskurs eintreten ließe.

Befreiung jedoch, die ausgeht von der Faktizität der Welt, eines Systems, einer Totalität, eine Ethik, die die Herrschaft ethisch aufdeckt und kritisch-wissenschaftlich analysiert - z.B. in der Kritik der politischen Ökonomie durch Marx, oder in der Kritik des Triebes durch Freud, oder in der Pädagogik der Herrschaft durch Paolo Freire - sind die Kriterien, Kategorien und Prinzipien der Ethik ebenso wie die intra-systemische Herrschaft oder der extra-systemische Ausschluß bedingt durch die Andersheit: von der An-erkennung der *faktisch negierten Würde des Anderen* her. Von hier aus eröffnet sich die Möglichkeit einer ethischen Begründung der Gültigkeit der Befreiungspraxis, ohne sich *a priori* mit dem Skeptiker auseinandersetzen zu müssen. Ich möchte nicht die Begründung als solche bestreiten, sondern nur ihre Priorität verneinen. Eine systematische Antwort auf die Einwände Apels werde ich in meiner sich in Arbeit befindenden "Ethik der Befreiung" darzulegen versuchen.

Abschließend will ich nicht versäumen, mich auf ein Ereignis zu beziehen, dessen mögliche Konsequenzen niemand genau einzuschätzen weiß, weil es sich zum Zeitpunkt der Abfassung dieses Artikels - im Februar 1994 - noch in vollem Gange befindet. Jedoch läßt sich zwei Monate nach Beginn des Indigenaaufstandes der Mayas in Chiapas eine Reflexion über die *ethische Gültigkeit* dieser Rebellion anstellen. Nachdem sie über Jahrhunderte, über jene 500 Jahre hinweg, von denen ich in anderen Arbeiten gesprochen habe[58], alle legalen, legitimen und friedlichen Mittel - unzählige juristische und soziale Vorschläge und Initiativen - ausgeschöpft haben, erhob sich ein Zusammenschluß von Indigenas mit der Waffe in der Hand. Es handelt sich dabei um einen rationalen und ethischen Einsatz von Gewalt gegenüber der irrationalen Zwangsgewalt eines ungerechten Systems, vergleichbar dem der Johanna von Orleans im mittelalterlichen Frankeich, dem George Washingtons gegenüber dem englischen Kolonialismus im 18. Jahrhundert oder dem des französischen Widerstandes gegen die Nazibesetzung. Zu Beginn des Dialogs mit der Regierung, auf dem Treffen für Frieden und Versöhnung, sozusagen beim Platznehmen am Verhandlungstisch, also in der realen Kom-

---

58 Vgl. *Dussel*, Erfindung, wo meine Vorlesungen vom Wintersemester 1992 in Frankfurt a.M. dokumentiert sind.

munikationsgemeinschaft mit einer gewissen Form von Symmetrie, haben die Aufständischen als Frucht des Kampfes eine Erklärung vorgetragen. Darin lesen wir:

"Das Wort der Wahrheit, das aus dem Tiefsten unserer Geschichte, unseres Schmerzes und der Toten, die mit uns leben, stammt, wird mit Würde auf den Lippen unserer Anführer kämpfen (...) In unserer Stimme[59] wird die Stimme der Anderen zu hören sein, derer, die nichts haben, die zum Schweigen und zur Unkenntnis verurteilt sind, die durch die Macht der Herrschenden von ihrem Land und aus ihrer Geschichte vertrieben wurden, die Stimme der guten Männer und Frauen, die die Wege dieser Welt des Schmerzes und der Wut gehen, die der Kinder und der verhärmten und verlassenen Alten, die der erniedrigten Frauen und die der kleinen Männer. Durch unsere Stimme werden die Toten, unsere Toten, so allein und vergessen, so tot aber so lebendig, in unserer Stimme und in unseren Taten sprechen. Wir kommen weder, um um Vergebung zu bitten noch um Abbitte zu leisten, wir kommen nicht, um um Almosen zu betteln oder um die Überbleibsel zu erhalten, die von den vollen Tischen der Herrschenden fallen. *Wir kommen, um das zu fordern, was Recht und Anspruch aller Menschen ist: Freiheit, Gerechtigkeit und Demokratie.*"[60] [61]

Welche *ethische Gültigkeit* kommt der indigenen Rebellion als weiteres Beispiel einer "Praxis der Befreiung" zu? Um darauf philosophisch, intersubjektiv begründet sowohl gegenüber der gesellschaftlich-politischen Gemeinschaft wie gegenüber der philosophischen Gemeinschaft, gegenüber der euro-

---

[59] Diese Stimme ist die Interpellation, Vgl. *Dussel*, Vernunft.

[60] Wenn hier die Rede von Demokratie ist, dann nicht im Sinne von Aristoteles oder Rousseau, sondern im Sinne der "Konvivialität" und "Gemeinschaftlichkeit" der Mayas, auf die ich mich in Freiburg 1990 im ersten Gespräch mit Apel bezogen habe. Dort sprach ich über die Tokholabales, ihre Sprache ohne Akkusative, die demokratische Einmütigkeit ihrer von den Vorfahren überlieferten Bräuche. Eine Voraussage des Aufstandes, den wir heute bedenken? Eine der bewaffneten aufständischen Gruppen in den Bergen von Chiapas sind die Tokholabales. Man lese meinen Aufsatz in Freiburg im Licht des Mayaaufstands von 1994, und man wird ihn besser verstehen.

[61] "An das Volk gerichtete Mitteilung" des Ejército Zapatista de Liberación Nacional, der Zapatistischen Nationalen Befreiungsarmee, in: La Jornada (Mexico) vom 20. Februar 1994.

päisch-nordamerikanischen Hegemonie und der lateinamerikanischen, afrikanischen und asiatischen Peripherie zu antworten: Diese ethische Gültigkeit liegt exakt in dem Sinn, den
die Ethik der Befreiung seit Ende der sechziger Jahre in Situationen der schrecklichsten Militärdiktaturen - zuerst in Argen-
tinien, dann in Chile, Brasilien, etc. - entdeckte, damals, als
sie mit gefolterten Kollegen, ermordeten Studenten der Philosophie konfrontiert und als sie sogar selbst zum Ziel von At-
tentaten rechter Terroristen wurde - wie beim Bombenan-
schlag auf meine Wohnung am 2.10.1973. Was ist das Primä-
re, der *ordo realitatis*, die Begründung der Ethik oder die
Begründung der universalen ethischen Gültigkeit der Praxis
der Mayaaufständischen?

Hierbei handelt es sich nicht nur um eine *Erinnerung an die
Opfer*, so notwendig die anamnetische Vernunft auch ist, es
handelt sich auch nicht allein um ein "Die-Perspektive-der-
Opfer-Einnehmen", um die Option für die Armen. Es handelt
sich darum, die universale ethische Gültigkeit der Praxis und
des Kampfes zu rechtfertigen, zu begründen und argumentativ
zu vertreten, jene Praxis und jenen Kampf, den die Unterdrückten gegen die ungerechte internationale Ordnung, sei sie
nun national, institutionell-politisch, ökonomisch, sexuell oder
pädagogisch, führen: es handelt sich um die mit-verantwortli-
che und solidarische Anwendung einer *befreienden Vernunft*
durch die große Mehrheit der Menschheit am Ende des 20.
Jahrhunderts, welche die diskursive, emanzipatorische, anamnetische Vernunft sowohl subsumiert als auch überwindet.

(Aus dem Spanischen übersetzt von Matthias Proske)

VI
Konturen einer praktischen Religionstheorie

von Edmund Arens, Frankfurt a.M.

Einer der Kernsätze der von Helmut Peukert grundgelegten theologischen Handlungstheorie lautet, daß der Glaube "in sich selbst eine Praxis (ist), die als Praxis, also im konkreten kommunikativen Handeln, Gott für die anderen behauptet und diese Behauptung im Handeln zu bewähren versucht"[1]. Inwieweit diese aus theologischer Perspektive formulierte These religionstheoretisch fruchtbar gemacht werden kann, ob und inwiefern also Religion ebenfalls als eine kommunikative Praxis begriffen werden kann, steht im Folgenden zur Diskussion. Peukert selbst hat in seinen "Bemerkungen zu einer Theorie der Religion und zur Analytik religiös dimensionierter Lernprozesse"[2] darauf aufmerksam gemacht, daß eine empirisch und praktisch relevante Theorie der Religion im Gespräch und in Auseinandersetzung mit den sozialwissenschaftlichen sowie philosophischen Religionstheorien entwickelt werden muß. Er selbst bezieht sich dabei auf funktionalistische und handlungstheoretische Ansätze, um im Diskurs mit ihnen die Frage nach der Basisstruktur religiösen Handelns zu stellen. Religiöse Praxis wird von Peukert als eine in ihrem Kern transformatorisch-kreative Praxis bestimmt, die sich in Handlungen vollzieht, welche "ein Unbedingtes im intersubjektiven Handeln selbst behaupten und aus den existenzbedrohenden Mechanismen der Machtsteigerung befreien"[3].

---

[1] *H. Peukert*, Wissenschaftstheorie - Handlungstheorie - Fundamentale Theologie, Frankfurt [2]1988, 331; vgl. *ders.*, Sprache und Freiheit, in: *F. Kamphaus / R. Zerfaß* (Hg.), Ethische Predigt und Alltagsverhalten, München / Mainz 1977, 44-75, 66; *ders.*, Kommunikatives Handeln, Systeme der Machtsteigerung und die unvollendeten Projekte Aufklärung und Theologie, in: *E. Arens* (Hg.), Habermas und die Theologie, Düsseldorf [2]1989, 39-64, 62.

[2] So der Untertitel von *H. Peukert*, Kontingenzerfahrung und Identitätsfindung, in: *J. Blank / G. Hasenhüttl* (Hg.), Erfahrung, Glaube und Moral, Düsseldorf 1982, 76-102.

[3] A.a.O. 99f.

In Anknüpfung an Peukerts Überlegungen sollen im Folgenden im Blick auf eine praktische Religionstheorie drei Positionen zur Sprache kommen, die der Religion jeweils eine praktische Funktion und Leistung zusprechen. Zunächst wird ein in systemtheoretischen und funktionalistischen Ansätzen zutage tretendes Verständnis von Religion als Kontingenzbewältigungspraxis vorgestellt und kritisiert. Der zweite Teil wird sich dann mit Positionen befassen, die Religion als wesentlich rituelle Praxis begreifen. Der dritte Teil beleuchtet das Verhältnis von Religion und kommunikativer Praxis und versucht die Frage zu beantworten, ob und unter welchen Voraussetzungen Religion selbst als eine kommunikative Praxis verstanden werden kann. Abschließend werden im vierten Teil anstehende Aufgaben einer praktischen Religionstheologie angesprochen.

I. Religion als Kontingenzbewältigungspraxis

In der Moderne wie in der von manchen Theoretikern ausgerufenen Postmoderne ist die Erfahrung der sowie der Umgang mit der Kontingenz der Wirklichkeit wie des eigenen Lebens zu einem der Grundprobleme wissenschaftlicher Theoriebildung und philosophischer Reflexion geworden. Ernst Troeltsch traf zu Beginn dieses Jahrhunderts die Feststellung, das Problem der Kontingenz enthalte in nuce alle philosophischen Probleme und es berühre zugleich zentrale religiöse Fragen.[4] Der amerikanische Philosoph Richard Rorty begreift das Problem der Kontingenz als für seine Position bestimmend, die er selbstironisch als die eines postmodernen bourgeoisen Liberalismus beschreibt.[5] Rorty zufolge ist die Erfahrung, daß wir selbst kontingent sind, daß wir nur durch Zufall, sei es durch Glück oder Pech und aus keinem vernünftigen Grund, Zweck oder übergreifenden Sinn das und so sind, was und wie wir sind, die für unsere postmoderne Zeit kennzeichnende Erfahrung. "Unsere Sprache und unsere Kultur", formuliert er prägnant, "sind ebenso zufällig, ebenso Ergebnis von tausenden kleinen Mutationen, die Nischen finden (und Millionen anderer, die keine Nischen

---

[4] Vgl. *E. Troeltsch*, Art. Contingency, in: Encyclopaedia of Religion and Ethics IV (1911) 87-89, 89.

[5] Vgl. *R. Rorty*, Postmodernist bourgeois liberalism, in: *ders.*, Objectivity, Relativism and Truth, Cambridge 1991, 197-202.

finden), wie Orchideen und Menschenaffen"[6]. Das eben heißt: es gibt keinen übergreifenden Zweck, keine Richtung, weder universale Bedingungen noch Ziele menschlicher Existenz; alles, was wir wissen und was wir anzuerkennen haben, ist ihre "schiere Kontingenz"[7].

Rorty bestreitet, daß es irgendeine Möglichkeit gibt, über unsere kontingente Existenz hinauszugelangen, und er behauptet, daß, wer dieses heutzutage mittels religiöser oder auch philosophischer Grundlegung versucht, "im Herzen immer noch Theologe oder Metaphysiker"[8] ist. Für ihn besteht Freiheit wesentlich darin, daß wir Kontingenz anerkennen. Solche Anerkennung ist die Haupttugend der Glieder einer liberalen Gesellschaft, und die Kultur einer solchen Gesellschaft sollte darauf angelegt sein, uns von unseren "tiefen metaphysischen Bedürfnissen"[9] zu heilen. Rorty zeigt auf ebenso brillante wie provokative Weise auf, daß das Problem der Kontingenz nicht allein jene Grenzfragen betrifft, die mit Krankheit, Leiden und Tod in Verbindung stehen, sondern daß die Erfahrung von Kontingenz das ganze moderne bzw. postmoderne Leben umfaßt. Während sich Rorty als liberaler Ironiker strikt jeder Art von religiösem oder philosophischem Trost verweigert, sehen andere Sozialtheoretiker und Philosophen gerade den Umgang mit und die Bewältigung von Kontingenz als die herausragende Funktion, die der Religion heute noch bzw. nun erst recht zukommt. Als für das Bemühen um eine praktische Religionstheorie ebenso wichtige wie herausfordernde Positionen sind hier die Ansätze Niklas Luhmanns und Hermann Lübbes zu nennen.

Luhmann weist im Rahmen seiner Systemtheorie der Religion, deren Leistungen er in der Diakonie und Seelsorge ausmacht, für das Gesellschaftssystem die Funktion zu, "die unbestimmbare, weil nach außen (Umwelt) und nach innen (System) hin unabschließbare Welt in eine bestimmbare zu transformieren, in der System und Umwelt in Beziehungen stehen können, die auf beiden Seiten Beliebigkeit der Veränderung ausschließen"[10]. Konnte die Religion

---

[6] R. Rorty, Kontingenz, Ironie und Solidarität, Frankfurt a.M. 1991, 42.

[7] A.a.O. 51.

[8] A.a.O. 15.

[9] A.a.O. 87.

[10] N. Luhmann, Funktion der Religion, Frankfurt a.M. 1977, 26; zur Darstellung und Kritik der Luhmannschen Religionstheorie vgl. F. Scholz, Freiheit als Indifferenz. Alteuropäische Probleme mit der Systemtheorie Niklas Luhmanns,

ihre Funktion, die Welt bestimmbar zu machen, in den frühen Stadien der menschlich-gesellschaftlichen Entwicklung durch unmittelbare Sakralisierung und daran anschließende rituelle Bearbeitung des Problems erfüllen, so braucht sie in dem Maße, als die Gesellschaft komplexer und damit die Wirklichkeit zunehmend als kontingent erfahren wird, differenziertere Mechanismen der Kontingenzbewältigung. Sie entwickelt dazu die Kontingenzformel "Gott", die für das Religionssystem die "Transformation unbestimmbarer in bestimmbare Komplexität"[11] leistet und so die zufällige Wirklichkeit nicht nur erklärt, sondern mit Hilfe eines "guten" Gottes zugleich "moralische Kontingenzregulierung"[12] betreibt. Religion hat, so faßt Peukert Luhmanns Position zusammen, "die für eine Gesellschaft grundlegende Funktion, die zufällige Wirklichkeit des Möglichen mit Kontingenzformeln zu erklären und destabilisierende Irritationen, die von Kontingenzerfahrungen für Persönlichkeits- oder Gesellschaftssysteme ausgehen, zu resorbieren"[13]. Solche Religion beinhaltet eine auf Heil und Gnade bezogene professionelle Praxis, die in bestimmter Hinsicht eine transformatorische Praxis darstellt, insofern sie Unsicherheit in Sicherheit verwandelt, die ihren Klienten bei der Kontingenzbewältigung beisteht und ihnen dazu verhilft. Für Luhmann ist freilich fraglich, ob angesichts des erreichten Grades der gesellschaftlichen Differenzierung und der damit gegebenen Reflexionsanforderungen an die Teilsysteme unter den heutigen Bedingungen das Kontingenzproblem überhaupt noch eine religiös befriedigende Antwort finden kann.

Ist für Luhmann die Zukunft der bisherigen kontingenzbewältigenden, die Gesellschaft lange Zeit in die Welt integrierenden Religion offen, so stehen für Hermann Lübbe die Relevanz, Notwendigkeit und der zukünftige Bedarf an religiöser Kontingenzbewältigung außer Zweifel. In seiner religionsphilosophischen Arbeit "Religion nach der Aufklärung"[14] behauptet Lübbe pointiert, daß

Frankfurt 1982; vgl. auch *H.-U. Dallmann*, Die Systemtheorie Niklas Luhmanns und ihre theologische Rezeption, Stuttgart / Berlin / Köln 1994.

[11] A.a.O. 20.

[12] A.a.O. 205.

[13] *Peukert*, Kontingenzerfahrung 81.

[14] *H. Lübbe*, Religion nach der Aufklärung, Graz / Wien / Köln 1986; vgl. *ders.*, Historismus oder die Erfahrung der Kontingenz religiöser Kultur, in: *W. Oelmüller* (Hg.), Wahrheitsansprüche der Religion heute, Paderborn / München

die Religion im Prozeß der Modernisierung und Säkularisierung gerade nicht schwindet und schließlich verschwindet, sondern daß sich lediglich ihre kulturellen Ausdrucksformen verändern. Lübbe hält fest, daß die Religion im Verlauf dieses Prozesses im Grunde sich ihrer politischen und sozialen Restriktionen entledigt, um auf diese Weise jene Aufgabe, die ihren genuinen Beitrag darstellt, nämlich die der Kontingenzbewältigung, um so adäquater erfüllen zu können. Lübbe bezeichnet die damit der Religion gestellte Aufgabe als "Kontingenzbewältigungspraxis". Nach alltagssprachlichem Verständnis würde dies die Praxis der Überwindung von Kontingenz bedeuten. Aber nach Lübbe kann Kontingenz in Wirklichkeit gar nicht überwunden werden. Er konstatiert: "Was soll da 'Bewältigung' heißen? Die Antwort lautet: Bewältigte Kontingenz ist anerkannte Kontingenz."[15]

Laut Lübbe befaßt sich die Religion mit jener Kontingenz, die sich auf die "Unverfügbarkeiten" des Lebens bezieht. Diese Unverfügbarkeiten werden ihm zufolge weder von irgendeiner Form von Aufklärung berührt, noch ist ihnen durch irgendeine Art von Emanzipation beizukommen; sie sind aufklärungs- und emanzipationsresistent. Sie sind einfach da, wie auch wir einfach da sind. Lübbe unterstreicht mit Rorty durchaus übereinstimmend, daß es nichts als ein schierer Zufall ist, daß wir existieren, statt nicht zu existieren, daß wir sind, was wir sind und nichts anderes. Diese zufällige Tatsache läßt sich in keine Art von Handlungssinn transformieren. Sie muß einfach als solche genommen und das heißt anerkannt werden. Eben dies geschieht in der religiösen Lebenspraxis, die Lübbe als intrinsisch rituell begreift. Rituale verändern nichts: sie sind im wesentlichen dazu da, das, was existiert zu bestätigen, es zu sanktionieren und abzusegnen. Lübbe bezieht sich auf rituelle Zeremonien wie das Segnen eines neuen Hauses, einer neuen Autobahn, eines neuen Präsidenten. In solch rituell-religiöser Praxis wird dem, was die Erbauer des Hauses oder der Autobahn geschaffen haben, nichts hinzugefügt, vielmehr wird im Angesicht

---

/ Wien / Zürich 1986, 65-83; dazu: E. *Angehrn*, Religion als Kontingenzbewältigung?, in: PhR 34 (1987) 282-290; A. *Engstler*, Die manifeste Funktion der Religion und ihre Relativierung. Zur Diskussion um Hermann Lübbes Religionstheorie, in: PhJ 100 (1993) 145-155; W. *Vögele*, Zivilreligion in der Bundesrepublik Deutschland, Gütersloh 1994, bes. 154-166.
[15] *Lübbe*, Religion 166.

des technisch bzw. institutionell Vollbrachten einfach affirmiert, daß das im Moment Geschehende nichts anderes als eine vom Ozean der Kontingenzen und Unwägbarkeiten umspülte Insel ist. Nach Lübbe lautet die Frage nicht, ob solche Praxis Wahrheit enthält oder auf diese bezogen ist. Er betrachtet die Wahrheitsfrage als im Blick auf die Religion irrelevant. Worauf es ankommt, ist, ob die Religion ihre Funktion der Kontingenzbewältigung durch Kontingenzanerkennung wirklich erfüllt.

Lübbe kann sogar dezidiert von der Religion als Placebo sprechen.[16] Er tut dies nicht etwa, um sie damit zu kritisieren oder zu entlarven, sondern allein, um damit ihre Funktion aufzuzeigen. Religion funktioniert wie ein Placebo, das bedeutet: wenngleich wir wissen, daß sie eine himmlische Medizin nur zu sein vorgibt, uns aber de facto nicht über unsere kontingente Existenz hinaus und zu Heil und Erlösung hinführt, so wirkt sie, als täte sie dies. Sie hilft Menschen, im Angesicht ihres kontingenten Lebens gesund zu bleiben, sie hält uns in Form oder in Funktion, und sie wird solange existieren, wie es die schiere Kontingenz menschlicher Existenz gibt, also solange es überhaupt Menschen gibt. Eine pragmatische Antwort ist dies in der Tat, zugleich eine zynische.

Einerseits nennt Lübbe die Religion zurecht eine Praxis, eine Lebenspraxis. Und er erkennt, daß sie sich vor allem in ritueller Praxis manifestiert. Andererseits trennt er sie strikt von jeder moralischen, sozialen oder politischen Praxis. Er unterstreicht, die Religion habe nichts mit Handeln zu tun, sondern finde eher in unseren Köpfen, in der spirituellen Anerkennung unserer schieren Kontingenz statt. Eine solche Konzeption ist selbstverständlich nicht einfach analytisch und schon gar nicht wertfrei. Sie affirmiert eine leiblose, entfremdete "bürgerliche Religion"[17], die von dem realen Leben und Handeln abgespalten ist, es weder in Frage stellt noch irgendetwas ändert. Ganz im Gegenteil, ihre Funktion besteht präzise darin, alles beim Alten zu lassen, den gegebenen Status quo zu erhalten, zu legitimieren und zu sanktionieren.[18] Insofern stellt

---

[16] Vgl. a.a.O. 219-228; dazu: *H.J. Schneider*, Ist Gott ein Placebo? Eine Anmerkung zu Robert Spaemann und Hermann Lübbe, in: ZEE 25 (1981) 145-147.

[17] Vgl. *J.B. Metz*, Jenseits bürgerlicher Religion, München / Mainz 1980.

[18] Vgl. Luhmanns Distanzierung von der s.E. "problematischen Aufforderung von Hermann Lübbe..., die Kontingenzbewältigung der Religion in der Akzeptanz des nun einmal Gewordenen und nicht mehr zu Änderenden zu sehen", in: *N. Luhmann*, Gesellschaftsstruktur und Semantik. Studien zur Wissenso-

sich die scheinbare Bekräftigung von Religion nach der Aufklärung als eine Verzerrung mindestens der prophetisch-biblischen Religion heraus. Diese wird gebraucht zur Aufrechterhaltung des gesellschaftlich-politischen Status quo. Religion wird nicht um ihrer selbst willen affirmiert, sondern zum Zweck ihres sozialen Nutzens der Stabilisierung der bestehenden Verhältnisse funktionalisiert.

In jenen systemtheoretischen und funktionalistischen Ansätzen, die, wie dies Luhmann und Lübbe tun, ungeachtet ihrer internen Differenzen Religion als Kontingenzbewältigung(spraxis) begreifen, wird diese funktionalisiert und instrumentalisiert. Sie wird inhaltlich entleert und wahrheitsanspruchslos gemacht; ihre Intentionalität wird außer acht gelassen. Religion wird so metatheoretisch als für Restprobleme zuständig zurechtgestutzt, und sie wird zugleich auf Ordnungsreligion reduziert. Wenn von religiöser Praxis die Rede ist, wird diese eigentümlich unpraktisch verstanden und von der alltäglichen Praxis weitestgehend abgekoppelt. Eine solche Religionstheorie reduziert die praktizierte Religion auf ein Schmiermittel im Dienst der Systemerhaltung und -verwaltung.

Gleichwohl ist nicht zu verkennen, daß systemtheoretische und funktionalistische Religionstheorien für die Kirchen eine Versuchung darstellen, nämlich angesichts ihrer nicht nur von einem entchristlichten gesellschaftlichen Umfeld, sondern inzwischen auch im Namen der entinstitutionalisierten postmodernen Religiösität[19] bestrittenen Ansprüche, die Position bereitwillig anzunehmen, die ihnen von der Gesellschaft, wenn überhaupt, einzig noch angesonnen wird, eben Administratoren und Agenten des Kontingenzmanagements zu werden.

ziologie der modernen Gesellschaft Bd. 3, Frankfurt a.M. 1993, 339f Anm 137.

[19] Vgl. *H. Knoblauch*, Die Verflüchtigung der Religion ins Religiöse, in: *T. Luckmann*, Die unsichtbare Religion, Frankfurt a.M 1991, 7-41; *W. Welsch*, Religiöse Implikationen und religionsphilosophische Konsequenzen "postmodernen" Denkens, in: *A. Halder / K. Kienzler / J. Möller* (Hg.), Religionsphilosophie heute, Düsseldorf 1988, 117-129.

II. Religion als rituelle Praxis

Als rituelle Praxis kommt Religion insbesondere in der anglo-amerikanischen Sozialanthropologie in den Blick.[20] Von religionstheoretischem Interesse sind vor allem die Arbeiten Victor Turners, der sich im Anschluß an die klassische Studie Arnold van Genneps über die "rites de passage"[21] mit den Übergangsriten bzw. -ritualen befaßt und daran die Merkmale dessen erarbeitet, was er den "rituellen Prozeß" nennt.[22] Anhand der Übergangsriten macht Turner drei Phasen des rituellen Prozesses aus, in denen zugleich die religiöse Dimension und Bedeutung des Rituals hervortritt.

Für Turner weist der rituelle Prozeß drei Phasen auf: die Trennungs-, die Schwellen- sowie die Angliederungsphase. "In der ersten Phase (der Trennung) verweist symbolisches Verhalten auf die Loslösung eines Einzelnen oder einer Gruppe von einem früher fixierten Punkt der Sozialstruktur, von einer Reihe kultureller Bedingungen (einem 'Zustand') oder von beidem gleichzeitig. In der mittleren 'Schwellenphase' ist das rituelle Subjekt (der 'Passierende') von Ambiguität gekennzeichnet; er durchschreitet einen kulturellen Bereich, der wenig oder keine Merkmale des vergangenen oder künftigen Zustands aufweist. In der dritten Phase (der Angliederung oder Wiedereingliederung) ist der Übergang vollzogen. Das rituelle Subjekt - ob Individuum oder Kollektiv - befindet sich wieder in einem relativ stabilen Zustand und hat demzufolge anderen gegenüber klar definierte, sozialstrukturbedingte Rechte und Pflichten. Man erwartet von ihm, daß es sein Verhalten an traditionellen Normen und ethischen Maßstäben ausrichtet, die alle Inhaber sozialer Positionen in ein System solcher Positionen einbindet."[23]

---

[20] Vgl. *C. Geertz*, Dichte Beschreibung. Beiträge zum Verstehen kultureller Systeme, Frankfurt a.M. [2]1991; *M. Douglas*, Ritual, Tabu und Körpersymbolik. Sozialanthropologische Studien in Industriegesellschaft und Stammeskultur, Frankfurt a.M. 1981.

[21] Erschienen 1909; deutsch: *A. van Gennep*, Übergangsriten, Frankfurt a.M. / New York 1986.

[22] Vgl. *V. Turner*, Das Ritual. Struktur und Anti-Struktur, Frankfurt a.M. / New York / Paris 1989.

[23] A.a.O. 94f.

In den Übergangsritualen, die Turner beim zentralafrikanischen Volk der Ndembu ausgiebig studiert und dokumentiert hat[24], um dann deren generelle Merkmale herauszuarbeiten, geht es *erstens* immer um die Herauslösung aus einer gegebenen Position in der Gruppe, Gemeinschaft bzw. Gesellschaft, *zweitens* um einen Zwischenzustand, in dem das rituelle Subjekt die alte verlassene Position nicht mehr und den neuen Status noch nicht hat und *drittens* um den Zustand, in dem der Übergang vollzogen, ein neuer Ort oder Status erreicht, eine neue, fixierte Position innerhalb der Gruppe, Gemeinschaft bzw. Gesellschaft gewonnen und eingenommen ist.

Den Schlüssel zum Verständnis des rituellen Prozesses liefert die mittlere Phase, der Schwellenzustand, den Turner als "Liminalität" bezeichnet. Die Eigenschaften des Schwellenzustands oder von Schwellenpersonen sind notwendigerweise unbestimmt; Schwellenwesen sind weder hier noch da, sie befinden sich zwischen den gesellschaftlich fixierten Positionen, sie sind nicht in die Sozialstruktur integriert. Aus deren Perspektive erscheinen sie als Außenseiter, als Grenzgänger. Im Zustand der Liminalität aber, und das ist die Pointe von Turners Untersuchungen, ereignet sich für die rituellen Subjekte etwas grundlegendes. Sie machen die Erfahrung einer alternativen Form menschlicher Sozialbeziehungen, die Turner als "Communitas" bezeichnet und der Sozialstruktur entgegenstellt. Während die Sozialstruktur ein strukturiertes, differenziertes, hierarchisch gegliedertes System fixierter politischer, rechtlicher und wirtschaftlicher Positionen darstellt, ist die Communitas eine unstrukturierte und relativ undifferenzierte "Gemeinschaft Gleicher, die sich gemeinsam der allgemeinen Autorität der rituell Ältesten unterwerfen"[25]. In der rituellen Communitas gibt es kein Oben und Unten; im Zwischenstadium der Statuslosigkeit wird egalitäre Gemeinschaft erfahren und praktiziert. Der Schwellenzustand der spontanen, unmittelbaren, konkreten Communitas tritt in Gegensatz zum Statussystem der normenregulierten Sozialstruktur.

Turner entdeckt in der Schwellenphase eine religiöse, sakrale Qualität. Ihm zufolge hat sich die religiöse Qualität des Schwellenzustands in komplexeren Gesellschaften in bestimmten religiösen

---

[24] Vgl. a.a.O. 9-93; *ders.*, The Forest of Symbols. Aspects of Ndembu Ritual, Ithaca (NY)1967.

[25] *Turner*, Ritual 96.

Vollzügen und Institutionen erhalten, wenngleich hier das Liminale zunehmend durch das säkulare Liminoide[26] ersetzt wird. Laut Turner tritt die Übergangsqualität religiösen Lebens nirgends "klarer zutage als im Kloster- und Bettelmönchsleben, das die großen Weltreligionen hervorgebracht haben."[27] Die Mönchs- und Ordensgemeinschaften wären demnach so etwas wie institutionalisierte Liminalität oder Versuche, Communitas auf Dauer zu stellen. Turner weist in diesem Zusammenhang ausdrücklich auf die Ordensregel des heiligen Benedikt hin, und er behandelt die Armutsbewegung des Franz von Assisi unter dem Stichwort der permanenten Liminalität. Für Franziskus war ihm zufolge Religion Communitas. An der franziskanischen Bewegung lassen sich auch die Grenzen und das paradigmatische Schicksal spontaner Communitas aufzeigen. Was dem Gründer als ideale Communitas vorschwebt, braucht zum Überleben eine Struktur, braucht Normen und Regeln, konkret eine Ordensregel und -organisation, über die es bald nach dem Tod des Franziskus zum Streit und zu einer Spaltung des Ordens in Spirituale und Konventuale kommt.

Die existentielle oder spontane Communitas, wie sie im rituellen Prozeß zutage tritt, läßt sich eben nicht auf Dauer stellen. Sie geht, wie Turner sagt, über entweder in normative Communitas oder ideologische Communitas. Beide aber gehören bereits zur Sozialstruktur. In apokalyptischen und millenarischen Bewegungen ist Turner zufolge immer wieder versucht worden, Formen existentieller Communitas gesellschaftlich zu realisieren. Es gilt aber, der Versuchung der Utopisten zu widerstehen und unter den jeweiligen Umständen das richtige Verhältnis zwischen alltäglicher Struktur und außeralltäglicher Communitas zu finden.

Communitas kommt nach Turner auch heute noch in Prozessen, Handlungen und Vollzügen vor, die den Schwellencharakter und die Übergangsqualität religiösen Lebens zum Ausdruck bringen und realisieren. Es sind dies rituelle Handlungen wie die religiösen Übergangsriten z.B. der christlichen Sakramente und die vielen anderen, sei es lebensphasenbestimmten, sei es kalendarischen Riten aller Religionen; es sind dies die in allen Weltreligionen an-

---

[26] Vgl. dazu *V. Turner*, Das Liminale und das Liminoide in Spiel, "Fluß" und Ritual. Ein Essay zur vergleichenden Symbologie, in: *ders.*, Vom Ritual zum Theater. Der Ernst des menschlichen Spiels, Frankfurt 1989, 28-94.

[27] *Turner*, Ritual 106.

zutreffende Praxis der Wallfahrt[28] sowie die Liturgie. "In komplexen Industriegesellschaften finden wir in den Liturgien der großen Kirchen und anderer religiöser Organisationen immer noch Spuren institutionalisierter Versuche, die Entstehung spontaner Communitas zu fördern."[29]

Bobby Alexander unterzieht das Werk V. Turners einer Relektüre, um insbesondere dessen Verständnis des Rituals als eines ebenso elementaren wie transformatorischen menschlichen Handelns gegenüber falschen und verkürzenden Interpretationen zur Geltung zu bringen. Alexander begreift das Ritual als ein Handeln, "das die mit dem gesellschaftlichen Rang gegebenen Grenzen überschreitet, indem es Gemeinschaft schafft und das dem alltäglichen Sozialleben gemeinschaftliche Werte imprägniert"[30]. Das innovatorische Potential des Rituals ist ihm zufolge für Turners Ritualtheorie bestimmend; ihm geht es entscheidend darum, den generativen Charakter des Rituals herauszustellen, was Turner eben dadurch tue, daß er die Liminalität und die Communitas als Dimensionen betrachtet, in denen die bestehende Sozialstruktur suspendiert, kritisiert und mit der alternativen Sozialform egalitärer Beziehungen konfrontiert wird, die den bestehenden Verhältnissen gegenüber ein innovatorisches Potential möglichen Zusammenlebens erschließen und erfahrbar machen. Eben deshalb stellen Rituale ein Potential gesellschaftlicher Transformation dar; sie sind potentiell subversiv und dürfen nicht, wie dies die strukturfunktionalistische Interpretation[31] tut, als kathartische Phänomene begriffen werden, die aufgrund ihrer Ventilfunktion den gesellschaftlichen Status quo stützen und stärken.

---

[28] Vgl. *V. Turner*, Pilgrimage and Communitas, in: Studia missionalia 23 (1974) 305-327; *ders. / E. Turner*, Image and Pilgrimage in Christian Culture: Anthropological Studies, New York 1978.

[29] *Turner*, Ritual 134; vgl. Turners Kritik an der Liturgiereform des II. Vatikanums, das s.E. den rituellen Charakter der römischen Messe zerstört hat: *ders.*, Ritual, Tribal, and Catholic, in: Worship 50 (1976) 504-526.

[30] *B.C. Alexander*, Victor Turner Revisited. Ritual as Social Change, Atlanta (Georgia) 1991, 2.

[31] Dazu zählen die Positionen von *M. Gluckman*, Custom and Conflict in Africa, Glencoe (Ill.) 1965 und *B. Morris*, Anthropological Studies of Religion, Cambridge 1987; vgl. in bezug auf Turner auch *C. Leslie*, Symbolic Behavior, in: Science 168 (1970) 702-704; *R.A. Segal*, Victor Turner's Theory of Ritual, in: Zygon 18 (1983) 327-335.

Tom Driver geht es wesentlich darum, Ritualisierung als eine grundlegende menschliche Tätigkeit zu explizieren und (religiöse) Rituale als menschliche Vollzüge zu analysieren, die zusammen mit konfessorischen und ethischen Vollzügen Grundformen menschlicher Performanz ausmachen.[32] Er versteht Rituale als performative Handlungen, die freilich, wie die Opferrituale zeigen, religiös und moralisch zweideutig sind; darum plädiert er für eine Verbindung der rituellen Performanz mit der konfessorischen und der ethischen. Es gilt ihm zufolge, den rituellen Modus mit dem konfessorischen zu verknüpfen, der s.E. wesentlich existentiell ist, nämlich die eigene Identität anderen erschließt und ihnen gegenüber ausspricht. Der konfessorische treibt laut Driver indessen auf den ethischen Modus hin, den er als bezeugend auffaßt und der selbst sowohl gemeinschaftlich, gesellschaftlich, als auch politisch sei und auf unmittelbar politisches Handeln ziele.

Als soziale Gaben des Rituals entfaltet Driver erstens die der Ordnung, die von der liturgischen bis hin zur Ordnung einer gemeinsam geteilten "Welt" reicht, zweitens die von Gemeinschaft und Solidarität[33] und drittens die "magische" Transformation von Individuen, Gesellschaft und Natur.[34]

Das Verhältnis von Ritualtheorie und ritueller Praxis wird in methodologischer Hinsicht von Catherine Bell reflektiert, wobei sie rituelles Handeln über den Begriff der Ritualisierung analysiert und den Zusammenhang von Ritual und Macht thematisiert.[35] Ritualisierung als Produktion ritueller Akte stellt ihr zufolge eine strategische Handlungsweise dar, die darauf abzielt, die Handlungsträger selbst zu ritualisieren, indem sie diese mit unterschiedlichen Graden der Ritualberherrschung ausstattet und auf diesem

---

[32] *T.F. Driver*, The Magic of Ritual. Our Need for Liberating Rites that Transform Our Lives and Our Communities, San Francisco 1991.

[33] Driver expliziert diese entlang von Turners Begriffen der Liminalität und Communitas; vgl. a.a.O. 157-164; im Anhang finden sich "Some Points in Criticism of Victor Turner" (227-238).

[34] Driver zufolge hat van Gennep die Zusammengehörigkeit von Magie und Religion erkannt: "without magic, religion is powerless. Since the rites of religion are techniques of transformation, Van Gennep realized, when people divorce religion from magic they end up with metaphysics on the one hand, empirical science on the other, and religion gone" (172).

[35] *C. Bell*, Ritual Theory, Ritual Practice, New York / Oxford 1992.

Weg "Erfahrungen und Wahrnehmungen einer erlösenden hegemonialen Ordnung gewährt"[36].

Gegenüber strukturfunktionalistischen Positionen, die Rituale als Mittel sozialer Kontrolle begreifen, insistiert Bell darauf, daß das Ritual nicht kontrolliere, sondern vielmehr eine bestimmte Dynamik sozialer Ermächtigung konstituiere; das Ritual sei selbst eine Macht und es habe an Machtbeziehungen teil. Die Ritualisierung ermächtige nicht nur die, die das Ritual kontrollieren, sie begrenze zugleich deren Macht und gebe den Beherrschten Raum für Protest und Widerstand.

Daß Rituale zugleich ermächtigen und Macht ausüben, macht Bell mit ihrem durch Foucault geschärften Blick deutlich. Von ihrem Ansatz her muß massiv bezweifelt werden, daß, wie Alexander behauptet, alle Rituale das gesellschaftliche Alltagsleben mit kommunitären Werten imprägnieren.[37] Gegen Alexander ist mit Driver von einer Dialektik von ritueller Ordnungsmacht und ritueller Transformation auszugehen. Bells Zugang von der rituellen Praxis aus ist m.E. ritualtheoretisch weiterführend; ihre einseitig strategische Auffassung der Ritualisierung erscheint mir dagegen problematisch. Wenn rituelle Praxis auf strategisches Handeln reduziert wird, bleibt deren kommunikative Dimension aus dem Blick. Außer Ritualen der Macht und der Ermächtigung gibt es aber auch Rituale der Verständigung, in denen sich, sei es vor- oder nachdiskursiv, ein Einverständnis, eine gemeinsame Überzeugung dokumentiert und manifestiert.

Für die theistischen Religionen ist insbesondere der Gottesdienst eine zentrale rituelle Praxis.[38] Die gottesdienstliche Form rituellen Handelns kommt in der philosophisch-theologischen Literatur zumeist unter dem Begriff des Kultes zur Sprache. Richard Schaeffler stellt drei Unterscheidungsmerkmale kultischen Han-

---

[36] A.a.O. 141.

[37] Vgl. D.J. Kertzers Untersuchungen politischer Rituale, der klar herausarbeitet, daß diese sowohl in transformatorisch-revolutionärer als auch in stabilisatorisch-konservativer Weise eingesetzt und vollzogen werden können: *D.J. Kertzer*, Ritual, Politics, and Power, New Haven 1988; *ders.*, Ritual and Politics, in: Journal of Ritual Studies 4 (1990) 349-355.

[38] Vgl. die ritualtheoretisch orientierten Arbeiten von *M. Josuttis*, Der Weg in das Leben. Eine Einführung in den Gottesdienst auf verhaltenswissenschaftlicher Grundlage, München 1991; *H.-G. Heimbrock*, Gottesdienst: Spielraum des Lebens. Sozial- und kulturwissenschaftliche Analysen zum Ritual in praktisch-theologischem Interesse, Kampen / Weinheim 1993.

delns heraus. Kultus ist ihm zufolge *erstens* gottesdienstliche Handlung, *zweitens* Ritualhandlung und *drittens* religiöse Feier.[39]

Phänomenologisch gesehen ist der Kult ein Gemeinschaftshandeln, in dem "Gruppen mittels äußerer Handlungen zu übersinnlichen Mächten in Beziehung"[40] treten. Kult ist damit elementar ein Kommunikationsgeschehen; er ist *erstens* ein Gemeinschaftshandeln einer Handlungsgemeinschaft, die darin zugleich mit einer dinglich oder personal vorgestellten übersinnlichen Macht sowie untereinander kommuniziert und miteinander interagiert. Dies geschieht in der Regel in Form eines regulierten, ritualisierten Handelns, in dem die Kompetenzen und Rollen der Teilnehmer sorgfältig verteilt sind und das ebenfalls rituell regulierter Vorbereitungen bedarf. Das kultische Gemeinschaftshandeln ist *zweitens* räumlich und zeitlich gebunden; es findet in bestimmten Situationen zu festgelegten Zeiten an dafür vorgesehenen Stätten statt. Kult bedient sich *drittens* bestimmter Medien, wobei unter anderem Sprache und Musik, Gesten und Gebärden im Spiel sind und sich bisweilen zu hochkomplexen Riten und Dramen zusammenfügen. Objekt kultischen Handelns sind *viertens* übersinnliche Mächte, denen Anbetung bzw. Verehrung entgegengebracht wird; mit ihnen wird im Fall personal vorgestellter Mächte in Gebet und Opfer kommuniziert. Ziele solchen kultischen Handelns sind *fünftens* zum einen die magische Beeinflussung und Lenkung dinglicher Mächte, zum anderen die personale Kommunikation mit der Gottheit, der gegenüber die Kultgemeinschaft sich erfährt und in Anbetung, Opfer, Bitte und Dank sich konstituiert und artikuliert.

Kult ist eine konstitutive Dimension von Religion und als solche unverzichtbar für eine praktische Religionstheorie. Religion vollzieht sich immer auch in kultischem Rahmen, sie bedarf des rituellen Handelns wie der liturgischen Feier. Kult ist dabei keineswegs nur *expressiv*; er ist nicht nur Ausdruck menschlicher Erfahrungen

---

[39] Vgl. *R. Schaeffler*, Der Kultus als Weltauslegung, in: *B. Fischer u.a.*, Kult in der säkularisierten Welt, Regensburg 1974, 9-62; *ders.*, Kultisches Handeln. Die Frage nach Proben seiner Bewährung und nach Kriterien seiner Legitimation, in: *ders.* / *P. Hünermann*, Ankunft Gottes und Handeln des Menschen (QD 77), Freiburg 1977, 9-50.

[40] *K. Hoheisel*, Art. Kult / Gottesverehrung II, in: LRel 360-361, 360; vgl. *B. Lang*, Art. Kult, in: HrwG III, 474-488.

mit und Betroffenheit von der Gottheit.[41] Ebensowenig ist er nur Ausdruck von Gemeinschaftserfahrungen der Teilnehmer. Kultisches Handeln ist vielmehr wie Religion überhaupt in bestimmter Weise *effektiv*. Der Kult gibt der göttlichen Wirklichkeit Raum und Zeit, verschafft ihr Gegenwärtigkeit in der feiernden Gemeinschaft, erschließt, eröffnet und qualifiziert damit selbst Wirklichkeit. Das kultische Handeln ist gleichzeitig kommunikativ. Es schafft, stärkt und transformiert Gemeinschaft.

Religiös-rituelles Handeln kann freilich nicht nur Communitas stiften, es kann auch zwanghaft-neurotisch im Sinne Freuds werden, es kann zu magischem Effektivitätsdenken und geistlosem Ritualismus verkommen. Kult ist immer wieder von Korrumpierung bedroht, kann zur Demonstration religiöser Machtansprüche degenerieren. Die Machtfrage ist zuinnerst mit dem rituellen Handeln verbunden. Machtförmiges rituelles Handeln ruft die Ritualkritik auf den Plan. In gleicher Weise ist Kult seit jeher verbunden mit Kultkritik, die dessen Rechtmäßigkeit, Wirksamkeit sowie Sittlichkeit infrage stellt. Die Kultkritik bestreitet entweder die Möglichkeit und Gültigkeit kultischen Handelns überhaupt, oder sie zielt wie die prophetische Kultkritik gerade auf den "rechten Gottesdienst", auf das rechte Verhältnis von kultisch-rituellem und ethisch-kommunikativem Handeln. Wo die Kultkritik nicht länger religiös-theologisch bzw. ethisch motiviert für einen besseren, umfassenderen, konsequenteren Gottesdienst eintritt, sondern grundsätzlich wird, wird sie zur Religionskritik.[42] Prophetische Ritual- und Kultkritik ist ein inneres Moment von Religion. Als solche ist sie darauf aus, das rituell-religiöse Handeln an eine umfassendere, ganzheitliche, das ganze Leben der Menschen betreffende religiöse Praxis zurückzubinden und darin einzubinden.

---

[41] Den expressiven Charakter unterstreicht im Anschluß an Schleiermacher und gegen Schaeffler *P. Cornehl*, Theorie des Gottesdienstes - ein Prospekt, in: ThQ 159 (1979) 178-195.

[42] Vgl. die sich eben so verstehende Arbeit von *A. Lorenzer*, Das Konzil der Buchhalter. Die Zerstörung der Sinnlichkeit. Eine Religionskritik, Frankfurt a.M. 1981.

III. Religion und / als kommunikative Praxis

Auf die Grundlegung und Explikation einer Theorie des kommunikativen Handelns zielt Jürgen Habermas in seinen weit ausgreifenden Arbeiten. Diese sind in doppelter Hinsicht von religionstheoretischem Interesse, zum einen, insofern darin die Aufhebung der obsolet gewordenen Religion in kommunikative Ethik behauptet wird, zum anderen sich aber gerade mit Hilfe des von Habermas erarbeiteten bzw. systematisierten handlungstheoretischen Instrumentariums Religion als eine kommunikative Praxis begreifen und entfalten läßt.

Grundbegriff der Habermasschen Theoriekonstruktion ist der des kommunikativen Handelns, den er als für menschliches Zusammenleben fundamental aufzeigen will.[43] Ihm geht es darum, die allgemeinen und notwendigen Bedingungen menschlichen Handelns, dessen Grundorientierungen, die darin erhobenen Geltungsansprüche und die Art und Weise ihrer Einlösung zu rekonstruieren und zu analysieren. Ihm zufolge bildet das verständigungsorientierte, auf Einverständnis zwischen den beteiligten Subjekten ausgerichtete kommunikative Handeln die Basis menschlichen Handelns. Habermas ist daran gelegen, den verständigungsorientierten Sprachgebrauch als originär zu erweisen. Ihm zufolge zielen sprachliche Verständigungsprozesse auf ein Einverständnis, wobei ein kommunikativ erzieltes Einverständnis eine rationale Grundlage besitzt.

Mit dem Begriff des kommunikativen Handelns gehört der der kommunikativen Rationalität zusammen. Er steckt den Rahmen für einen umfassenden Rationalitätsbegriff ab, welcher Vernunft nicht auf ihre kognitiv-instrumentelle Dimension reduziert, sondern vielmehr ihrerseits als auf kommunikative Verständigung abzielend begreift. Die kommunikative Rationalität dient Habermas als normatives Kriterium zur Beurteilung und Kritik solcher gesellschaftlicher Verhältnisse, in denen das erreichte Rationalitätspotential nicht ausgeschöpft bzw. nur einseitig verwirklicht wurde.

Die von Habermas in seiner "Theorie des kommunikativen Handelns" entwickelte Gesellschafts-, Handlungs- und Rationalitätstheorie beinhaltet zugleich eine Theorie der Religion. Diese freilich

---

[43] Vgl. v.a. *J. Habermas*, Theorie des kommunikativen Handelns. 2 Bde., Frankfurt a.M. 1981; *ders.*, Vorstudien und Ergänzungen zur Theorie des kommunikativen Handelns, Frankfurt a.M. 1984.

nicht systematisch ausgeführte Theorie rekonstruiert insbesondere die im Zusammenhang mit der gesellschaftlichen Rationalisierung geschehende Religionsentwicklung. Im Anschluß an Max Weber und Emile Durkheim formuliert er seine religionstheoretische und zugleich religionskritische Position, die zentral die These von der "Versprachlichung des Sakralen"[44] enthält. Demzufolge werden die religiös-metaphysischen Weltbilder im Prozeß der gesellschaftlichen Rationalisierung mit der Entstehung moderner Bewußtseinsstrukturen obsolet. Auf der mit der Moderne erreichten Stufe sozialer Evolution haben sich demnach die einstmals in der Religion zusammengefaßten Dimensionen moralisch-praktischer Rationalität in Recht und Moral ausdifferenziert. Die vor allem in der jüdisch-christlichen Tradition ausgebildete religiöse Brüderlichkeitsethik ist Habermas zufolge in eine "von ihrer erlösungsreligiösen Grundlage entkoppelte kommunikative Ethik"[45] eingegangen und darin in säkularisierter Form aufgegangen.

Die neben ihrer ethischen Ausrichtung wesentlich als rituell verstandene religiöse Praxis ist laut Habermas dadurch obsolet geworden, daß die zunächst von der rituellen Praxis erfüllten sozialen Funktionen der sozialen Integration und der Expression auf das kommunikative Handeln übergehen. Dabei wird die Autorität des Heiligen ihm zufolge schrittweise durch die Autorität eines für begründet gehaltenen Konsenses ersetzt, womit das kommunikative Handeln von sakral geschützten normativen Kontexten gelöst und freigesetzt wird. "Die Entzauberung und Entmächtigung des sakralen Bereichs vollzieht sich auf dem Wege einer Versprachlichung des rituell gesicherten normativen Grundeinverständnisses; und damit geht die Entbindung des im kommunikativen Handeln angelegten Rationalitätspotentials einher. Die Aura des Entzückens und Erschreckens, die vom Sakralen ausstrahlt, die bannende Kraft des Heiligen wird zur bindenden Kraft kritisierbarer Geltungsansprüche zugleich sublimiert und veralltäglicht".[46]

Das skizzierte Religionsverständnis läuft darauf hinaus, daß die Religion einer vergangenen, historisch überholten Entwicklungsstufe der Menschheit angehört, die inzwischen von der Moderne abgelöst ist, womit Religion ihren kognitiven, expressiven und mo-

---

[44] Vgl. *Habermas*, Theorie II, 118ff; dazu die Beiträge von *H. Peukert*, *R.J. Siebert* und *G.M. Simpson*, in: *E. Arens* (Hg.), Habermas und die Theologie.

[45] *Habermas*, Theorie I, 331.

[46] *Habermas*, Theorie II, 118f.

ralisch-praktischen Gehalt einbüßt und sich in kommunikative Ethik auflöst.

In der "Theorie des kommunikativen Handelns" ordnet Habermas die Religionsentwicklung vier Verständigungsformen zu. Während der Verständigungsform archaischer Gesellschaften als Weltbild der Mythos und als kultische Praxis der Ritus entsprechen, gehen in der Verständigungsform hochkultureller Gesellschaften religiöse und metaphysische Weltbilder mit einer sakramentalen Praxis einher. In der Verständigungsform frühmoderner Gesellschaften bleibt ihm zufolge auf der Ebene der Weltbilder eine religiöse Gesinnungsethik, während die kultische Praxis sich zur kontemplativen Vergegenwärtigung auratischer Kunst wandelt.[47] Innerhalb der modernen Verständigungsform wird die Religion schließlich durch eine kommunikative Ethik substituiert.

Habermas wendet sich scharf gegen neokonservative Versuche einer Rückkehr zur Religion, worin die Erneuerung des religiösen Bewußtseins mit der Überwindung der profanisierten Kultur die entschwindenden sittlichen Grundlagen der säkularisierten Gesellschaft wiederherstellen soll. Dem neokonservativen Appell an die zur Kontingenzbewältigung funktionalisierte Religion stellt er radikale Aufklärung entgegen, die sich der von der Aufklärung nicht beantworteten Frage zuwenden müßte, "ob denn in den religiösen Wahrheiten, nachdem die religiösen Weltbilder zerfallen sind, nicht mehr und nicht anderes als nur die profanen Grundsätze einer universalistischen Verantwortungsethik gerettet - und das heißt: mit guten Gründen, aus Einsicht, übernommen werden können"[48]. Mit eben dieser Frage ist aber die vom Obsoletwerden überholter Religion bestimmte Religionstheorie Habermas' selbst angefragt, ob denn die Religion ohne weiteres in kommunikative Ethik auflösbar ist oder ob sich in jener ein Potential verkörpert, das sich

---

[47] Habermas verwendet verschiedentlich den Begriff "rituelle Praxis", beschränkt seine Anwendung indessen im Anschluß an E. Durkheim auf archaische Gesellschaften, die durch diese "spezielle Form der symbolisch vermittelten Interaktion" (II, 84) sakral begründete gesellschaftliche Solidarität sowie kollektive Identität gewinnen und aktualisieren. Den "modernen Beobachter" beeindrucke "die rituelle Praxis durch einen äußerst irrationalen Charakter" (II, 287). Weiter greift Habermas' im Anschluß an M. Weber formuliertes Verständnis kultischer Praxis, die s. E. in entzauberter Form im modernen Kunstgenuß fortbesteht und hier zur "kontemplativen Vergegenwärtigung der auratischen Kunstwerke" (II, 284) wird.

[48] *J. Habermas*, Die neue Unübersichtlichkeit, Frankfurt a.M. 1985, 52.

gegen eine ethische Aufhebung sperrt bzw. diese noch einmal unterläuft.

Es gibt bei Habermas inzwischen vermehrt Äußerungen zur Religion, die seiner systematischen These von deren Obsoletwerden widersprechen.[49] Darin macht sich ein deutlicher Wandel seiner Auffassung bemerkbar, die nicht länger den Anspruch erhebt, Religion sei überholt. Sie spricht zwar weiterhin von der gebotenen Aneignung des religiösen Denkens, ohne jedoch dessen Ab- und Auflösung zu behaupten. Er glaube nicht, so führt Habermas aus, "daß wir Europäer Begriffe wie Moralität und Sittlichkeit, Person und Individualität, Freiheit und Emanzipation... ernstlich verstehen können, ohne uns die Substanz des heilsgeschichtlichen Denkens jüdisch-christlicher Herkunft anzueignen"[50]. Er nimmt die Gefahr wahr, daß dieses semantische Potential ohne sozialisatorische Vermittlung und daran abschließende philosophische Transformation irgendeiner der großen Weltreligionen eines Tages unzugänglich werden könnte. Die rhetorische Kraft der religiösen Rede behält ihm zufolge zumindest solange ihr Recht, solange für die von ihr konservierten Erfahrungen und Innovationen keine überzeugendere Sprache gefunden wird. Die kommunikative Vernunft inszeniere sich "nicht in einer ästhetisch gewordenen Theorie als das farblose Negativ trostspendender Religion. Weder verkündet sie die Trostlosigkeit der Welt, noch maßt sie sich selbst an, irgend zu trösten. Sie verzichtet auch auf Exklusivität. Solange sie im Medium begründender Rede für das, was Religion sagen kann, keine besseren Worte findet, wird sie sogar mit dieser, ohne sie zu stützen oder zu bekämpfen, enthaltsam koexistieren."[51] Ob sie jemals bessere Worte findet, ist offenbar auch für Habermas offen. Einer mit Religion koexistierenden kommunikativen Vernunft dürfte nicht gleichgültig sein, was jene zu ihr zu sagen hat, ja sie

---

[49] Vgl. *J. Habermas*, Nachmetaphysisches Denken, Frankfurt a.M. 1988; *ders.*, Texte und Kontexte, Frankfurt a.M. 1991; *ders.*, Israel und Athen oder: Wem gehört die anamnetische Vernunft? Zur Einheit in der multikulturellen Vielfalt, in: *J.B. Metz / G.B. Ginzel / P. Glotz / J. Habermas / D. Sölle*, Diagnosen zur Zeit, Düsseldorf 1994, 51-64; dazu: *E. Arens*, Theologie nach Habermas. Eine Einführung, in: *ders.* (Hg.), Habermas und die Theologie 9-38; *ders.*, Kommunikative Rationalität und Religion, in: *ders. / O. John / P. Rottländer*, Erinnerung, Befreiung, Solidarität. Benjamin, Marcuse, Habermas und die politische Theologie, Düsseldorf 1991, 144-200.

[50] *Habermas*, Nachmetaphysisches Denken 23.

[51] A.a.O. 185.

müßte an einem Gespräch mit der Theologie Interesse haben, und das insbesondere dann, wenn die Theologie sich selbst auf die kommunikative Vernunft beruft, sie in Anspruch nimmt und auf ihre Potentiale und Grenzen hin befragt.[52]

Habermas' Gegenüberstellung von kommunikativer Vernunft und Religion ist m.E. auch von seinem eigenen Verständnis kommunikativer Rationalität her nicht haltbar, denn die kommunikative Vernunft kann die Religion nicht eo ipso aus sich ausschließen und als etwas nicht zu ihr gehöriges distanzieren. Im Rahmen einer prozeduralen kommunikativen Rationalität kann sich nur aus der Teilnahme an den Prozeduren der Argumentation und im Gespräch bzw. Diskurs der daran Beteiligten erweisen, was die Religion darin einzubringen hat.

Ist Religion zudem nicht selbst im Kern eine Praxis, eine Lebenspraxis, die von Seiten sowie im Rahmen einer Gemeinschaft getan wird, welche in diesem Handeln ihre Verbindlichkeit und Verantwortung zum Ausdruck bringt, die darin Gemeinschaft schafft, erhält und verändert? Könnte nicht, wenn die Verständigungsorientierung das entscheidende Merkmal kommunikativer Praxis darstellt, religiöse Praxis selbst als kommunikativ aufgefaßt werden, wenn und soweit sie eine Wirklichkeit anzielt, in der Menschen nicht strategisch und das heißt machtförmig miteinander umgehen, einander funktionalisieren und instrumentalisieren, sondern sich gegenseitig anerkennen, sich miteinander verbunden und solidarisch aufeinander bezogen erfahren und dem in ihrem Handeln entsprechen? Liegt in solcher Erfahrung und Praxis nicht ein wirklichkeitserschließendes und -veränderndes Rationalitätspotential, das eine kommunikative Vernunft nur um den Preis ihrer Verarmung und Selbstamputierung außer acht lassen könnte, dessen sie sich vielmehr als lebensweltlicher Ressource und kulturellem Kapital bedienen und das sie fruchtbar machen müßte? Ist solche religiöse Praxis aus der Innenperspektive der jeweiligen Angehörigen einer Religionsgemeinschaft nicht als eine kommunikative Glaubenspraxis zu verstehen und zu bestimmen?

M.E. lassen sich vier Formen kommunikativ-religiöser Praxis unterscheiden, die sich in zahlreichen Variationen und Differenzie-

---

52 Eben dies hat H. Peukert grundlegend getan; vgl. seine in Anm. 1 und 2 aufgeführten Arbeiten.; dazu die Beiträge in: *E. Arens* (Hg.), Gottesrede - Glaubenspraxis. Perspektiven theologischer Handlungstheorie, Darmstadt 1994.

rungen in den meisten Religionen finden. Es sind dies *erstens* das Erzählen, *zweitens* das Feiern, *drittens* das Verkündigen und *viertens* das Teilen.

1. Erzählen

Religiöser Glaube muß erzählt werden; das Erzählen von Glaubensgeschichten ist eine grundlegende kommunikativ-religiöse Praxis. Selbst wo die zentralen Inhalte einer Religion in Glaubensbekenntnissen festgehalten sind, so sind diese doch geronnene, "kondensierte Geschichten", "die aus erzählter Geschichte stammen und nach Erzählung ihrer Geschichte verlangen"[53]. Religionen reden von den Göttern bzw. Gott, indem sie von deren oder dessen Handeln erzählen. Die kosmischen Geschehnisse "am Anfang", die Schöpfung der Welt und der Menschen, die Urzeit, der Ursprung des Todes sind Gegenstand religiöser Erzählungen, von Schöpfungs- und Urzeitmythen[54], die in der kommunikativ-religiösen Praxis des Erzählens weitererzählt werden wollen.

Wie vom Anfang so muß auch vom Ende erzählt werden. Darauf wird imaginativ vorgegriffen in Endzeitmythen, in eschatologischen und apokalyptischen Geschichten. Was am Ende der Welt und der Menschen passiert, wird imaginiert in einer Unzahl von Bildergeschichten, sei es in der Form schlichter Erzählungen, sei es in ausladenden Eschatologien und Apokalypsen.

Erzählen ist m.E. eine grundlegende Form kommunikativ-religiöser Praxis in dreifacher Hinsicht: *Erstens* sind die zentralen religiösen Inhalte: das urzeitliche und endzeitliche Handeln der Götter bzw. Gottes nur narrativ nachvollziehbar. *Zweitens* ist jede Religionsgemeinschaft zur eigenen Selbstverständigung und Identitätsfindung zwar auf Lehrtexte angewiesen; ihre Praxis geht aber keineswegs darin auf. Religion muß vielmehr immer wieder aus den in diesen Texten kondensierten Geschichten verstanden und in sie hinein verflüssigt, eben kontextuell transformiert werden.

Drittens ist Erzählen grundlegend für Religion, weil nur so die Geschichte der Götter bzw. Gottes mit den Geschichten der Menschen verknüpft werden kann, weil sie überliefert werden muß. Sie

---

[53] *I.U. Dalferth*, Religiöse Rede von Gott, München 1981, 659.

[54] Zur theologisch notwendigen Mythenhermeneutik und -kritik vgl. *I.U. Dalferth*, Jenseits von Mythos und Logos. Die christologische Transformation der Theologie (QD 142), Freiburg 1993.

kann aber nur tradiert werden als unabgeschlossene Geschichte, in die sich die Gläubigen einschreiben und die sie weiterschreiben. Nicht nur der jüdisch-christliche, sondern jeder religiöse Glaube hat also eine "narrative Tiefenstruktur"[55].

Das Erzählen von Geschichten ist eine kommunikative Praxis. Zum einen geschieht etwas in diesen Geschichten, *wovon* sie erzählen: sie verknüpfen Ereignisse zu einer "story". Gleichzeitig geschieht aber auch etwas *beim* Erzählen solcher Stories. Unübertrefflich ist dies in der bekannten chassidischen Geschichte darüber, wie man Geschichten erzählen soll, zum Ausdruck gebracht.[56]

Erzählen ist eine kommunikativ-religiöse Praxis, wenn und soweit die Inhalte und Intentionen einer Religion darin thematisch und praktisch zur Sprache kommen. Wer religiöse Geschichten erzählt, auf gegenwärtige Handlungssituationen bezieht und in sie hinein erweitert und auslegt, macht ein Angebot zum Verständnis aktueller Situationen. Kommunikativ-religiöse Praxis besteht in solchen Angeboten und Einladungen. Das Erzählen bestimmter Geschichten ist eine kommunikativ-religiöse Praxis, weil Religion in diesen Geschichten lebt und weitergegeben wird, weil ihre zentralen Inhalte und Intentionen darin erinnert und vergegenwärtigt werden.

2. Feiern

Eine zweite grundlegende Form kommunikativ-religiöser Praxis ist das Feiern.[57] In allen Religionen hat der Dienst an den Gottheiten oder der Gottheit den Charakter der Feier. Gottesdienst muß gefeiert werden, und insofern ist Feiern die adäquate Form gottesdienstlichen Handelns. Zu den Wesensmerkmalen kultischer Handlungen gehören laut Schaeffler, daß diese "Gedächtnis- und Vergegenwär-

---

[55] *J.B. Metz*, Glaube in Geschichte und Gesellschaft, Mainz [5]1992, 187.

[56] Martin Buber schreibt dazu in der Einleitung zu den von ihm herausgegebenen "Erzählungen der Chassidim": "Das Erzählen ist selber Geschehen, es hat die Weihe einer heiligen Handlung [...] die Erzählung ist mehr als eine Spiegelung: die heilige Essenz, die in ihr bezeugt wird, lebt in ihr fort. Wunder, das man erzählt, wird von neuem mächtig." (*M. Buber*, Werke Bd. 3, München / Heidelberg 1963, 69-738, 71).

[57] Vgl. *V. Turner* (ed.), Celebration. Studies in Festivity and Ritual, Washington (DC) 1982; *J. Assmann / T. Sundermeier* (Hg.), Das Fest und das Heilige. Religiöse Kontrapunkte zur Alltagswelt, Gütersloh 1991.

tigungszeichen einer zuvor von der Gottheit gewirkten Gründung"[58] sind, in denen das göttliche Ursprungsgeschehen wirkkräftig erscheint. Im kultischen Gottesdienst wird der göttliche Ursprung und damit zugleich die epiphanische Gegenwart der Gottheit rituell begangen und liturgisch gefeiert.

Gottesdienstliches, kultisch-rituelles Handeln als Feiern ist eine konstitutive Dimension von Religion und als solche unverzichtbar für eine praktische Religionstheorie. Religion vollzieht sich immer auch in kultischem Rahmen, sie bedarf des rituellen Handelns wie der liturgischen Feier. Religion ist, christlich-theologisch verstanden, menschliche Tätigkeit als antwortende Reaktion auf Gottes jedem menschlichen Tun vorausgehendes bzw. zuvorkommendes Schöpfungs-, Erwählungs- und Versöhnungshandeln. Dieses wird in der kultischen Feier erinnert und vergegenwärtigt, dramatisiert und inszeniert im antizipatorischen Vorgriff auf Gottes Vollendungshandeln.

Gottesdienst-Feiern ist, wie oben angesprochen, nicht nur expressiver Ausdruck menschlicher Erfahrungen mit und Betroffenheit von Gott. Es ist ebenfalls nicht nur Expression von Gemeinschaftserfahrungen der Teilnehmer, die freilich dazugehören, insofern es immer auch Feiern in und von Gemeinschaft darstellt. Gottesdienstliches Handeln ist vielmehr in bestimmter, und zwar in performativer Weise effektiv: es vergegenwärtigt und bewirkt, was es ausspricht und begeht. Dabei bleibt kultisches Tun zum einen "Praxis der Hoffnung, die sich beschenken läßt, seine Effizienz ist Ausübung von Dienst"[59]. Indem es Gottes Handeln vergegenwärtigt, erzählt und feiert, ist es zugleich eine wesentliche Form kommunikativ-religiöser Praxis.

3. Verkündigen

Eine dritte Grundform kommunikativ-religiöser Praxis ist das Verkündigen. Durch Verkündigen werden die religiösen Inhalte mitgeteilt, damit sie geteilt werden. Verkündigen ist eine Praxis religiöser Subjekte, die von Priestern und Propheten, amtlichen und charismatischen Predigern ausgeübt werden kann. Verkündigen macht

[58] *Schaeffler*, Kultus 21.
[59] *Schaeffler*, Kultisches Handeln 42; vgl. *R. Zerfaß*, Gottesdienstliches Handeln, in: *E. Arens* (Hg.), Gottesrede 110-130.

die Inhalte einer Religion bekannt und ist insofern informativ. Dies geschieht freilich nicht im Sinne neutraler Information, sondern einer engagierten Mitteilung, die darauf aus ist, daß sich die Adressaten das Mitgeteilte zu eigen machen. Verkündigen ist zugleich immer kommunikativ und situativ. Sie hebt darauf ab, ihre religiöse Botschaft den Adressaten nahezubringen, sie in die Situation ihrer Hörer hineinzubringen und darin fruchtbar werden zu lassen. Im Verkündigen steckt damit ein missionarisches Element. Verkündigen zielt darauf, Menschen von einer Religion zu überzeugen bzw. sie in einer bereits gewonnenen Glaubensüberzeugung zu bestärken, diese zu verteidigen, zu festigen oder zu vervollkommnen. Gehört das missionarische Verkündigen zur kommunikativen Praxis jeder Religion, so haben die einzelnen Religionen allerdings sehr unterschiedliche Auffassungen und Arten von missionarischer Praxis entwickelt. Monotheistisch-prophetische Religionen sind eher offensiv missionarisch, während die polytheistischen bzw. nichttheistischen Religionen des Ostens keine Mission im westlichen Sinne kennen. Die aus dem indischen Kulturraum stammenden "mystischen Religionen"[60] setzen im Unterschied zu den prophetischen Religionen aus dem semitischen Kulturraum weder auf Bekehrung noch auf Bekenntnis, sondern vielmehr auf Erfahrung und Erleuchtung, auf Einsicht in die Beschaffenheit, Unbeständigkeit bzw. Nichtigkeit der menschlichen, weltlichen sowie kosmischen Existenz. Aber auch diese Einsichten sind in heiligen Texten kodifiziert. Es sind dies von den Religionsstiftern und -lehrern verkündigte Einsichten, die von deren Anhängern, von religiösen Lehrern und Predigern, von Mystikern und Mönchen verkündigt, verbreitet und weitergetragen werden.

Neben dem missionarischen begegnet ein zweites Moment des Verkündigens vor allem in den semitisch-westlichen Religionen. Dieser Aspekt hat den abrahamitischen Religionen die gemeinsame Bezeichnung als prophetische Religionen eingebracht. In der Tat ist für Judentum, Christentum und Islam die prophetische Verkündigung ein wichtiges Element. Der Prophet ist zuallererst der, der Gottes Wort und Weisung verkündet, der Gottes Offenbarungs- und Heilswort wie sein Gerichtswort autoritativ-charismatisch vorbringt und vertritt.

Prophetisches Verkündigen geschieht, wo Menschen im Namen Gottes Einspruch gegen die herrschenden Verhältnisse erheben, wo

---

[60] So. *F. Heiler*, Das Gebet, München [5]1923, 255-258.

sie in Gottes "Rechtsstreit" mit der Welt bzw. den "Götzen" eingreifen und für ihn Partei ergreifen. Der prophetische Verkündiger stellt die herrschenden Verhältnisse vor Gottes Gericht, tritt als dessen Ankläger gegen das Unrecht auf und verkündet zusammen mit Gottes Einspruch seine Verheißung einer neuen, gerechten und menschenfreundlichen Ordnung. Prophetisches Verkündigen beinhaltet Einspruch gegen geschehendes politisches, soziales, ökonomisches und religiöses Unrecht. Die "Anklage des sündigen Zustands" geht dabei einher mit der "Ankündigung einer neuen Welt"[61]. Prophetisches Verkündigen stellt die "Welt" vor Gottes Gericht und klagt sie an, klagt zugleich Recht ein für die Opfer. Dieses prophetische Element des Verkündigens ist charakteristisch für die abrahamitischen Religionen, aber es finden sich Zeugnisse dafür auch in den östlichen.[62]

4. Teilen

Eine wichtige Form kommunikativ-religiöser Praxis ist schließlich das Teilen. Es ist dies ein allgemeinerer Terminus für das, was - christlich gesehen - diakonische Praxis heißt. Eine solche Praxis der Nächstenliebe, des Mitleidens, des Erbarmens, der Solidarität ist für alle Religionen zentral; sie gehört überall zum ethischen, kommunikativen Kern der Religion. Die Praxis des Teilens schafft, stärkt und transformiert in ganz besonderer Weise Gemeinschaft. Teilen als Wohltätigkeit üben (*Zakat*) ist eine der fünf "Säulen des Islam". *Karuna* als Erbarmen, tätiges Mitgefühl und Mitleiden ist eine der Grundeigenschaften des Buddhas und eine der Haupttugenden des Buddhismus. Judentum wie Christentum unterstreichen die Verpflichtung, die Güter der Erde solidarisch zu teilen, Ungleichheiten auszugleichen, für die Nächsten einzustehen und ihnen in Not, Bedrängnis und wo ihnen Unrecht geschieht, beizustehen.

---

[61] *J. Comblin*, Das Bild des Menschen, Düsseldorf 1987, 37; vgl. *R.K. Fenn*, Liturgies and Trials, Oxford 1982, 49: "In its prophetic language, then, religion places the world on trial."
[62] Vgl. nur die Person und Praxis M. Gandhis; dazu: *R. Iyer*, The Moral and Political Thought of Mahatma Gandhi, Oxford 1973; *I. Jesudasan*, A Gandhian Theology of Liberation, Maryknoll (NY) 1984, oder den thailändischen Buddhisten Buddhadasa Bhikkhu; dazu: *S. Sivaraksa*, A Buddhist Vision for Renewing Society, Bangkok 1986; *ders.*, A Socially Engaged Buddhism, Bangkok 1988.

Alle Religionen haben ihre Vorstellungen darüber, daß und wie die Güter der Erde, die materiellen wie die spirituellen, die sozialen wie die gemeinschaftlichen Güter zu teilen sind. Teilen "ist hier nicht im Sinne eines gelegentlichen Tuns gemeint, sondern als eine bestimmte Form des Miteinander-Lebens und -umgehens insgesamt. Es ist Ausdruck eines tiefreichenden Bewußtseins von Solidarität. Von anderen (Vor-)Formen solidarischen Handelns, wie etwa dem 'Helfen', unterscheidet es sich dadurch, daß 'Helfen' voraussetzt, daß der eine über etwas verfügt, was dem anderen fehlt und mit dem er ihm darum etwas zugute kommen lassen kann, während 'Teilen' heißt, in der Begegnung mit dem bedürftigen Anderen auch eigene Bedürftigkeiten und die Verstricktheit in das Schicksal des Anderen zu erkennen und so sich allererst als in einem reziproken Verhältnis zueinander stehend zu erfahren, was dann in einem jeweiligen Anteilgeben an dem eigenen (nicht nur materiellen) Vermögen zu einer wirklichen gemeinsamen Gestaltung der Lebenspraxis befähigt. Teilen ist - so verstanden - die wohl radikalste Form kommunikativer Praxis, insofern die Beteiligten aneinander Anteil nehmen und geben."[63]

IV. Aufgaben einer praktischen Religionstheologie

Beim Durchgang durch verschiedene religionstheoretische Ansätze und Konzeptionen hat sich folgender Befund ergeben: Systemtheoretische und funktionalistische Positionen nehmen zwar ein wichtiges Moment von Religion, der es in der Tat immer auch um den Umgang mit sowie die Bewältigung von Endlichkeit und Zufälligkeit, Leiden und Sinnlosigkeit geht, in den Blick; insofern sie Religion inhaltlich entleeren, ihres Wahrheitsanspruchs entledigen und, von der alltäglichen Praxis abgekoppelt, für gesellschaftliche wie individuelle Kontingenzprobleme funktionalisieren, erweisen sie sich allerdings als für eine praktische Religionstheorie zu reduktionistisch. Ritualtheoretische Konzeptionen stellen demgegenüber entscheidende Dimensionen und Elemente religiöser Praxis heraus, zeigen diese als gemeinschaftsbezogen und gemeinschaftlich, wirklichkeitserschließend, -ordnend und -verändernd auf, kennzeichnen sie als prekären Umgang mit und Gebrauch von Macht, die darin

---

[63] *N. Mette*, (Religions-)Pädagogisches Handeln, in: *E. Arens* (Hg.), Gottesrede 164-184, 182.

sowohl ermächtigend wirkt als auch Machtansprüche erhebt. Ein Verständnis von Religion als verständigungsorientierter sowie auf Einverständnis basierender kommunikativer Praxis scheint in der Lage, einerseits die Einsichten der Ritualtheorien aufzunehmen und dabei andererseits der Zweideutigkeit ritueller Praxis als eines sowohl kommunikativ-kommunialen, transformatorischen als auch latent machtförmigen Handelns Rechnung zu tragen und von daher dieses noch einmal ethisch-kritisch zu reflektieren und zu integrieren.

Ein kommunikations- bzw. handlungstheoretisches Verständnis von Religion erkennt in dieser ein Kommunikationsgeschehen bzw. eine kommunikative Praxis von Subjekten, die in ihrem kommunikativen, kommunialen und kritischen Handeln in ihren jeweiligen Situationen und Kontexten mittels bestimmter Texte und Medien eine in theistischen Religionen "Gott" genannte Wirklichkeit behaupten, bezeugen und bekennen, die sie in ihrer eigenen Praxis mitteilen in der Absicht, daß deren Erfahrung geteilt werde und mit dem Ziel, daß durch diese als erlösend und befreiend erfahrene und bezeugte Wirklichkeit die menschliche, weltliche sowie kosmische Wirklichkeit auf sie hin transformiert werde. Religion wäre dementsprechend elementar als eine Praxis zu bestimmen und zu analysieren, die eine intersubjektive, eine objektive, eine kontextuelle, eine mediale sowie eine intentionale Dimension umfaßt, wobei diese Dimensionen als ineinandergreifende, nicht aufeinander reduzierbare Elemente von Religion in einer praktischen Religionstheorie zu explizieren wären.

Im Blick auf eine vorläufig so umrissene praktische Religionstheorie und eine entsprechende Religionstheologie erscheint es mir geboten, vordringlich an folgende Fragestellungen und Arbeitsaufgaben heranzugehen:

Erstens ginge es darum, den hinsichtlich seiner Brauchbarkeit und Reichweite strittigen Religionsbegriff[64] in interkultureller sowie interreligiöser Perspektive zu präzisieren, wobei sich m.E. ein ritualtheoretische Einsichten integrierendes, kommunikations- bzw. handlungstheoretisches Verständnis von Religion am ehesten anbietet, weil von ihm erwartet werden kann, daß es deren Subjek-

---

64 Vgl. dazu etwa *W.C. Smith*, The Meaning and End of Religion, New York 1964; *N. Smart*, Worldviews. Crosscultural Explorations of Human Belief, New York 1983; *F. Wagner*, Was ist Religion?, Gütersloh [2]1991; *W. Kerber* (Hg.), Der Begriff der Religion, München 1993.

te, Inhalte, Orte, Medien und Intentionen weder voneinander iso-
liert, noch aufeinander reduziert, sondern diese vielmehr gemeinsam in Betracht zieht und ihnen zusammen gerecht zu werden
versucht, um aus der Kombination dieser Elemente einen differen-
zierten Zugang zu solchen Phänomenen zu gewinnen, auf die sich
sinnvollerweise die Bezeichnung "Religion" anwenden läßt.

Zweitens wäre zur Erarbeitung eines sowohl empirisch gehalt-
vollen wie kriteriologisch relevanten Religionsbegriffs genauer auf
den normativen Kern von Religion bzw. religiöser Praxis zu reflektieren, die zwar sowohl von systemtheoretischer und funktio-
nalistischer wie von ritualtheoretischer und handlungstheoretischer
Seite als transformatorisch angesehen wird, wobei indessen eingehender zu untersuchen wäre, was diese Transformation ausmacht,
ob und inwieweit sie gerade auch im Blick auf die und in Auseinandersetzung mit der Machtanfälligkeit religiösen wie menschlichen Handelns überhaupt erfolgt, was in dieser Transformation vor
sich geht, womit und woraufhin sie geschieht?[65]

Drittens wäre es angebracht, die religionstheoretische bzw. -
analytische Beobachterperspektive - deutlicher als bislang geschehen - von der Teilnehmerperspektive der Angehörigen einer Religionsgemeinschaft und deren Reflexion in einer jeweils religionsspe-
zifischen Religionstheologie zu differenzieren, wobei es zugleich
darum ginge, beide Zugänge aufeinander zu beziehen, um so die
Reichweite, Ansprüche und Grenzen religionstheoretischer bzw.
religionstheologischer Untersuchungen herauszustellen und um in
religionstheologischer Perspektive die in der jeweiligen Glaubenspraxis einer konkreten Religionsgemeinschaft erfahrene, behauptete und bezeugte Wirklichkeit zu in anderen Religionen geschehenden Wahrnehmungen von und Formen des Umgangs mit Wirklichkeit in Beziehung zu setzen mit dem Ziel der Anerkennung der
anderen sowie der Verständigung mit ihnen.[66]

---

[65] Hier wäre eine Auseinandersetzung mit den Arbeiten John Hicks angezeigt,
der in abstraktiv globalisierender, religionenübergreifender Perspektive und
Absicht in immer neuen Anläufen Religion als Transformation von der Selbst-
bezogenheit zur Zentrierung auf die letzte Wirklichkeit bestimmt; vgl. *J. Hick*,
God and the Universe of Faiths, London 1973; *ders.*, An Interpretation of Religion. Human Responses to the Transcendent, London 1989.

[66] Hier hätte eine kritische Diskussion der "pluralistischen Religionstheologie"
ihren Ort; vgl. dazu die in Anm. 64 aufgeführten Arbeiten Hicks sowie *R.
Bernhardt* (Hg.), Horizontüberschreitung. Die Pluralistische Theologie der Religionen, Gütersloh 1991; *M. von Brück / J. Werbick* (Hg.), Der einzige Weg

Viertens wäre herauszuarbeiten, wie eine adäquate kommunikative Glaubenspraxis unter den gegenwärtigen gesellschaftlich-kulturellen Bedingungen in unterschiedlichen Kontexten aussieht, ob und wie sie als rituelle, kommuniale und kritische Praxis angesichts der heute weltweit um sich greifenden und zunehmend globale Formen annehmenden Enttraditionalisierung, Entritualisierung, Entinstitutionalisierung und also Individualisierung[67] weiterhin möglich ist, wobei noch einmal zu fragen wäre, ob dieser Prozeß zwangsläufig so weitergeht und ob aus ihm nicht gerade neue Traditionen, Rituale, Institutionen und Gemeinschaften hervorgehen; in jedem Fall wäre zu untersuchen, wie die kommunikative Glaubenspraxis in kreativer, kritischer und transformatorischer Weise auf solche Prozesse und Erfahrungen bezogen werden kann, so daß sie darin die Ressourcen, Praxen und Visionen religiöser Traditionen narrativ und liturgisch, prophetisch-missionarisch, diakonisch-solidarisch und nicht zuletzt diskursiv einzubringen vermag.

Fünftens ginge es schließlich darum aufzuzeigen, daß die religionstheologisch zu reflektierende gegenwärtige Glaubenspraxis in vielfältigen Formen und Gestalten vorkommt, daß sie sich einerseits nicht im Vollzug konventioneller religiöser Praktiken erschöpft, daß und worin sie sich andererseits von postmoderner Religiosität und religiösem Fundamentalismus abhebt, abgrenzt und als kommunikative Glaubenspraxis normativ begründet, behauptet und bewährt.

---

zum Heil? Die Herausforderung des christlichen Absolutheitsanspruchs durch pluralistische Religionstheologien (QD 143), Freiburg 1993.

[67] Vgl. in bezug auf das mitteleuropäische Christentum etwa *F.-X. Kaufmann*, Religion und Modernität, Tübingen 1989; *K. Gabriel*, Christentum zwischen Tradition und Postmoderne (QD 141), Freiburg 1992.

VII
Kommunikative Praxis, die Offenheit der Geschichte und die Dialektik von Gemeinschaft und Herrschaft

von Matthew L. Lamb, Boston

Es gibt zwei Aspekte kommunikativer Praxis, die die moderne Aufklärung wie die gegenwärtigen postmodernen Horizonte dazu herausfordern, sich zu erweitern. Der erste ist, wie Helmut Peukert gezeigt hat, die Bedeutung der Offenheit der Geschichte, die sich in der anamnetischen Solidarität hin auf die Erlösung öffnet. Die Vergangenheit ist nicht abgeschlossen, genausowenig wie die Zukunft. Um dies zu verstehen, werde ich im ersten Teil darlegen, daß Natur und Geschichte beide als geordnete Ganze zu verstehen sind, so daß man eine Ontologie oder Metaphysik erhält, die für das Neue offen ist.

Wir müssen erst noch in seiner Fülle begreifen, daß das von Einstein und Heisenberg[1] erschlossene vierdimensionale Universum die Newtonsche Trennung von Raum und Zeit, die das moderne historische Bewußtsein tief beeinflußt hat, dekonstruiert. Eine Ironie des Historismus liegt darin, daß er nicht nur ein Überbleibsel des Nominalismus, sondern ebenso des Newtonschen Weltbilds darstellt, das mit den Vorurteilen einer Verwerfung der Vergangenheit seitens der Aufklärung so gut zusammenspielt.

Der zweite Teil wird dann Elemente in der Gemeinschaft der Kirche skizzieren, die als eine das kommende Reich bzw. die Herrschaft (*basileia*) Gottes erwartende, jenen Reichen der Geschichte entgegensteht, die nicht auf Glaube, Hoffnung und agapischer Liebe gebaut sind, sondern auf Macht und Herrschaft. Die kommunikative Handlungstheorie braucht die Theologie, um einen Begriff von Wahrheit als Weisheit statt als beherrschender Macht zurückzugewinnen.

---

[1] Vgl. *P. Heelan*, Quantum Mechanics and Objectivity, Den Haag 1968; *S.W. Hawking*, Eine kurze Geschichte der Zeit, Reinbek 1989; *S. Toulmin / J. Goodfield*, The Discovery of Time, Chicago ³1982.

1. Zeit und die Offenheit von Natur und Geschichte

In griechischen sowie mittelalterlichen Kontexten wäre ein Terminus wie "kommunikative Praxis" redundant. Für diese Kontexte ist "Praxis" die spezifisch menschliche Weise des Handelns, wobei das Gute dem Vollzug selbst immanent ist; und dies kann nur unter rationalen, das heißt kommunikativen "Tieren" geschehen. Die Hinzufügung des Adjektivs "kommunikativ" ist nur in modernen Kulturen erforderlich, in denen die Praxis aufgrund des Empirismus und des Positivimus zu einem bloß äußeren Handeln bzw. Verhalten entwertet worden ist. Kommunikation ist, wie Jürgen Habermas herausgestellt hat, ein anderer Name für menschliche und menschenwürdige Rationalität. Die empiristische Reduktion von Praxis auf rein äußere Akte hängt mit der Verunglimpfung von Theorie zusammen - als ob die Forderung nach Gerechtigkeit mit der Forderung nach Intelligenz in actu nicht zuinnerst verbunden sei. Die Praxis intellektueller Forschung ist, wie die Natur- und Humanwissenschaften illustrieren, eine höchst wichtige Dimension emanzipatorischer Geschichte.

Helmut Peukert hat gezeigt, daß die von den kommunikativen Handlungstheorien beanspruchte Universalität eine anamnetische Solidarität mit den toten Opfern der Geschichte erfordert. Das Verlangen nach vollkommener Gerechtigkeit und anamnetischer Solidarität im Guten findet seine angemessene Basis allein in der durch den religiösen Glauben eröffneten Transzendenz. Die Humanwissenschaften und das gesamte Projekt der Moderne sind ohne ernsthafte theologische Weisheit unvollendet.[2] Wie Edmund Arens und andere gezeigt haben, treibt dieses Anliegen die Theorie des kommunikativen Handelns über die Begrenzungen hinaus, die mit den agnostischen und neokantischen Voraussetzungen von Jürgen Habermas gegeben sind.

Habermas erkennt dies in der Tat selbst an. Er schreibt, daß er von Theologen wie Johann Baptist Metz und Helmut Peukert intellektuell herausgefordert wird, von jenen, die die rein formalen und säkularistischen Kontexte seines Werkes kritisieren, indem sie auf

---

2 Vgl. *H. Peukert*, Wissenschaftstheorie - Handlungstheorie - Fundamentale Theologie, Frankfurt a.M. [2]1988, 267-274, 317-355; vgl. auch *ders.*, Kommunikatives Handeln, Systeme der Machtsteigerung und die unvollendeten Projekte Aufklärung und Theologie, in: *E. Arens* (Hg.), Habermas und die Theologie, Düsseldorf [2]1989, 39-64.

die theologischen Grundlagen des ethischen Diskurses insistieren und indem sie von Dingen sprechen, die er als Philosoph und Agnostiker nicht weiß.[3]

Eine fundamentale Frage bei jeder konsistenten Rückgewinnung eines vormodernen Verständnisses von Theorie und Praxis betrifft das Ausmaß, in dem es sich bei der kommunikativen Handlungstheorie nur um eine neokantische prozedurale Ethik handelt, die dazu unfähig ist, die substantiellen ethischen Orientierungen der klassischen griechischen, römischen und mittelalterlich-christlichen Kulturen zu kommunizieren.

Anders gefragt: ist die universalistische Ausrichtung der kommunikativen Handlungstheorie in der Lage, diese sowohl in diachronischer wie in synchronischer Hinsicht zu handhaben? In welchem Ausmaß teilen kommunikative Handlungstheorien das aufklärerische Ideal von Rationalität als traditionsloser Forschung? In dem Maße wie sie dieses Ideal teilen, widersprechen sie dem Grundinteresse an Kommunikation. Die Vergangenheit und die Tradition werden in ihrer Fähigkeit, unsere Gegenwart herauszufordern und in Frage zu stellen, auf wirksame Weise zum Schweigen gebracht. Die Toten werden aller möglichen Absichten und Zwecke wegen exkommuniziert. Die menschliche Einheit der Kommunikation ist zerbrochen. Die Gespräche und Debatten, die die Geschichte der menschlichen Zivilisationen, Philosophien und Religionen konstituieren, sind unterbrochen durch die Verwerfung der Vergangenheit als "unaufgeklärt", als hoffnungsloses Produkt "dunkler Zeiten".

Der ernsthafte Dialog, der die wirkliche Dialektik ausmacht, ist durch eine vorschnelle Zurückweisung der politischen und intellektuellen Errungenschaften der Vergangenheit abgebrochen. Es gibt viele Wege, die Toten zum Schweigen zu bringen. Der gebräuchlichste ist jener der "Besserwisserei" der Moderne gegenüber der Antike. Einander widersprechende Grabinschriften legen von den Verzerrungen Zeugnis ab: das Ende der klassischen Metaphysik wird proklamiert, während sie im nächsten Atemzug der Seinsver-

---

[3] Vgl. *E. Arens*, Christopraxis. Grundzüge theologischer Handlungstheorie (QD 139), Freiburg 1992, 110-129; dazu seine schöne Einleitung in: *ders.* (Hg.), Habermas und die Theologie, 9-38; vgl. auch *J. Habermas*, Exkurs: Transzendenz von innen, Transzendenz ins Diesseits, in: *ders.*, Texte und Kontexte, Frankfurt a.M. 1991, 127-156, 134f, wo er auf verschiedene der in dem von Arens herausgegebenen Band enthaltenen Aufsätze antwortet.

gessenheit beschuldigt wird; der Fortschritt wird ausgerufen, nur um sich in einen Nihilismus mit glücklichem Ausgang zu verwandeln.

In der Tat decken ernstzunehmende philosophische und theologische Transformationen der kommunikativen Handlungstheorie die systematischen Verzerrungen der Kommunikation im Zuge der Privatisierung und Negierung des religiösen Glaubens und der religiösen Praxis in der Aufklärung auf. Der Verlust der Theologie als einer ernstzunehmenden Mitarbeiterin am Unternehmen der Natur- und Humanwissenschaften hat die Bemühungen jener Wissenschaften bei ihren praktischen Aufgaben der Veränderung von Gesellschaften systematisch untergraben. Beim Empirismus und Instrumentalismus handelt es sich nicht bloß um Abstraktionen; mit ihrem Verlust der klassischen Differenz zwischen Technik und Praxis treten sie in den nachaufklärerischen Kulturen, die die Maschine über den Menschen erheben, deutlich zutage. Auf allen Gebieten der Politik, der Kultur, der Kunst und der Religion gibt es eine Dominanz der Prozedur gegenüber der Substanz, der Produkte gegenüber der Freundschaft, der Rollen und Fertigkeiten gegenüber den Tugenden.[4]

Ein Hauptgrund für die Mechanisierung und Fragmentierung der modernen und postmodernen Kulturen liegt im Verlust der Weisheit. Die moderne Wissenschaft hat das menschliche Wissen vom Empirischen und Partikularen immens erweitert. Aber es gibt keine kognitive und philosophische Vermittlung des Ganzen. Die traditionelle Aufgabe der Weisheit, alle Dinge im Lichte des Ganzen der Wirklichkeit zu ordnen, ist für nutzlos erklärt worden.

Dies ist der gewöhnliche Grabgesang vom "Ende der Metaphysik" in der Moderne. In der Tat besteht eine Gefahr der modernen Epoche genau in der Tendenz, jede Ordnung der Dinge als nicht der Liebe zur Weisheit, sondern dem verzerrten Verlangen nach Macht entspringend zu betrachten. Adornos negative Dialektik macht auf die Gefahr einer machtzentrierten Totalität, die eine Lüge darstellt, aufmerksam. Doch braucht die Metaphysik nicht von ihrem Mißbrauch her bestimmt zu werden, genausowenig wie

---

[4] Vgl. *C. Taylor*, Sources of the Self: The Making of the Modern Identity, Cambridge (MA) 1989; *A. MacIntyre*, Der Verlust der Tugend. Zur moralischen Krise der Gegenwart, Frankfurt a.M. / New York 1987; *N. Postman*, Das Technopol. Die Macht der Technologien und die Entmündigung der Gesellschaft, Frankfurt a.M. 1992.

die Wissenschaft oder die Religion nur von den Mißbräuchen, die mit ihnen betrieben wurden, her definiert werden sollten. Heute besteht ganz besonders Bedarf an einer Metaphysik, die imstande ist, die Liebe zur Weisheit vor der Konzeptualisierung und Verunglimpfung seitens der Machtspiele der sündigen Menschheitsgeschichte zu retten. Wie ich anderswo ausgeführt habe, erfordert die Aufmerksamkeit für die Opfer der Geschichte eine Vermittlung der Totalität der Geschichte, die sowohl intellektuell mitleidend als auch offen für die Veränderung durch das geoffenbarte Wort Gottes ist.[5] Denn, wie Bernard Lonergan schreibt, hat die göttliche Weisheit angeordnet und der göttliche Wille gewollt, daß die vielen Übel, die auf die menschliche Geschichte einwirken, nicht durch den Gebrauch von Macht beseitigt werden sollten, sondern daß, entsprechend dem gerechten und geheimnisvollen Gesetz des Kreuzes Christi, all diese Übel, wie nur Gott dies kann, in das höchste Gut des ewigen Lebens im Reich Gottes verwandelt werden sollten.[6]

Wie kann eine weise Wiedergewinnung der Metaphysik wirklich offen sein für das Neue, das der Glaube an die erlösende Transformation der Geschichte verlangt?[7] Wie kann die Vermittlung der Totalität der immensen Diversität der Geschichte gerecht werden? Mir scheint, die kommunikative Handlungstheorie sollte sich die metaphysische Weisheit zunutze machen, wenn sie über ein Verständnis von Zeit Rechenschaft abzulegen hat, das für messianische Unterbrechung und Veränderung offen ist.[8] Ein Aspekt einer solchen Wiedergewinnung wird in der Entdeckung bestehen, wie sehr das moderne Zeitverständnis durch eine vorgestellte Trennung

---

[5] Vgl. M. *Lamb*, Political Theology and Metaphysics, in: *M.J. Leddy / M.A. Hinsdale* (eds.), Faith that Transforms, New York 1987, 82-98; vgl. *ders.*, Solidarity with Victims: Towards a Theology of Social Transformation, New York 1982, 116-143.

[6] Vg. B. *Lonergan*, De Verbo Incarnato, Rom 1964, 552-593. Dieses Werk wird zusammen mit einer englischen Übersetzung als Band 8 von Lonergans "Gesammelten Werken" bei der University of Toronto Press erscheinen.

[7] Dies ist das von Johann Baptist Metz an die Metaphysik gestellte Problem; vgl. auch den kürzlich veröffentlichten Aufsatz von Jürgen Habermas über dessen Theologie.

[8] Vgl. M. *Lamb*, Kommunikative Praxis und Theologie. Jenseits von Nihilismus und Dogmatismus, in: *E. Arens* (Hg.), Habermas und die Theologie, 241-270.

von Zeit und Raum aus den Fugen geraten ist. Diese Trennung bestand in zweierlei.

Erstens hat sie jedes weise Verständnis von Zeit als einer geordneten Totalität konkreter Dauer unmöglich gemacht, indem sie auf dem augenblicklichen und unablässigen Werden dieser Zeitfragmente insistierte. In gewisser Weise schien die Version der modernen Aufklärung genug an gesundem Menschenverstand zu enthalten. Wir können uns die drei Dimensionen der Euklidischen Geometrie, die Höhe, die Breite und die Länge vorstellen; und wir können alle drei Dimensionen gleichzeitig sehen. Aber wir können uns vier Dimensionen weder vorstellen noch visualisieren, die Dimensionen von Raum *und* Zeit wie in der Formel $ds^2 = dx^2 + dy^2 + dz^2 - c^2dt^2$ enthalten. Diese sind äußerst intelligibel, aber nicht vorstellbar. Stephen Hawkings schreibt, Newton kommentierend: "Nach dieser Auffassung ist Zeit getrennt und unabhängig vom Raum. Die meisten Leute würden ihr wohl zustimmen; aus der Sicht des gesunden Menschenverstandes spricht nichts dagegen."[9]

Zweitens hat die in der Aufklärung zum gesunden Menschenverstand gewordene Sichtweise anstelle einer geordneten Totalität konkreter Dauer ein imaginäres und unerbittliches Kontinuum der Zeit entworfen, die sich von der Vergangenheit über die Gegenwart in die Zukunft fortbewegt. Ein solches Mißverständnis von Zeit paßt sehr gut mit einem Naturalismus und Historismus zusammen, welche Ordnung nicht als intelligibles Muster, sondern nur aus Ausübung von Kräften und Macht begreifen können. Eben das verdankt sich in vielem Newton.[10]

Der Einfluß von Sir Isaac Newton auf die Entwicklung der modernen Mathematik und Physik kann kaum überschätzt werden. Weniger Aufmerksamkeit ist auf seine Beiträge zur im siebzehnten Jahrhundert erfolgten Konvergenz einer empirisch-mechanistischen Wissenschaft und der Theologie gelegt worden.[11] Michael Buckley hat gezeigt, daß Newtons Universalmechanik mit ihrer Betonung von Bewegung und Kräften in einer Lehre von Gott als dem

---

[9] *Hawking*, Geschichte 33.

[10] Vgl. *B. Lonergan*, Insight: A Study of Human Understanding, Toronto 1992, 163-195.

[11] Vgl. die Studien von *M. Buckley*, Motion and Motion's God, New Haven 1971; *ders.*, At the Origins of Modern Atheism, New Haven 1987; vgl. auch *A. Funkenstein*, Theology and Scientific Imagination from the Middle Ages to the Seventeenth Century, Princeton 1986.

"universalen Befehlsgeber" eines Universums resultiert, das völlig unter göttlicher Herrschaft steht (*dominatio entis spiritualis*).[12] Das göttliche *sensorium* erlaubt es allen Dingen, Gott gegenwärtig zu sein, und es erlaubt der Herrschaft Gottes, alle Dinge zu beherrschen bzw. zu befehlen. Als das Sensorium Gottes privilegiert der Raum eine Euklidische dreidimensionale Ausdehnung gegenüber der Zeit und der Dauer. Raum ist immer, aber nur Augenblicke sind überall. Es kann keine geordnete Totalität konkreter Dauer geben; darum verläßt Newton sich auf die Fiktion des absoluten Raumes und der absoluten Zeit. In seinem "Scholium Generale" zur zweiten Auflage seiner "Principia" schreibt er dementsprechend: Gott "ist nicht ´die Ewigkeit´ und ´die Unendlichkeit´, sondern er selber ist ewig und unendlich; er ist nicht ´die Zeit´ und ´der Raum´, sondern er selber währt und ist da. Er währt immer und ist allgegenwärtig; und dadurch, daß er immer und überall ist, bringt er die Zeit und den Raum zum Sein. Das jedes einzelne Teilchen des Raumes *immer* ist, und da jeder einzelne nicht mehr teilbare Augenblick der Zeit *überall* ist, so wird gewiß der Bildner und Herr aller Dinge nicht *niemals* oder *nirgends* sein."[13]

Während es ein "Immer" jeden Raumes gibt, gibt es kein damit korrespondierendes "Überall" jeder Zeit. Statt dessen sind nur unteilbare Augenblicke überall, weshalb Newton die Ansicht vertritt, daß das gesamte räumliche Universum zu jedem Zeitpunkt existiert. Totalität ist ein Kennzeichen des Raumes, nicht der Zeit. Ein Zeitpunkt folgt dem anderen, doch die drei Dimensionen des Raumes, die Breite, Höhe und Länge, sind alle gleichzeitig präsent. Demnach ist klar, daß der Raum sogar in Newtons diskreditierten Begriffen des absoluten Raumes und der absoluten Zeit eine situative Totalität darstellt, während die absolute Zeit beständig im Fluß ist.[14] Daß die imaginale Matrix der Newtonschen Universalmechanik räumlich ist, ist daran offenkundig, daß für Newton "ordnen" soviel wie "plazieren" bedeutet.[15] Kräfte und Macht

---

[12] Vgl. *Buckley*, Motion 193-204; *ders.*, Origins 129-144.

[13] *I. Newton*, Mathematische Grundlagen der Naturphilosophie, ausgewählt, übersetzt, eingeleitet und hg. von E. Dellian, Hamburg 1988, 227.

[14] Vgl. *Lonergan*, Insight 181: "As absolute space, so absolute time is the result of looking for the absolute where the absolute does not exist."

[15] Vgl. *Newton*, Grundlagen, 44: "Die absolute, wirkliche und mathematische Zeit fließt in sich und in ihrer Natur gleichförmig, ohne Beziehung zu etwas außerhalb ihrer Liegendem, und man nennt sie mit einer anderen Bezeichnung ´Dauer´." Vgl. S. 46: "Denn die Zeitteile und Raumteile sind gleichsam die Or-

bewegen die Dinge im Raum, und dies wird dann ins Unendliche auf Gott projiziert. Der dreidimensionale Raum ist offen für Gottes Macht, aber darin manifestiert sich nicht Gottes Weisheit. Die Zeit ist a fortiori nicht offen, sondern in ein unerbittliches Kontinuum fragmentierter Augenblicke eingesperrt.

Auch wenn es große Unterschiede zwischen Descartes' Suche nach einer Universalmathematik und Newtons Universalmechanik gibt, so ist mit diesen Differenzen nicht gesagt, daß Descartes auch nur etwas weniger geneigt gewesen sei, der räumlichen Gleichzeitigkeit und Ordnung die Priorität zu geben. Die "res cogitans" hat die Macht an die "res extensa" abgetreten. Zeit ist nur Denken, und von daher von geringerem ontologischen Wert als der Raum. Später hat dann Leibniz, der Newtons Begriff des absoluten Raumes ablehnt, die Tatsache explizit gemacht, daß die Vergangenheit vergangen, aus und vorbei ist und auf diese Weise hat er eine räumliche Ordnung der Natur, auf die Gleichzeitigkeit anwendbar ist, deutlich von der Ordnung der Zeit getrennt, für die das nicht zutrifft: "Gesetzt, es existiere eine Mehrheit dinglicher Zustände, die einander nicht ausschließen, so werden sie als *zugleich existierend* bezeichnet. Daher gelten uns Ereignisse des vergangenen und dieses Jahres nicht als zugleich, weil sie nämlich entgegengesetzte Zustände eines und desselben Dinges bedingen. (...) *Die Zeit ist die Ordnung des nicht zugleich Existierenden.* Sie ist somit die allgemeine Ordnung der Veränderungen, in der nämlich nicht auf die bestimmte Art der Veränderungen gesehen wird."[16]

Was die Zeit definiert, ist keine Ungleichzeitigkeit, welche selbst von einer implizit der räumlichen Gleichzeitigkeit gegebenen Priorität abgeleitet ist. Die Synchronität ist normativ, und die Diachronität ist als durch einander wechselseitig ausschließende Ereignisse konstituiert nur abgeleitet. Statt Zeit als eine geordnete Totalität konkreter Dauer zu verstehen, entwirft Leibniz eine "universale Ordnung des Wandels", in der Vergangenheit und Gegenwart einander wechselseitig ausschließen. Die Gegenwart kann die Vergangenheit weder bestätigen noch fortsetzen, sondern

---

te ihrer selbst und aller Dinge. Alle haben ihren Platz in der Zeit in bezug auf ihre Abfolge und im Raum in bezug auf die Anordnung ihrer Lage."

[16] *G.W. Leibniz*, Hauptschriften zur Grundlegung der Philosophie. Band I, hg. von A. Buchenau und E. Cassirer, Leipzig [2]1924, 53f.

muß sie ausschließen. Das Vorurteil der Aufklärung gegen die angeblich unaufgeklärte Vergangenheit ist hier offensichtlich.

Hegel stellt die Priorität von Raum und Zeit um, jedoch nur, indem er die Zeit als eine abstrakte und ideale Totalität definiert, als die negative Einheit des Seins, welche anderes wird als sie ist. Zeit ist ein augenblickliches Werden, und so gilt: "Sie ist das Sein, das, indem es *ist*, *nicht* ist, und indem es *nicht* ist, *ist*"[17]. Die für die Zeit konstitutive Negativität wird in die Zentralität der Negation im Prozeß der geschichtlichen Aufhebung umgewandelt, in dem die Gegenwart die Vergangenheit nur darin zu bewahren und aufzuheben vermag, daß sie auch sie negiert. Das Genie Hegels besteht darin, all die Widersprüche der Moderne in die fortlaufende Dialektik des absoluten Geistes hineinzunehmen, der sich selbst in die Geschichte entäußert, nur um im Durchgang durch die Kämpfe und Konflikte der Geschichte hindurch mittels der aufhebenden Macht des absoluten Wissen, in dem der Geist sich weiß, zu sich selbst zurückzukehren.

Der spekulative Karfreitag des Geistes schäumt fort, nicht in einer für die geordnete Totatität der konkreten Dauer offenen Weisheit, sondern in einer Wissenschaft, die die Notwendigkeit und die unerbittliche Logik des Fortschritts an die Stelle der Kontingenz setzt. Wirklichkeit und Wahrheit werden nur in der Gewißheit des Thrones des absoluten Geistes erkannt.[18] Totalität und Ordnung sind bei Hegel immer dialektisch, und die Dialektik ist gekennzeichnet vom Kampf um Anerkennung.

Das Kontingente und Besondere wird in der Jagd nach beherrschender Totalität ausgemerzt. Individualität und Universalität werden einander konstratiert, *Eigentlichkeit* und *Allgemeinheit*, als ob die eine notwendigerweise Aspekte der anderen negierte. Die objektive Zeit des universalen Prozesses kann nur dadurch "subjekt-iviert" werden, daß das Subjekt bei Hegel zum absoluten objektiven Geist gemacht wird, oder dadurch, daß dieses Vorhaben als Leugnung des letztendlichen Seins zum Tode und der Endlichkeit des Subjekts denunziert wird. In keiner dieser Optionen wird die konkrete Intelligibilität von Raum und Zeit als geordnete To-

---

17 *G.F.W. Hegel*, Enzyklopädie der philosophischen Wissenschaften im Grundrisse (Gesammelte Werke Bd. 19), Hamburg 1989, 192.

18 Vgl. die Schlußpassage von *G.W.F. Hegel*, Phänomenologie des Geistes (Gesammelte Werke Bd. 9) Hamburg 1980, 433f.

talitäten konkreter Ausdehnung und Dauer in ihren Besonderheiten und Neuheiten erkannt.[19]

Walter Benjamins und Theodor W. Adornos Konstellationen, ihre Begriffs- und Bilderbündel, welche eine schwache Vorahnung von Erlösung gegenwärtig setzen, eröffnen einen Weg, der mehr verlangt als eine expressivistische Ablehnung von Totalität und Universalität. Der Weisheit dieser Konstellation treu zu sein, bedeutet in der Tat, sie vor dem Historismus und Relativismus zu retten, die diese erlösenden Fragmente jenen "Trümmern auf Trümmer" ausliefern, welche der Engel der Geschichte zusammenfügen möchte.[20] Solche "Rahmenepiphanien", wie Charles Taylor sie nennt, sind dem Historismus, der sich so tief in die modernen Kulturen eingegraben hat, allzu sehr ausgesetzt.[21]

Raum und Zeit sind geordnete Totalität konkreter Ausdehnung und Dauer. Diese Totalität ist das vierdimensionale konkrete Universum, in dem sowohl Raum als auch Zeit, sowohl Natur als auch Geschichte mitsamt all ihren besonderen und einzigartigen Dingen und Ereignissen existieren. Das bedeutet, über die imaginale Matrix hinauszugehen, die das Universum in einen dreidimensionalen Euklidschen Rahmen stellt, wobei die Zeit eine reine Begleiterscheinung ist. Können wir uns das vierdimensionale Universum von Einsteins spezieller Relativitätstheorie auch nicht vorstellen, so ist es doch äußerst intelligibel. Es ist auch keine Totalität, die das Besondere und Einzigartige ignorierte oder herabsetzte, denn die Totalität wird nur als eine heuristische Antizipation geordneter Dinge und Ereignisse gewußt, die offen für all das sind, was ge-

---

[19] Genau so versteht Lonergan Raum und Zeit; vgl. *ders.*, Insight 172-195.

[20] Vgl. *W. Benjamin*, Über den Begriff der Geschichte, in: *ders.*, Gesammelte Schriften Band I.2, hg. von R. Tiedemann und H. Schweppenhäuser, Frankfurt a.M. 1980, 691-704, 697f: "Der Engel der Geschichte muß so aussehen. Er hat das Antlitz der Vergangenheit zugewendet. Wo eine Kette von Begebenheiten vor *uns* erscheint, da sieht *er* eine einzige Katastrophe, die unablässig Trümmer auf Trümmer häuft und sie ihm vor die Füße schleudert. Er möchte wohl verweilen, die Toten wecken und das Zerschlagene zusammenfügen. Aber ein Sturm weht vom Paradiese her, der sich in seinen Flügeln verfangen hat und so stark ist, daß der Engel sie nicht mehr schließen kann. Dieser Sturm treibt ihn unaufhaltsam in die Zukunft, der er den Rücken kehrt, während der Trümmerhaufen vor ihm zum Himmel wächst. Das, was wir den Fortschritt nennen, ist *dieser* Sturm."

[21] Vgl. *Taylor*, Sources of the Self 477-493.

schieht.[22] Denn alle Zeit ist in diese Heuristik genauso einbezogen wie aller Raum.

Dieses Verständnis von Totalität ersetzt die Kontinuen der Kräfte und des einlinigen Fortschritts durch eine Freiheit, die sowohl für das Gelingen wie für das Versagen, für den Fortschritt wie für den Verfall offen ist. So hat zum Beispiel die technologische Anwendung der speziellen Relativitätstheorie auf die Atomwaffen überdeutlich gemacht, daß wir Menschen entweder auf den internationalen Gebrauch dieser Kraft als Mittel der Beendigung von Streitigkeiten verzichten, oder diese Kraft die Möglichkeit menschlichen Lebens auf diesem Planeten zerstören wird. Die Nuklearwaffen konfrontieren die Menschheit mit der Notwendigkeit, entweder an Weisheit zu wachsen und die Dummheit von Gewalt zu erkennen oder zugrunde zu gehen. Was tatsächlich geschehen wird, wissen wir nicht; wir können nur verschiedene Wahrscheinlichkeiten annehmen, und die sind immer für Revisionen offen. Wer hätte zum Beispiel den plötzlichen Kollaps der Sowjetunion und die Verminderung der Spannungen hinsichtlich eines Nuklearkrieges vorausgesehen? Die Geschichte ist nicht in die "ehernen Gesetze" der Natur bzw. des Fortschritts eingesperrt. Die Geschichte ist vielmehr offen sowohl für den Fortschritt wie den Verfall.

Ein heutiges Naturverständnis in den Naturwissenschaften erfordert seit Einstein und insbesondere seit Heisenbergs Quantentheorie eine Offenheit für das Statistische sowie die Veränderung in einer Weise, welche die Newtonsche Mechanik nicht zulassen konnte.[23] Wie Kant Newtons absolute Zeit einfach in eine apriorische Form menschlicher Wahrnehmung verwandelt hat[24], so hat Hegel mit Kants Vertrauen in die Wahrnehmungsintuition gebrochen, nur um dann die intellektuellen Intuitionen in einer Dialektik zu entfalten, die "begrifflich, geschlossen, notwendig und immanent"[25] ist. Das geschlossene Hegelsche System beläßt die Geschichte in einem unerbittlichen Kontinuum der Zeit, die sich nun gemäß den notwendigen Gesetzen des absoluten Geistes entfaltet,

---

22 Dies wird in Lonergans Begriff der erscheinenden Wahrscheinlichkeit eingehender analysiert; vgl. *Lonergan*, Insight 126-162.

23 Vgl. P. *Byrne*, Teleology, Modern Science and Verification, in: F. *Lawrence* (ed.), The Legacy of Lonergan, Boston 1994, 1-45.

24 Vgl. *Lonergan*, Insight 177-181.

25 A.a.O. 446.

wozu der Kampf auf Leben und Tod zwischen Herr und Knecht sowie die Negativität des Krieges gehören.[26] Kein Wunder also, daß einige im Ende des Kalten Krieges eine hegelianische Ankündigung des Endes der Geschichte erblicken.[27] Die Notwendigkeit, über diese modernen nachaufklärerischen Parameter hinauszugehen, ist offensichtlich, wenn das politische Leben jene Gewalt überwinden soll, die die Grundlage der modernen Nationalstaaten bildet.[28]

In einem vierdimensionalen Universum, in dem die Zeit der Natur innerlich ist, und Zeit nicht einfach als augenblicklich, sondern als die geordnete Totalität konkreter Dauer definiert wird, sind die Offenheit von Zeit und Geschichte noch offensichtlicher. Wir können die Vergangenheit nicht länger von der Gegenwart, noch von der Zukunft trennen. Aus theologischer Perspektive können wir in der Tat würdigen, daß Gottes Schöpfungsakt die Totalität des gesamten raum-zeitlichen Universums umfaßt. Die ganze Schöpfung einschließlich der Totalität konkreter Dauer und all der darin geschehenden Ereignisse ist in der ewigen göttlichen Gegenwart gegenwärtig. Nunmehr mögen wir tatsächlich besser dazu in der Lage sein, die theoretischen Errungenschaften von Augustinus, Boethius und Thomas von Aquin zu verstehen, nämlich ihr Verständnis der Ewigkeit Gottes als völlig gleichzeitige Gegenwart all dessen, was ist. Bei Gott gibt es kein "vorher" und "nachher". In der dreieinigen Gegenwart ist das Ganze des Universums und das Ganze der Geschichte gegenwärtig.[29] Ähnlich wie das vierdimen-

---

[26] Vgl. *E. Wyschogrod*, Spirit in Ashes: Hegel, Heidegger, and Man-Made Death, New Haven 1985, 148: "Using the struggle to the death as a paradigmatic pattern of Spirit's activity Hegel tries to show that war is necessary for the sublation of individual ego on behalf of the state, which he considers to represent a higher form of reason, and for states themselves, whose honor depends upon their willingness to risk their sovereignty. For Hegel war is not absolute evil but necessary for the life of polity."

[27] Vgl. *F. Fukuyama*, Das Ende der Geschichte. Wo stehen wir?, München 1992.

[28] Vgl. *B. Porter*, War and the Rise of the State: The Military Foundations of Modern Politics, New York 1994.

[29] Weitere Reflexionen darüber finden sich in *M. Lamb*, Auferstehung und christliche Identität als "Conversatio Dei", in: Conc(D) 29 (1993) 450-457; vgl. auch *F. Crowe*, Rethinking Eternal Life, in: Science et Esprit 45 (1993) 25-39, 145-159.

sionale Universum ist ein solches Verständnis von Ewigkeit höchst intelligibel, aber nicht vorstellbar.

Ein Mangel an Verständnis für diesen systematischen Durchbruch hat zu einer Rhetorik geführt, die einer "statischen Ewigkeit" die dynamische Geschichte gegenüberstellt. Dieser Durchbruch war indessen weder platonistisch noch plotinisch, denn beide gehen von einem Widerspruch zwischen Ewigkeit und Zeit aus. Bei Augustinus, Boethius und Thomas von Aquin gibt es keinen Widerspruch, die Ewigkeit negiert die Zeit nicht, sondern schafft sie. Indem er ewiges Leben verkündigt, hat Jesus die Zeit und die Geschichte nicht verunglimpft. Gegen die Platonisten hebt Augustinus hervor, daß das ewige Wort Mensch geworden ist und darin geoffenbart hat, daß der ewige Gott als "totum esse praesens" alle Zeit schafft und erlöst.

Der Nominalismus hat den Weg für die Aufklärung bereitet, die das ewige Leben der Geschichte entgegengesetzt hat, so daß jene, die das ewige Leben suchen, das gute Leben auf Erden verachten. Das "Jenseits" wurde dem Hier und Jetzt als "Diesseits" entgegengestellt. Aus diesem Verlust eines Begreifens der gleichzeitigen Totalität der Zeit in Gottes Gegenwart entstand eine Auflösung der Zeit selbst in ein Kontinuum isolierter Augenblicke. Die Gegenwart wurde der Vergangenheit entgegengesetzt. Erinnerung und Tradition wurden diskreditiert; die apokalyptische Erwartung, die auf die Ankunft des Reiches Gottes wartete, wurde entleert zu dem, was Metz eine sanfte evolutionäre Eschatologie nennt.[30]

All dies resultiert aus einem falschen Verständnis von Zeit und Geschichte, aus dem Versäumnis, eine Totalität zu vermitteln, die dem Neuem gegenüber wirklich offen ist, ohne dabei das Alte zu verleugnen. Die Fixierung der Aufklärung auf den gegenwärtigen, der Vergangenheit entgegengesetzten Augenblick ist nicht nur ein Spiegel des autobiographischen Hyperindividualismus der Aufklärung (vgl. etwa Rousseaus "Bekenntnisse"[31]), sondern sie ist auch verantwortlich für das Auftauchen der historisch-kritischen Methoden in Spinozas "Theologisch-Politischem Traktat".

---

[30] Vgl. *J.B. Metz*, Glaube in Geschichte und Gesellschaft, Mainz [5]1992, 149ff; *ders.*, Ohne Finale ins Nichts, in: Frankfurter Allgemeine Zeitung vom 13. Juli 1991; *ders.*, Kirche in der Gotteskrise, in: Frankfurter Rundschau vom 27. Juni 1994.

[31] Vgl. *Lamb*, Auferstehung.

Für Spinoza sind weder die Geschichte noch die Natur offen. Beide sind in einer notwendigen Kette der Ereignisse festgestellt. In Konfrontation mit dem religiösen Pluralismus seiner Zeit war Spinoza darauf aus, den Glauben zu privatisieren und zu zeigen, daß die Schrift empirisch zu untersuchen sei, genau wie die Natur. "Um es kurz zusammenzufassen, sage ich, daß die Methode der Schrifterklärung sich in nichts von der Methode der Naturerklärung unterscheidet, sondern vollkommen mit ihr übereinstimmt."[32]

Eine solche interpretative Erforschung der Schrift beschränkt sich allein auf die Texte. Hierbei kann es keine Berufung auf den Glauben geben, denn dieser ist privat, persönlich und scharf von der Vernunft zu trennen.[33] Der Glaube spielt bei der Schriftauslegung keine Rolle, denn es gilt die universale Regel, nur das als Textsinn zu akzeptieren, was jeder aus der Erforschung der Geschichte des betreffenden Textes erkennen kann. Spinoza macht deutlich, daß es der Bibelinterpretation nicht um die Wahrheit der Texte, sondern nur um den wahrnehmbaren Sinn geht

Insofern bedeutet die Geburt der historisch-kritischen Methoden, die Bibel wie jeden anderen Text zu behandeln. Wie Newtons Mechanik nur dreidimensionale wahrnehmbare Bewegungen kennt, so erkennt Spinozas Kanon der Interpretation nur jenen wahrnehmbaren Textsinn, der in den Schriften als einem wahrzunehmenden Buch zu finden ist: "denn bloß um den Sinn der Rede, nicht um ihre Wahrheit handelt es sich. Ja man muß sich vor allem hüten, solange der Sinn der Schrift in Frage ist, daß man sich nicht durch die eigenen Erwägungen, soweit sie auf den Principien natürlicher Erkenntnis beruhen (ganz zu schweigen von den Vorurteilen), dazu verleiten läßt, den wahren Sinn einer Stelle mit der Wahrheit ihres Inhalts zu verwechseln."[34]

---

[32] *B. de Spinoza*, Theologisch-Politischer Traktat, übertragen mit Einleitung, Anmerkungen und Register von C. Gebhard, Leipzig [4]1922, 135.

[33] Vgl. a.a.O. 12: "Wie ferner die Sinnesart der Menschen sehr verschieden ist und dem einen diese, dem andern jene Ansicht mehr zusagt, und diesen zur Andacht stimmt, was den andern zum Lachen bewegt, so schließe ich daraus..., daß jedem die Freiheit des Urteils und die Möglichkeit, die Grundlagen seines Glaubens nach seinem Sinne auszulegen, gelassen werden muß, und daß der Glaube eines jeden, ob er fromm oder gottlos, einzig nach seinen Werken zu beurteilen ist."

[34] A.a.O. 137; vgl. auch *Y. Yovel*, Spinoza and Other Heretics. Vol. II: The Adventures of Immanence, Princeton 1989.

Das dekonstruktivistische Insistieren auf die strikte Beschränkung auf Intertextualität - "wir haben nichts als Texte" - wird hier von Spinoza antizipiert. Kein Wunder also, daß Spinoza den Glauben auf Gehorsam und Frömmigkeit beschränkt; die Glaubenszustimmung ist nichts als Gehorsam, ein Willensakt, kein intellektueller Akt. Theologie gründet auf Gehorsam gegenüber der Offenbarung, und sie hat keine Macht, jemals der Vernunft entgegenzutreten. Während sich Philosophie und Vernunft nur mit Wissen und Wahrheit beschäftigen, ist die Theologie davon völlig getrennt; ihr geht es allein um Gehorsam und Frömmigkeit. Die Lehren der Schriften, so bemerkt Spinoza zynisch, brauchen nicht wahr zu sein; sie brauchen nur fromme und gehorsame Akte ins Werk zu setzen.[35]

Wie Edmund Arens gezeigt hat, ist es unmöglich, die Dichotomie von Lehren und Handeln, Lehrgehalt und Text, Bezeugen der Wahrheit und Bekennen in Wort und Tat aufrechtzuerhalten, sobald man die konstitutive Bedeutung und Wahrheit der kommunikativen Praxis des Bekennens des Glaubens ernst genommen hat.[36] Mehr noch, in dieser Dichotomie wird gerade eine wirkliche und vollständige Kritik verneint. Der modernen Dichotomie von Glaube und Vernunft mangelt es an jenen kritischen Differenzierungen, die Thomas von Aquin erreicht hat. Spinoza stellt unter Beweis, wie tief der Nominalismus die modernen Dichotomien zwischen Intelligenz und Willen, Wahrheit und Hingabe beeinflußt hat.

Die Offenheit der Geschichte ist keine unkritische Offenheit, kein frommer Wunsch, der keine Intelligenz besitzt. Ganz im Gegenteil. Was Spinoza und jedes ausschließliche Vertrauen auf die historisch-kritischen Methoden, in bezug auf die er Pionierarbeit geleistet hat, getan haben, ist, die Erfahrung von Geschichte zu verstümmeln. Wer die wichtigsten Aspekte des wirklichen Bekenntnisses und der wirklichen Praxis des christlichen Glaubens vom Gericht ausschließt, befördert nicht ein kritisches Wissen der Geschichte, sondern eher ein ignorantes. Die Aufklärung hat sich eher den Mißbräuchen von Religion zugewandt, als daß sie sich mit dem wirklichen Zeugnis der Märtyrer und Heiligen der Kirche

---

[35] Vgl. *Spinoza*, A.a.O. 253: "Weiterhin folgt, daß der Glaube nicht sowohl wahre als fromme Dogmen erfordert, d.h. solche, wie sie den Sinn zum Gehorsam anhalten."

[36] Vgl. *E. Arens*, Bezeugen und Bekennen. Elementare Handlungen des Glaubens, Düsseldorf 1989, 353-404.

befaßt hat. Wer das Christentum oder jede andere Religion von ihren Mißbräuchen her definiert, ist nicht kritisch, sondern mit Vorurteilen behaftet. Man braucht sich nur vorzustellen, daß Wissenschaft oder Kunst so beurteilt würden!

Der Prozeß einer kritischen Geschichte, der als ein Prozeß, welcher von der historischen Erfahrung zum historischen Wissen führt, für die Totalität der konkret geschehenden Ereignisse offen ist, befaßt sich nicht nur mit dem Sinn von Texten, sondern richtet sich auch darauf, welcher Sinn wahr ist und was tatsächlich die Realitäten sind, auf die sich die Texte oder Ereignisse beziehen. Lonergan stellt heraus, daß sich ein völlig kritischer historischer Vorgang zweimal ereignet: "Beim ersten Mal kommt man zu einem Verständnis seiner Quellen. Beim zweiten Mal gebraucht man seine verstandenen Quellen auf einsichtige Weise, um den Gegenstand zu verstehen, für den sie relevant sind."[37] Die erste Phase der kritischen Geschichte ist die sehr vertraute der Identifizierung von Autoren und geschichtlich Handelnden, der Situierung ihrer Handlungen und/oder Werke in Zeit und Raum, der Untersuchung ihrer historischen Kontexte und Quellen etc. Aber all dies geschieht nur, um die Aufmerksamkeit auf das zu lenken, was das Hauptziel des kritischen Historikers sein sollte, eine zweite Phase, die darauf aus ist, jenen Vorgang zu verstehen, auf den sich die eigenen Quellen beziehen.[38]

---

[37] *B. Lonergan*, Methode in der Theologie, Leipzig 1991, 194.

[38] Um das Beispiel der Autobiographien heranzuziehen, so würde ein kritischer Historiker etwa Augustinus' "Bekenntnisse", Theresas "Leben" oder Rousseaus "Bekenntnisse" in ihre sehr unterschiedlichen historischen, literarischen und kulturellen Kontexte situieren, die Quellen eruieren, aus denen sie schöpfen, die Texte vergleichen im Blick auf ihre Zuverlässigkeit etc. Dies gehört zum Standard historischer Theologie. Man kann die Ergebnisse solch kritischer historischer Feldforschung in den Übersichten, Artikeln und Bücher lesen, die Studenten als Einführung in diese Gebiete erhalten; vgl. etwa Peter Browns Buch über Augustinus. Aber kann ein kritischer Historiker den Schritt zur zweiten Phase oder zweiten Instanz kritischer Geschichte machen, wenn es sich bei dem, was ein Augustinus oder eine Theresa ganz offensichtlich erörtern, um ihre Freundschaft mit dem dreieinigen Gott handelt? Was bewegt sich in den geschichtlichen Gemeinschaften der Gläubigen, die durch die Jahrhunderte hindurch diese Werke in den Kontexten ihrer eigenen sich vertiefenden Freundschaft mit Gott lesen und meditieren? Betreibt Peter Brown jene Art kritischer Geschichte, die solch einen zweiten Schritt tun könnte?

Während ein kritischer Historiker den Glauben, das spirituelle Leben oder das Geheimnis der Trinität möglicherweise nicht zu kennen braucht, um Textkritik und Quellenforschung zu betreiben, um ein Korpus von Texten mit einem anderen Korpus zu vergleichen - jeder, der lesen kann, ist dazu in der Lage! -, ist es etwas anderes, sobald er oder sie sich an eine Geschichte des Glaubens, des Gebets oder der Theologie als eines *intellectus fidei* machen. Wenn der kritische Historiker nichts von Gott weiß, mit Glauben und Gebet, mit Bezeugen und Bekennen nicht vertraut ist, dann ist der kritische Historiker alles andere als "kritisch" im umfassenden Sinne des Wortes. Der sogenannte kritische Historiker ist tatsächlich ein ignoranter Historiker, sobald es zur zweiten Phase kritischer Geschichte kommt.

Er oder sie sind dann wie Mathematikhistoriker, die nichts von Mathematik verstehen. Eine solche Person mag vielleicht in der Lage sein, eine tolle Geschichte zu erzählen, die sich aus dem Vergleich verschiedener mathematischer Texte ergibt, die diese mehr oder weniger genau plaziert und datiert, die bestimmte gesellschaftliche und/oder kulturelle Prozesse herausarbeitet, die zu der Zeit, als diese mathematischen Texte geschrieben wurden, im Gange waren, die darstellen, wer welchen Text verwendet hat, um damit in dieser oder jener Situation welchen Vorteil zu erringen, wie ein solcher Text bei der Waffenproduktion benutzt worden ist, was diese Waffen ausgerichtet haben etc. Zweifellos wäre eine solche Geschichte sehr lesenswert für Leute, die sich nicht so sehr für die Geschichte der Mathematik als vielmehr dafür interessieren, was sonst noch geschah während der Zeit, als diese oder jene Mathematik betrieben wurde. Aber niemand würde den Anspruch erheben, daß eine solche Geschichte den Namen einer wirklich kritischen Geschichte der Mathematik verdient.

Ich fürchte, es gibt bisher noch nicht viele wirklich kritische Geschichten der Theologie. Und das traurige ist, daß das, was als kritische Geschichten durchgeht, gewöhnlich Geschichten sind, die der Theologie kritisch gegenüberstehen, die einfach davon ausgehen, daß das, was wirklich wirklich ist, der säkulare Horizont ist, in dem es sich bestenfalls um eine Privatmeinung, schlimmstenfalls um eine neurotische oder psychotische Täuschung handelt, wenn sich ein Augustinus oder eine Theresa in eine ständig tiefer werdende Freundschaft mit Vater, Sohn und Geist hineingenommen wußten. Warum fehlt es der Theologie und den Religionswissenschaften dermaßen an Selbsterkenntnis, daß sie allein unter allen

Disziplinen nunmehr bereit scheinen, ignorante Geschichte fälschlicherweise für kritische Geschichte zu halten? Dies ist kaum eine "*docta* ignorantia"!

Ich behaupte nicht, daß man moralisch oder heilig sein muß, um eine kritische Geschichte der Moral oder der Heiligen zu schreiben, genausowenig wie ich behaupte, daß man Alkoholiker sein muß, um eine kritische Geschichte des Alkoholismus zu verfassen. Ich sage indessen: man muß die Realitäten und Prozesse kennen, die sich in der Moral, in der Heiligkeit und im Alkoholismus auswirken und vollziehen. In gleicher Weise sollte man, wenn man eine kritische Geschichte des Glaubens, des Gebets oder der Theologie zu schreiben gedenkt, ein wenig von den Realitäten des Glaubens, des Gebets oder der Theologie verstehen. Was wir statt dessen haben, ist ein weitverbreiteter Konzeptualismus sowie etwas, das ich "komparative Textologie" à la Spinoza nennen möchte. Eine Erkenntnis der Offenheit der Geschichte erfordert eine wirkliche Theologie, in welcher Glaube und Vernunft weder getrennt noch vermischt, sondern in der sie sauber differenziert werden.

2. Die Dialektik von Gemeinschaft und Herrschaft

Die Geschichte ist offen für die erlösende Transformation des Reiches Gottes, das sich in Leben, Tod und Auferstehung Jesu Christi geoffenbart hat. Die Offenheit der Geschichte, die in den theologischen Werken von Metz, Peukert und Arens sowie all jener, die die fundamentale Bedeutung der universalen anamnetischen Solidarität mit den Opfern der Geschichte verstehen, herausgestellt wird, ist eine Offenheit, die auf der Erlösung insistiert, die allein der in Christus Fleisch gewordene Gott der Menschheit angeboten hat. Man muß in bezug auf die heuristische Offenheit hin auf die Totalität aller konkreten Dinge und Ereignisse, Personen und Handlungen durch die gesamte Geschichte hindurch völlig realistisch sein.

Dies bedeutet eine konkrete Heuristik, die all das Gute, die Freude und die Gerechtigkeit, aber auch all den Schrecken, das Böse und das Unrecht einbezieht, die die fortlaufende Geschichte der Menschheit ausmachen. Das bedeutet zu erkennen, daß die unschuldigen Opfer des Unrechts innerhalb der Grenzen sowohl des Lebens als einer biologischen Spanne, die von der Geburt bis zum Tod reicht, als auch der Grenzen des guten Lebens als des

Lebens der ausgezeichneten kognitiven und moralischen Selbst-
konstitutierung der Menschen, keine vollständige Gerechtigkeit
erlangen können. Denn weder das Leben noch das gute Leben
vermögen die Toten aufzuerwecken, können die Millionen Ermor-
deter zurückbringen, deren Blut jede Seite des Buches der Geschichte durchtränkt. Keine Gemeinschaften des Lebens oder des
guten Lebens können die toten Opfer der Herrschaft von Gewalt,
beherrschender Macht und des Todes auferwecken.[39]

Jede völlig realistische Einschätzung des Bösen in der menschli-
chen Geschichte, dessen, daß Bewegungen für Gerechtigkeit und
Befreiung sich in Apparate des Unrechts und der Unterdrückung
verwandeln, weiß Max Horkheimers Bemerkung zu würdigen:
"Die großartigste Lehre in beiden Religionen, der jüdischen wie der
christlichen, ist... die Lehre von der Erbsünde. Sie hat die bisherige
Geschichte bestimmt und bestimmt heute für den Denkenden die
Welt. Möglich ist sie nur unter der Voraussetzung, daß Gott den
Menschen mit einem freien Willen geschaffen hat."[40] Die Zurück-
weisung der Theologie von Seiten der Aufklärung bedeutet, daß die
Humanwissenschaften den Menschen, Männer und Frauen, ohne
die theologischen Kategorien der Sünde und der Gnade erforschen.
Was Menschen auch immer an Bösem tun, wird dann ihrer
menschlichen Natur zugeschrieben. So werden Gewalt, Krieg und
Laster als natürliche menschliche Attribute angesehen. Sozialpolitik und politische Systeme bauen auf diesen falschen Prämissen
auf, und so werden Gewalt, Krieg und das Böse durch all die modernen Kommunikationsmittel und Kräfte verbreitet, verbunden und
verstärkt.

Angesichts der Sünde und des massiven Unrechts in der
menschlichen Geschichte kann die Bedeutung, die der Heiligkeit
und den theologischen Tugenden bei der Aufgabe einer neuen
weisheitsorientierten Aufklärung zukommt, gar nicht überbewertet
werden. Die Tatsache, daß die Theologie aus dem kulturellen
Patrimonium unseres nachaufklärerischen intellektuellen Establish-
ments verschwunden ist, bedeutet, daß die empirische Wissen-

---

[39] Vgl. *M. Lamb*, Christianity within the Political Dialectics of Community
and Empire, in: *N. Biggar / J. Scott / W. Schweiker* (eds.), Cities of Gods:
Faith, Politics and Pluralism in Judaism, Christianity and Islam, New York
1986, 73-100.

[40] *M. Horkheimer*, Die Sehnsucht nach dem ganz Anderen, Hamburg 1970,
64f.

schaft der Weisheit, derer sie so dringend bedarf, beraubt ist. Denn die empirischen Wissenschaften eruieren, wie sich Menschen verhalten, wie sie handeln. Sie schreiben dieses Verhalten ungeachtet dessen, wie gewalttätig und sündig es ist, der menschlichen Natur zu. Auf der Basis solcher Untersuchungen wird dann eine Sozialpolitik formuliert, und so werden Gewalt und Sünde in die Gesellschaft und Kultur eingebaut.

In solchen Zyklen gesellschaftlichen und kulturellen Verfalls neigen die intellektuellen Virtuosen zum Zynismus, während die moralischen Virtuosen zum Stoizismus tendieren. Die intelligente Suche nach Weisheit und Wissenschaft kann ebensowenig wie die moralische Suche nach Gerechtigkeit vom Zynismus und der Indifferenz überwältigt werden. Weil unser Reich nicht von dieser Welt ist, können wir uns der kreativen und erlösenden Veränderung dieser Welt widmen. Weil wir durch Glaube, Hoffnung und Liebe in Kommunion mit dem absolut transzendenten dreieinigen Gott stehen, sind wir untereinander Glieder in den geschichtlich immanenten Vermittlungen der Sendung des Wortes und des Geistes, um das Reich Gottes in unserer Zeit und Kultur herbeizuführen.

Genauso wie die Aufklärung die Weisheit verunglimpft und an ihre Stelle eine von Kräften und Macht getriebene Mechanik gesetzt hat, so hat sie zugleich eine Serie von Mißverständnissen in Bewegung gesetzt, die, wenngleich in den modernen Kulturen allgemein akzeptiert, zunehmend als irrig entlarvt werden. Drei fundamentale Haltungen, mit denen Judentum wie Christentum nicht übereinstimmen können, finden sich durchweg bei allen wichtigen Denkern der Aufklärung, seien sie nun konservativ, liberal oder radikal. Die erste Haltung besagt, daß die Wirklichkeit im letzten konfliktiv ist (Machiavelli, Hobbes, Locke, Hume, Marx); die zweite, daß Wissen Macht ist, die darin besteht, Gesetze zu entdecken, um so monadisierten Phänomenen eine konventionale Ordnung aufzuerlegen (Hobbes, Bacon, Leibniz, Franklin, Freud); und die dritte ist das gesellschaftliche Pendant zu den beiden ersten, nämlich, daß die gesellschaftlichen und kulturellen Institutionen Strukturen legitimer Herrschaft sind, wobei monadische Individuen mit den Formen legitimen Zwangs (Gesetzeskraft und Furcht), die erforderlich sind, um die konventionale Ordnung einer aufgeklärten Gesellschaft zu etablieren und aufrechtzuerhalten, mehr oder weniger einverstanden sind (Hobbes, Hume, Smith, Marx, Weber).

Innerhalb dieses Kontextes ist Freiheit die Freiheit, sein eigenes individuelles Selbstinteresse zu verfolgen. Freiheit ist im Grunde wertneutral, denn jede überindividuelle Norm wird als nichts anderes als konventional und darum als entweder durch machtvolles Diktat oder durch Konsens auferlegt angesehen. Es gibt demnach nur prozedurale und keine substantiellen Normen für das, was gut ist. Folglich ist die Unterscheidung zwischen Legalität und Moralität eine Unterscheidung ohne Differenz. Die Instrumentalisierung der Natur, des Lebens und der Gesellschaft geht ohne erkennbare Grenzen weiter.

Bietet da die christliche Tradition und Erinnerung nicht eine ganz andere Orientierung? Die Wirklichkeit ist im letzten nicht konfliktiv, sondern vielmehr das Ergebnis eines allgütigen Gottes, der das Universum, um das Bild des Athanasius zu gebrauchen, in symphonischer Harmonie geschaffen hat. Dissonanz oder Konflikt entstehen nur aus der Sünde intelligenter Geschöpfe; und Gott stellt dann die Schönheit durch die Erlösung wieder her. Wissen ist nicht Macht, sondern das Verständnis der Wahrheit. Die Weisheit ordnet alle Dinge einschließlich der Ausübung von Macht, und nicht umgekehrt. Der Glaube ist ein aus der Liebe geborenes Wissen, nicht ein aus Furcht oder Zwang geborenes Wissen. In Gottes unendlicher Weisheit hat er sich dazu entschlossen, das Böse nicht durch göttliche Macht zu beseitigen, sondern dadurch, daß er durch das Leiden seines einzigen Sohnes am Kreuz das Böse in Gutes verwandelt.

Institutionen sind in erster Linie Rahmen für Kooperation, wodurch das Gemeingut erkannt und hervorgebracht wird. Es gibt keinen vorpolitischen Naturzustand, in dem es isolierte monadische Individuen gäbe; menschliche Wesen sind vielmehr von Natur aus gesellschaftlich und politisch. Freiheit ist deshalb nicht wertneutral, sondern richtet sich aus auf das wahrhaft Gute. Freiheit ist durch unsere geschaffene Natur selbst hindurch zuinnerst auf Glück im wahrhaft Guten hin normiert. Solange unsere Wünsche wohlgeordnet sind, insofern wir das Gute wählen, erweitert sich unsere Freiheit. Das Recht ist nicht instrumentell darauf gerichtet, willkürliche Befehle aufzuerlegen, sondern es ist fundamental erzieherisch im Guten.

Um die kulturellen Defizite der nachaufklärerischen Kulturen zu überwinden, werden mehr denn je Gemeinschaften des Gottesdienstes, des Gebets, der Erziehung sowie des heilenden Handelns gebraucht. Mag der Empirismus und Positivismus der Aufklärung im Moment noch dominieren, so kündigt eine sich vertiefende Aneignung der Weisheit, welche jeder wirklich kommunikativen Praxis zugrunde liegt, das Erscheinen dessen an, was man eine neue, weisheitsorientierte Aufklärung nennen könnte. Diese neue Aufklärung ist, angefangen von ihren kulturellen Ursprüngen in der Relativierung der Euklidischen Geometrie und der Newtonschen Mechanik durch die Relativitäts- und Quantentheorien, fortlaufend dabei, den Empirismus und Positivimus in der Ökonomie, der Politik und die deduktivistischen Anmaßungen sowohl des Empirismus als auch des Idealismus in der Philosophie herauszufordern. Bernard Lonergan hat von einer solchen neuen Aufklärung gesprochen. Er nannte sie eine "zweite", die ihrem Ausmaß nach mit der ersten, welche mit dem Aufkommen der Moderne geschah, zu vergleichen sei: "Diese zweite Aufklärung ist aus sich selbst heraus kulturell bedeutsam. Doch sie kann auch einen gesellschaftlichen Auftrag haben. Wie die erste Aufklärung ihren Träger im Übergang von der feudalen zur bürgerlichen Gesellschaft hatte, so mag die zweite ihre Rolle und Aufgabe darin finden, den durch große Apparate unter bürokratischer Kontrolle entfremdeten Massen Hoffnung und Leitung zu geben."[41]

Eine Formung der intellektuellen, moralischen und theologischen Tugenden trüge viel dazu bei, jene Leitung bereitzustellen, die erforderlich ist, um die Entfremdung zu überwinden, welche sich in einer nach bürokratischer und instrumenteller Kontrolle strebenden Kultur, die immer mehr Regeln und Gesetze erläßt, zunehmend ausbreitet. Eine solche zweite Aufklärung wird gebraucht, wenn wir mit den Verwüstungen umgehen wollen, die der monadische Individualismus mitsamt seinem zunehmenden Nihilismus hinterlassen hat. Die Demokratie ist intellektuell, moralisch und religiös nur in dem Maße gut, wie ihre Bürger gut erzogen, tugendhaft und heiligmäßig sind. Jeder Versuch, diese Forderung nach tugendhaften Bürgern dadurch zu umgehen, daß man annimmt, eine Demokratie brauche nur die Zustimmung der Regierten zu den Gesetzen und Institutionen des betreffenden Landes, wird durch die tägliche Erfahrung von Verbrechen, Gewalt und sozialer Entwurzelung der Lüge überführt. Es gibt einfach keinen Ersatz für Tugend - wie sehr auch die Demokratie als ein solcher angesehen worden ist.

---

41 B. *Lonergan*, A Third Collection, New York 1985, 65; vgl. auch *F. Lawrence*, Lonergan's Foundations for Constitutive Communication, in: *ders.* (ed.), The Legacy of Lonergan 229-277.

Keine signifikante Wahrheit bzw. Güte wird dadurch sichergestellt, daß man einfach "Ein Mensch - eine Stimme" fordert, denn die Stimmen der Dummen und der Kriminellen sind dann ebenso "signifikant" wie die der Weisen und Guten.

Der Liberalismus hat die Imperien der Geschichte nicht abgeschafft. Er hat sie nur in angeblich souveräne Nationalstaaten umgewandelt, von denen manche den Status von Supermächten erreichen, während andere danach streben. Doch ungeachtet des politischen und ökonomischen Rahmens ist ein Sinn für Gemeinschaft für alle gesellschaftlichen Institutionen fundamental. Die jüdische und die christliche Gemeinschaft hätten viel zu einer "zweiten Aufklärung" beizutragen, wenn wir endlich damit begännen zu erkunden, daß sowohl Institution und Gemeinschaft als auch Gemeinschaft und Individuum einander nicht radikal gegenüberstehen, sondern sich gegenseitig zuinnerst bestimmen. Autorität ist vom Autoritarismus so verschieden wie Liebe von Vergewaltigung. Es gibt zum Beispiel Schätze katholischer Lehre über Unterscheidung und Autorität im Dienst des Aufbaus der Kirche und einer Kultur der Liebe.[42]

Fundamental ist die christliche Lehre und Praxis auch in bezug auf die Familie. Die Auflösung des Familienlebens in den Vereinigten Staaten veranschaulicht die tragischen Konsequenzen einer Kultur des Hyperindividualismus, in der Karriere und Beruf, Macht und Besitz zu den Zielen der Gesellschaft erhoben werden.[43] Als Individuen sind wir alle zuinnerst aufeinander bezogen. Es gibt keine Autobiographie, die nicht zugleich ipso facto eine Heterobiographie wäre. Wir sind alle Glieder aneinander. Die Familie ist eine natürliche Gemeinschaft, deshalb bewegen wir uns von ihr aus weiter zur übernatürlichen Familie Gottes. Die eine ist

---

[42] Die umfangreiche Literatur über spirituelle und kirchliche Autorität ist weitgehend unausgeschöpft, obwohl das Wesentliche an ihr in der unterscheidenden Weisheit als einer kommunikativen Praxis besteht: Vgl. *I. Hausherr*, Spiritual Direction in the Early Christian East, Kalamazoo 1990; *B.P. McGuire*, Friendship and Community: The Monastic Experience 350-1250, Kalamazoo 1988.

[43] Vgl. *C. Lasch*, Haven in a Hartless World: The Family Besieged, New York 1977; *ders.*, The True and Only Heaven: Progress and Its Critics, New York 1991.

das Geschenk der Schöpfung, die andere das Geschenk der Erlösung.[44]

Theologisch gesprochen ist die unglaubliche individuelle Intimität jeder und jedes Einzelnen ebenso universal wie der dreieinige Gott jedem Individuum näher ist als dieses sich selbst. Jedes menschliche Wesen wird von Gott geliebt. Bei Gott ist jeder Augenblick des Lebens jedes Menschen gegenwärtig. Keine menschlichen Reiche können die Leiden, Tränen und das an jedem Tag der Menschheitsgeschichte sündhaft vergossene Blut versöhnen. Nur die ewig liebende Gegenwart Gottes, die sich in Jesu Verkündigung des Reiches Gottes geoffenbart hat, kann das menschliche Leiden versöhnen und das menschliche Böse heilen.

Wir müssen wiederentdecken, welche Rolle der Theologie bei der interdisziplinären Zusammenarbeit mit den Natur- und Humanwissenschaften im Dienst einer architektonischen Weisheit zukommt. Wir brauchen die Zusammenarbeit, um unseren kleinen Beitrag zu leisten zum Aufbau dessen, was im Blick auf eine neue und wirkliche Aufklärung so dringend gebraucht wird, nämlich Kathedralen des Geistes. Kathedralen des Geistes, die weitaus beständiger sind als die aus Stein, in denen wir eine aufmerksame Ehrfurcht vor dem Guten und Heiligen kultivieren können, das in jeder echten Frage, in jedem Akt richtigen Verstehens und in der Entdeckung steckt, die letztendlich Geschenk ist, eine endliche, geschaffene Teilhabe am wunderbaren, umfassenden Geheimnis des unendlichen Verstehens, aus dem unendliche Weisheit strömt, die die unendliche Liebe beseelt.

Wir brauchen Kathedralen des Geistes, in denen sich der ruhelose Geist und das unruhige Herz jeder Person zu Hause fühlen, in denen die Errungenschaften jedes Zeitalters, jeder Kultur und jedes Volkes gefeiert werden. Wir brauchen Kathedralen des Geistes, in denen wir unsere blinde Dummheit bereuen können, die wie ein ominöser Schatten über aller Geschichte hängt und die erwünschte Einsichten unserer selbst und unzählige Hirne und Herzen unterdrückt durch die Blindheit der rassischen, sexuellen, klassenbezogenen, nationalistischen und technokratischen Befangenheiten.

Unser Geist ist das wirkliche Bild Gottes in uns, des Gottes, der jedes menschliche Wesen erleuchtet, das jemals auf die Welt ge-

---

44 Vgl. *R.W. Shaffern*, Christianity and the Rise of the Nuclear Family, in: America 170 (1994) no. 16, 13-15.

kommen ist, existiert bzw. auf die Welt kommen wird. Wir brauchen Kathedralen des Geistes, in denen uns von Gott und untereinander vergeben werden kann in dem Maße, wie sich unsere intellektuellen, moralischen und religiösen Umorientierungen hin zu Wahrheit, Güte und Heiligkeit vertiefen. Wir brauchen Kathedralen des Geistes, in denen wir die massiven Ungerechtigkeiten unserer Zeit zur Sprache bringen können, nicht allein mit bloßen Moralismen, die nur Beschimpfungen herausschreien, sondern mit intellektuell saubereren Alternativen, die die kurzsichtige Dummheit ansprechen, welche dem Unrecht zugrundeliegt. Denn damit Gerechtigkeit blühen kann, ist praktische Weisheit verlangt. Wer die massiven Wunden der Ungerechtigkeit verbinden will, braucht sowohl das Mitleid der körperlichen Werke der Barmherzigkeit als auch die Aufklärung der geistigen Werke der Barmherzigkeit.

Wir brauchen Kathedralen des Geistes, in denen wir erfahren können, daß unsere intimsten persönlichen Fragen, Einsichten und Orientierungen zuinnerst gemeinschaftlich und interpersonal sind, verbunden sowohl mit der konkreten Universalität der Gemeinschaft der gesamten menschlichen Gattung als auch mit den drei Personen, die jedem und jeder von uns jeweils noch näher sind als wir selbst. Jedes Verstehen bringt ein Leiden mit sich, ein *pati*, und nur dann, wenn das Licht unseres Geistes geheilt und vom Licht des Glaubens verstärkt wird, können wir die Versuchungen des Zynismus, Skeptizismus und verzweifelnden Nihilismus vermeiden, wenn von überall her um uns herum und tief aus uns heraus die Schreie der Opfer kommen.

Nur mit der Stärke des Geistes können die verlängerten Passionsgeschichten der ganzen Menschheitsgeschichte, die im Neuen Bund erzählt werden, als Evangelium angenommen werden, als gute Nachricht der Erlösung in der Herrlichkeit der Auferstehung. Im Paschaopfer sind alle Opfer der Geschichte verkörpert; einige davon begegnen uns in den Geschichten, die mit der ersten Seite der Genesis beginnen und bis zur letzten Seite der Apokalypse reichen. Sie lehren uns eine Weisheit, die von Gott stammt, eine Weisheit der Gesegneten, "die aus der großen Bedrängnis kommen; sie haben ihre Gewänder gewaschen und im Blut des Lammes weiß gemacht... Sie werden keinen Hunger und keinen Durst mehr leiden... und Gott wird alle Tränen von ihren Augen abwischen" (Offb 7, 14.17). Wenn das Verstehen in der Tiefe des menschlichen Leidens geboren wird, dann wegen der Kenosis der göttlichen Weisheit, die allein Gutes aus dem Bösen, Gnade aus der Sünde und Leben aus dem Tod hervorbringen kann. Erst im ewigen Reich Gottes werden die Imperien der Geschichte völlig verwandelt in die Gerechtigkeit und agapische Liebe der dreieinigen göttlichen Gemeinschaft.

(Aus dem Englischen übersetzt von Edmund Arens)

Helmut Peukert im Gespräch

Eine bibliographische Übersicht

Zusammengestellt von Edmund Arens, Frankfurt a.M.

Die hier vorgelegte Übersicht dokumentiert die Arbeiten Helmut Peukerts sowie deren Rezeption und Diskussion. Die Bibliographie knüpft an die "Kleine Bilanz der bisherigen Peukertrezeption" an, die ich veröffentlicht habe in: *H.-U. von Brachel / N. Mette (Hg.)*, Kommunikation und Solidarität. Beiträge zur Diskussion des handlungstheoretischen Ansatzes von Helmut Peukert in Theologie und Sozialwissenschaften, Fribourg / Münster 1985, 14-32.

Im Folgenden sind zunächst (I.) die Schriften Helmut Peukerts aufgeführt; anschließend werden (II.) solche Arbeiten verzeichnet, die sich explizit auf Peukerts Ansatz einer theologischen Handlungstheorie beziehen und diesen interpretieren, kritisieren, rezipieren bzw. weiterführen.

Rezensionen sind in der Regel nicht berücksichtigt. Sammelbände werden, soweit in ihnen mehrere einschlägige Beiträge enthalten sind, nur einmal unter dem Namen des Herausgebers aufgelistet. Abkürzungen richten sich nach *S. Schwertner*, Internationales Abkürzungsverzeichnis für Theologie und Grenzgebiete, Berlin [2]1992, bzw. nach *W. Kasper u.a. (Hg.)*, Lexikon für Theologie und Kirche. Abkürzungsverzeichnis, Freiburg 1993.

I. Schriftenverzeichnis Helmut Peukert

- Art. Simmel, Georg, in: LThK IX ([2]1964) 763
- Bultmann and Heidegger, in: T. O'Meara / D.W. Weiser (eds.), Rudolf Bultmann in Catholic Thought, New York 1968, 196-221
- Auslegung von Lk 24, 13-35, in: Arbeitshefte der Religiösen Bildungsarbeit 19 (1968) H. 59-60
- Rez. E. Haible, Schöpfung und Heil. Ein Vergleich zwischen Bultmann, Barth und Thomas, Mainz 1964, in: ThRv 64 (1968) 130-131

- (Hg.), Diskussion zur "politischen Theologie", Mainz / München 1969
- Italienisch: Dibattito sulla "teologia politica", Brescia 1971
- Einleitung, in: ders. (Hg.), Diskussion zur "politischen Theologie", Mainz / München 1969, VII-XIV
- Zur formalen Systemtheorie und zur hermeneutischen Problematik einer "politischen Theologie", in: ders. (Hg.), Diskussion zur "politischen Theologie", Mainz / München 1969, 82-95
- Zur Frage einer "Logik der interdisziplinären Forschung", in: J.B. Metz / T. Rendtorff (Hg.), Die Theologie in der interdisziplinären Forschung, Düsseldorf 1971, 65-71
- Italienisch: Il problema di una "logica della ricerca interdisciplinare", in: J.B. Metz / T. Rendtorff (edd.), La teologica nella ricerca interdisciplinare, Brescia 1974, 119-131
- Was will die "politische Theologie"?, in: BiKi 26 (1971) 36-39
- Zur Einführung: Bemerkungen zum Verhältnis von Sprachanalyse und Theologie, in: D.M. High (Hg.), Sprachanalyse und religiöses Sprechen, Düsseldorf 1972, IX-XXIV
- Bemerkungen zur Theorie der Übersetzung und zum Verhältnis von umgangssprachlicher Kommunikation und Fachsprache der Theologie, in: J.S. Petöfi / A. Podlech / E. v. Savigny (Hg.), Fachsprache - Umgangssprache, Kronberg 1975, 303-315
- Wissenschaftstheorie - Handlungstheorie - Fundamentale Theologie. Analysen zu Ansatz und Status theologischer Theoriebildung, Düsseldorf 1976
- Neuausgabe: (stw 231) Frankfurt 1978; [2]1988
- Englisch: Science, Action, and Fundamental Theology. Toward a Theology of Communicative Action, Cambridge (Mass.) 1984; [2]1986
- Zur Pragmatik ethischer Rede, in: werkstatt predigt 23 (1977) H. 5, 3-19
- Sprache und Freiheit. Zur Pragmatik ethischer Rede, in: F. Kamphaus / R. Zerfaß (Hg.), Ethische Predigt und Alltagsverhalten, München / Mainz 1977, 44-75
- Universale Solidarität - Verrat an Bedrohten und Wehrlosen?, in: Diakonia 8 (1978) 3-12
- Beitrag zur Diskussion, in: W. Oelmüller (Hg.), Transzendentalphilosophische Normenbegründungen. Materialien zur Normendiskussion. Bd. 1, Paderborn 1978, 156-158

- Beitrag zur Diskussion, in: W. Oelmüller (Hg.), Normenbegründung - Normendurchsetzung. Materialien zur Normendiskussion. Bd. 2, Paderborn 1978, 224-226
- Kommunikative Freiheit und absolut befreiende Freiheit. Bemerkungen zu Karl Rahners These über die Einheit von Nächsten- und Gottesliebe, in: H. Vorgrimler (Hg.), Wagnis Theologie. Erfahrungen mit der Theologie Karl Rahners, Freiburg 1979, 274-283
- Pädagogik - Ethik - Politik. Normative Implikationen pädagogischer Interaktion, in: H. Heid u.a. (Hg.), Das politische Interesse an der Erziehung und das pädagogische Interesse an der Gesellschaft (ZP.B 17), Weinheim / Basel 1981, 61-70
- Was ist eine praktische Wissenschaft? Handlungstheorie als Basistheorie der Humanwissenschaften: Anfragen an die praktische Theologie, in: PThI 2 / 1981, 11-21
- Nachdruck, in: Christen für den Sozialismus - Gruppe Münster (Hg.), Zur Rettung des Feuers. Solidaritätsschrift für K. Füssel, Münster 1981, 280-295
- Erweiterte Fassung, in: O. Fuchs (Hg.), Theologie und Handeln. Beiträge zur Fundierung der Praktischen Theologie als Handlungstheorie, Düsseldorf 1984, 64-79
- Universal solidarity as goal of communication, in: Media Development 28 (1981) no.4, 10-12
- Kontingenzerfahrung und Identitätsfindung. Bemerkungen zu einer Theorie der Religion und zur Analytik religiös dimensionierter Lernprozesse, in: J. Blank / G. Hasenhüttl (Hg.), Erfahrung, Glaube und Moral, Düsseldorf 1982, 76-102
- (zs. mit D. Benner), Erziehung, moralische, in: D. Lenzen / K. Mollenhauer (Hg.), Theorien und Grundbegriffe der Erziehung und Bildung. Enzyklopädie Erziehungswissenschaft. Bd 1, Stuttgart 1983, 394-402
- Kritische Theorie und Pädagogik, in: ZP 39 (1983) 195-217
- Art. Fundamentaltheologie, in: NHThG 2 (1984) 16-25; mit erweiterter Bibliographie in: NHThG 2 ([2]1991) 134-141
- Italienisch: Teologia fondamentale, in: Enciclopedia Teologica, Brescia 1989, 1035-1042
- Über die Zukunft von Bildung, in: FH, FH-extra 6 (1984) 129-137
- Fundamental Theology and Communicative Praxis as the Ethics of Universal Solidarity, in: The Conrad Grebel Review 3 (1985) 41-65

- Reply to Don Wiebe: Further Reflections on "Fundamental Theology as the Ethics of Universal Solidarity", in: The Conrad Grebel Review 3 (1985) 296-299
- Intersubjektivität - Kommunikationsgemeinschaft - Religion. Bemerkungen zur Interpretation einer höchsten Stufe des moralischen Bewußtseins durch K.-O. Apel, in: Archivio di Filosofia LIV (1986) 167-178
- Tradition und Transformation - Zu einer pädagogischen Theorie der Überlieferung, in: RpB H. 19 / 1987, 16-34
- Die Frage nach der Allgemeinbildung als Frage nach dem Verhältnis von Bildung und Vernunft, in: J.-E. Pleines (Hg.), Das Problem des Allgemeinen in der Bildungstheorie, Würzburg 1987, 69-88
- Praxis universaler Solidarität. Grenzprobleme im Verhältnis von Erziehungswissenschaft und Theologie, in: E. Schillebeeckx (Hg.), Mystik und Politik. Theologie im Ringen um Geschichte und Gesellschaft (FS J.B. Metz), Mainz 1988, 172-185
- /J. Oelkers / J. Ruhloff (Hg.), Öffentlichkeit und Bildung in erziehungsphilosophischer Sicht, Köln 1989
- Kommunikatives Handeln, Systeme der Machtsteigerung und die unvollendeten Projekte Aufklärung und Theologie, in: E. Arens (Hg.), Habermas und die Theologie, Düsseldorf 1989, 39-64
- Italienisch: Agire comunicativo, sistemi di accrescimento del potere, e illuminismo e teologia come progetti incompiuti, in: E. Arens (ed.), Habermas e la teologia, Brescia 1992, 53-85
- Englisch: Enlightenment and Theology as Unfinished Projects, in: D.S. Browning / F. Schüssler Fiorenza (eds.), Habermas, Modernity, and Public Theology, New York 1992, 43-65
- Französisch: Agir communicationnel, systèmes de l'accroissement de puissance et les projects inachevés des Lumières et de la théologie, in: E. Arens (éd.), Habermas et la théologie, Paris 1993, 45-73
- Bildung - Reflexionen zu einem uneingelösten Versprechen, in: G. Otto (Hg.), Bildung - Die Menschen stärken, die Sachen klären, Seelze 1988, 12-17
- Wilhelm Flitner, in: Pädagogik 41 (1989) H. 10, 8
- Wilhelm Flitner zum 100. Geburtstag, in: Die Grundschulzeitschrift 3 (1989) 3
- Ein Klassiker unserer Probleme: Wilhelm Flitner, in: Deutsches Allgemeine Sonntagsblatt, Nr. 44 vom 3.11.1989, 14

196

- "Erziehung nach Auschwitz" - eine überholte Situationsdefinition? Zum Verhältnis von kritischer Theorie und Erziehungswissenschaft, in: NSam 30 (1990) 345-354
- Nachdruck, in: D. Hoffmann (Hg.), Bilanz der Paradigmendiskussion in der Erziehungswissenschaft. Leistungen, Defizite, Grenzen, Weinheim / Basel 1991, 127-140
- Nachdruck, in: M. Bußmann / G. Bitter (Hg.), Lebenszeichen gegen Angst und Tod. Für eine humane Welt und eine menschliche Kirche. Heinz Missalla gewidmet, Oberursel 1991, 216-228
- /H. Scheuerl (Hg.), Wilhelm Flitner und die Frage nach einer allgemeinen Erziehungswissenschaft im 20. Jahrhundert (ZP.B 26), Weinheim / Basel 1991
- Neuausgabe: Ortsbestimmung der Erziehungswissenschaft. Wilhelm Flitner und die Frage nach einer allgemeinen Erziehungswissenschaft im 20. Jahrhundert, Weinhein / Basel 1992
- Reflexion am Ort der Verantwortung. Herausforderungen durch Wilhelm Flitners pädagogisches Denken, in: ders. / H. Scheuerl (Hg.), Wilhelm Flitner und die Frage nach einer allgemeinen Erziehungswissenschaft im 20. Jahrhundert (ZP.B 26), Weinheim / Basel 1991, 15-27
- /K. Meyer-Drawe / J. Ruhloff (Hg.), Pädagogik und Ethik. Beiträge zu einer zweiten Reflexion, Weinheim / Basel 1992
- Die Erziehungswissenschaft der Moderne und die Herausforderungen der Gegenwart, in: D. Benner / D. Lenzen / H.-U. Otto (Hg.), Erziehungwissenschaft zwischen Modernisierung und Modernitätskrise (ZP.B 29), Weinheim / Basel 1992, 113-127
- Englisch: Present Challenges to the Educational Theory of Modernity, in: Education 47 (1993) 7-24
- Spanisch: Las ciencias de la educación de la modernidad y los desafios del presente, in: Educación 49/50 (1994) 21-40
- Philosophische Kritik der Moderne, in: Conc(D) 28 (1992) 465-471
- Fundamental Theology and Communicative Praxis as the Ethics of Universal Solidarity, in: A.J. Reimer (ed.), The Influence of the Frankfurt School on Contemporary Theology. Critical Theory and the Future of Religion (FS R.J. Siebert), Lewiston / Queenston / Lampeter 1992, 221-246
- /L. Koch / W. Marotzki (Hg.), Revision der Moderne? Beiträge zu einem Gespräch zwischen Pädagogik und Philosophie, Weinheim / Basel 1993

- Basic Problems of a Critical Theory of Education, in: Journal of the Philosophy of Education 26 (1993) 159-170
- Ästhetik - Die Hoffnung der Pädagogik?, in: Kunst und Unterricht, H. 179 / 1993, 23
- /L. Koch / W. Marotzki (Hg.), Pädagogik und Ästhetik, Weinheim / Basel 1994
- Bildung als Wahrnehmung des Anderen. Der Dialog im Bildungsdenken der Moderne, in: I. Lohmann / W. Weiße (Hg.), Dialog der Kulturen, Münster 1994

II. Literatur zum handlungstheoretischen Ansatz von Helmut Peukert

Anzinger, H., Glaube und kommunikative Praxis. Eine Studie zur 'vordialektischen' Theologie Karl Barths, München 1991

Arens, E., Gleichnisse als kommunikative Handlungen Jesu, in: ThPh 56 (1981) 47-69
- Towards a theological theory of communicative action, in: Media Development 28 (1981) no. 4, 12-16
- Kommunikative Handlungen. Die paradigmatische Bedeutung der Gleichnisse Jesu für eine Handlungstheorie, Düsseldorf 1982
- Elementare Handlungen des Glaubens, in: O. Fuchs (Hg.), Theologie und Handeln, Düsseldorf 1984, 80-101
- Jesus' Communicative Actions: The Basis of Christian Faith Praxis, Witnessing and Confessing, in: The Conrad Grebel Review 3 (1985) 67-85
- "Wer kann die großen Taten des Herrn erzählen?" (Ps 106,2). Die Erzählstruktur christlichen Glaubens in systematischer Perspektive, in: R. Zerfaß (Hg.), Erzählter Glaube - erzählende Kirche (QD 116), Freiburg 1988, 13-27
- Metaphorische Erzählungen und kommunikative Handlungen Jesu, in: BZ 32 (1988) 52-71
- Bezeugen und Bekennen. Elementare Handlungen des Glaubens, Düsseldorf 1989
- Zur Struktur theologischer Wahrheit. Überlegungen aus wahrheitstheoretischer, biblischer und fundamentaltheologischer Sicht, in: ZKTh 112 (1990) 1-17
- Implizite Axiome aus der Sicht einer theologischen Handlungstheorie, in: W. Huber / E. Petzold / Th. Sundermeier (Hg.), Implizite Axiome. Tiefenstrukturen des Denkens und Handelns (FS D. Ritschl), München 1990, 184-196

- Domination and Communication, in: A.J. Reimer (ed.), The Influence of the Frankfurt a.M. School on Contemporary Theology. Critical Theory and the Future of Religion (FS R. J. Siebert), Lewiston (NY) 1992, 247-261
- Christopraxis. Grundzüge theologischer Handlungstheorie (QD139), Freiburg 1992
- Dramatische Erlösungslehre aus der Perspektive einer theologischen Handlungstheorie, in: J Niewiadomski / W. Palaver (Hg.), Dramatische Erlösungslehre, Innsbruck / Wien 1992, 165-177
- Sozialethik im Diskurs? Hans-Joachim Höhns Beitrag zu einer handlungstheoretisch begründeten christlichen Gesellschaftsethik, in: F. Hengsbach / B. Emunds / M. Möhring-Hesse (Hg.), Jenseits Katholischer Soziallehre. Neue Entwürfe christlicher Gesellschaftsethik, Düsseldorf 1993, 149-167. 309-312
- Kommunikative Ethik und Theologie, in: ThRv 88 (1992) 441-454
- Diskursethik, Befreiungsethik, Religion. Fundamentaltheologische Anmerkungen zu einer philosophischen Debatte, in: R. Fornet-Betancourt (Hg.), Konvergenz oder Divergenz? Eine Bilanz des Gesprächs zwischen Diskursethik und Befreiungsethik, Aachen 1994, 39-52
- /O. John / P. Rottländer, Erinnerung, Befreiung, Solidarität. Benjamin, Marcuse, Habermas und die politische Theologie, Düsseldorf 1991
- (Hg.), Habermas und die Theologie. Beiträge zur theologischen Rezeption, Diskussion und Kritik der Theorie kommunikativen Handelns, Düsseldorf [2]1989
- (Hg.), Gottesrede - Glaubenspraxis. Perspektiven theologischer Handlungstheorie, Darmstadt 1994

Bartholomäus, W., Kommunikation in der Kirche, in: Conc(D) 14 (1978) 62-70

Bauer, K., Der Denkweg von Jürgen Habermas zur Theorie des kommunikativen Handelns. Grundlagen einer neuen Fundamentaltheologie?, Regensburg 1987

Becker, G., Theologie in der Gegenwart, Regensburg 1978

Bohman, J., Translator's Introduction, in: H. Peukert, Science, Action, and Fundamental Theology, Cambridge (Mass.) 1984, VIII-XXIII

Brachel, H.-U. v., Subjekt Werden. Theologische und psychologische Reflexionen zu einer Theorie innovatorischen Handelns, Münster 1985

- /R. Fetz / F. Oser, Glaube als Transformationsprozeß, in: Diak 14 (1983) 34-43

- /N. Mette (Hg.), Kommunikation und Solidarität. Beiträge zur Diskussion des handlungstheoretischen Ansatzes von Helmut Peukert in Theologie und Sozialwissenschaften, Fribourg / Münster 1985

Brown, D., Continental Philosophy and Modern Theology, Oxford 1987

Browning, D.S., A Fundamental Practical Theology. Descriptive and Strategic Proposals, Minneapolis 1991

Brumlik, M., Um die Vernunft des Tröstens - Jürgen Habermas und die Theologie, in: Babylon, H. 6 / 1989, 98-106

Bühler, P., Habermas et l'éthique théologique, in: RThP 123 (1991) 179-193

Bujo, B., Die ethische Dimension der Gemeinschaft. Das afrikanische Modell im Nord-Süd-Dialog, Fribourg / Freiburg 1993

Campbell, M.M., Critical Theory and Liberation Theology: A Comparison of the Works of Jürgen Habermas and Gustavo Gutiérrez, (Diss.) Graduate Theological Union 1990

Collet, G., Das Missionsverständnis der Kirche in der gegenwärtigen Diskussion, Mainz 1984

Copray, N., Kommunikation und Offenbarung, Düsseldorf 1983

Daiber, K.F., "Wissenschaftstheorie - Handlungstheorie - Fundamentale Theologie", in: EvTh 38 (1978) 444-450

Dalferth, I.U., Religiöse Rede von Gott, München 1981

- /E. Jüngel, Sprache als Träger von Sittlichkeit, in: Handbuch der christlichen Ethik. Bd. 2, Freiburg 1978, 454-473

Dallmann, H.-U., Die Systemtheorie Niklas Luhmanns und ihre theologische Rezeption, Stuttgart / Berlin / Köln 1994

Davis, C., Theology and Political Society, Cambridge 1980

Demmer, K., Sittlich handeln aus Verstehen, Düsseldorf 1980

- Moraltheologische Methodenlehre, Fribourg / Freiburg 1989

Dirks, W., Der singende Stotterer, München 1983

Döring, H., Disput um die Erfahrbarkeit Gottes. Sondierungen zum fundamentaltheologischen Stellenwert der religiösen Erfahrung, in: M. Kessler / W. Pannenberg / H. J. Pottmeyer (Hg.), Fides quaerens intellectum (FS M. Seckler), Tübingen 1992, 17-39

- Theologie im Medium der Erfahrung, in: P. Neuner / H. Wagner (Hg.), In Verantwortung für den Glauben (FS H. Fries), Freiburg 1992, 47-65

Dornberg, U., Kontextuelle Theologie in Sri Lanka. Neuere kirchliche und theologische Entwicklungen in einem asiatischen Land in ihrer exemplarischen theologischen Relevanz für die Weltkirche, (Diss.) Münster 1987

Dussel, E., Theologie und Wirtschaft. Das theologische Paradigma des kommunikativen Handelns und das Paradigma der Lebensgemeinschaft als Befreiungstheologie, in: R. Fornet-Betancourt (Hg.), Verändert der Glaube die Wirtschaft?, Freiburg 1991, 39-57

Düsterfeld, P., Predigt und Kompetenz, Düsseldorf 1978

Eicher, P., Bürgerliche Religion. Eine theologische Kritik, München 1983

Englert, R., Glaubensgeschichte und Bildungsprozeß. Versuch einer religionspädagogischen Kairologie, München 1985

Frankemölle, H., Biblische Handlungsanweisungen. Beispiele pragmatischer Exegese, Mainz 1983

- Die "Praxis Christi" (Mt 11, 2) und die handlungsorientierte Exegese, in: D. A. Koch / G. Sellin / A. Lindemann (Hg.), Jesu Rede von Gott und ihre Nachgeschichte im frühen Christentum (FS W. Marxen), Gütersloh 1988, 142-164

Franz, A., Glauben und Denken, Regensburg 1983

Fuchs, G., Roter Faden Theologie, in: KatBl 107 (1982) 165-181

- Der Glaube kommt vom Hören, in: rhs 26 (1983) 73-78

Fuchs, O., Die Klage als Gebet, München 1982

- *(Hg.),* Theologie und Handeln. Beiträge zur Fundierung der Praktischen Theologie als Handlungstheorie, Düsseldorf 1984

Fürst, W., Praktisch-theologische Urteilskraft. Auf dem Weg zu einer symbolisch-kritischen Methode der Praktischen Theologie, Zürich 1986

Füssel, K., Sprache, Religion, Ideologie, Frankfurt a.M. / Bern 1982

Funke, D., Verkündigung zwischen Tradition und Interaktion, Frankfurt a.M. / Bern / New York / Nancy 1984

Glebe-Møller, J., A Political Dogmatic, Philadelphia 1987

Gmünder, P., Entwicklung als Ziel religiöser Erziehung, in: KatBl 104 (1989) 629-634

Gruber, F., Diskurs und Konsens im Prozeß theologischer Wahrheit, Innsbruck / Wien 1993

Habermas, J., Vorstudien und Ergänzungen zur Theorie des kommunikativen Handelns, Frankfurt a.M. 1984

- Nachmetaphysisches Denken, Frankfurt a.M. 1988

- Texte und Kontexte, Frankfurt a.M. 1991

Herten, J., Theologie - eine Wissenschaft?, in: ThG 21 (1978) 117-122

Heyl, A. von, Praktische Theologie und Kritische Theorie. Impulse für eine praktisch-theologische Theoriebildung, Stuttgart / Berlin / Köln 1994

Hilberath, B.J., Theologie zwischen Tradition und Kritik, Düsseldorf 1978

Hodgson, P. C., God in History. Shapes of Freedom, Nashville (Ten.) 1989

Hoffmann, J., Moralpädagogik. Bd.1, Düsseldorf 1979

Hofmann, P., Glaubensbegründung. Die Transzendentalphilosophie der Kommunikationsgemeinschaft in fundamentaltheologischer Sicht, Frankfurt a.M. 1988

Höhn, H.-J., Kirche und kommunikatives Handeln. Studien zur Theologie und Praxis der Kirche in der Auseinandersetzung mit den Sozialtheorien Niklas Luhmanns und Jürgen Habermas', Frankfurt a.M. 1985

- Glaube im Diskurs. Notizen zur diskursiven Verantwortung christlicher Glaubensvermittlung, in: ThPh 60 (1985) 213-238

- Vernunft - Glaube - Politik. Reflexionsstufen einer Christlichen Sozialethik, Paderborn 1990

Höver, G., Sittlich handeln im Medium der Zeit. Ansätze zur handlungstheoretischen Neuorientierung der Moraltheologie, Würzburg 1988

Janßen, H.G., Das Theodizee-Problem der Neuzeit, Frankfurt a.M. / Bern 1982

Jeanrond, W. G., Text und Interpretation als Kategorien theologischen Denkens, Tübingen 1986

John, O., "... Und dieser Feind hat zu siegen nicht aufgehört". Die Bedeutung Walter Benjamins für eine Theologie nach Auschwitz, (Diss.) Münster 1983

Kappenberg, B., Kommunikationstheorie und Kirche, Frankfurt a.M. / Bern 1981

Karrer, L., Der Glaube in Kurzformeln, Mainz 1978

Kasper, W., Der Gott Jesu Christi, Mainz 1982

- Das Wahrheitsverständnis der Theologie, in: E. Coreth (Hg.), Wahrheit in Einheit und Vielheit, Düsseldorf 1987, 170-193

Kessler, H., Sucht den Lebenden nicht bei den Toten. Die Auferstehung Jesu Christi, Düsseldorf [2]1987

Kissling, C., Die Theorie des kommunikativen Handelns in Diskussion, in: FZPhTh 37 (1990) 233-252

- Gemeinwohl und Gerechtigkeit. Ein Vergleich von traditioneller Naturrechtsethik und kritischer Gesellschaftstheorie, Fribourg / Freiburg 1993

Knapp, M., "Wahr ist nur, was nicht in diese Welt paßt". Die Erbsündenlehre als Ansatzpunkt eines Dialoges mit Theodor W. Adorno, Würzburg 1983

- Gottes Herrschaft als Zukunft der Welt. Biblische, theologiegeschichtliche und systematische Studien zur Grundlegung einer Reich-Gottes-Theologie in Auseinandersetzung mit Jürgen Habermas' Theorie des kommunikativen Handelns, Würzburg 1993

Kraml, H., Die Rede von Gott sprachkritisch rekonstruiert an den Sentenzen-kommentaren (ITS 13), Innsbruck 1984

Krobath, Th., Die Diskurstheorie des Konsenses bei Jürgen Habermas. Zur Möglichkeit und Problematik ihrer theologischen Rezeption, (Diss.) Wien 1992

Krockauer, R., Kirche als Asylbewegung. Diakonische Kirchenbildung am Ort der Flüchtlinge, Stuttgart / Berlin / Köln 1993

Kuhnke, U., Koinonia. Zur theologischen Rekonstruktion der Identität christlicher Gemeinde, Düsseldorf 1992

Lakeland, P.F., Habermas and the Theologians Again, in: RSR 15 (1989) 104-109

- Theology and Critical Theory. The Discourse of the Church, Nashville 1990

Lamb, M.L., Solidarity with Victims. Toward a Theology of Social Transformation, New York 1982

- Die Dialektik von Theorie und Praxis in der Paradigmenanalyse, in: H. Küng / D. Tracy (Hg.), Theologie - wohin?, Zürich / Köln / Gütersloh 1984, 103-147

Leader, D.P., The Category of Freedom in Helmut Peukert's Dialogue with the Theory of Communicative Action, (Diss.) Univ. of Notre Dame 1992

Lindbeck, G.A., Theologische Methode und Wissenschaftstheorie, in: ThRv 74 (1978) 265-280

Lob-Hüdepohl, A., Kommunikative Vernunft und theologische Ethik, Fribourg / Freiburg 1993

Lønning, P., Der begreiflich Unbegreifbare, Göttingen 1986

Lutz-Bachmann, M., Freiheitsgeschichte und Theologie, in: PhR 27 (1980) 179-182

Maddox, R. L., Toward an Ecumenical Fundamental Theology, Chico (CA) 1984

Manderscheid, H., Kirchliche und gesellschaftliche Interessen im Kindergarten. Ein pastoraltheologischer Beitrag zur Frage nach dem katholischen Profil, Freiburg 1989

Mardones, J.M., Razón comunicativa y teoria critica. La fundamentacion normativa de la teoria critica de la sociedad, Bilbao 1985

Masschelein, J., Kommunikatives Handeln und pädagogisches Handeln, Weinheim / Leuven 1991

McCann, D.P., Habermas and the Theologians, in: RSR 7 (1981) 14-21

- /*C.R. Strain*, Polity & Praxis: A Program for American Practical Theology, New York 1985

McCarthy, T., Philosophical foundations of political theology: Kant, Peukert and the Frankfurt School, in: L.S. Rouner (ed.), Civil Religion and Political Theology, Notre Dame (Ind.) 1986, 23-40

Mette, N., Theorie der Praxis, Düsseldorf 1978
- Kirchliches Handeln als "Kontingenzbewältigungspraxis"?, in: L. Bertsch / F. Schlösser (Hg.), Kirchliche und nichtkirchliche Religiosität, Freiburg 1978, 7-87
- Praktische Theologie als Handlungswissenschaft, in: Diak 10 (1979) 190-203
- Religiöse Sozialisation und Entwicklung des Ich, in: G. Stachel (Hg.), Sozialisation - Identitätsfindung - Glaubenserfahrung, Zürich / Einsiedeln / Köln 1979, 136-146
- Voraussetzungen christlicher Elementarerziehung, Düsseldorf 1983
- Identität in universaler Solidarität. Zur Grundlegung einer religionspädagogischen Handlungstheorie, in: JRP 6 (1989) 27-55
- Bildung und verbindliches Handeln, in: StZ 119 (1994) 453-464
- Religionspädagogik, Düsseldorf 1994
- /*H. Steinkamp*, Sozialwissenschaften und Praktische Theologie, Düsseldorf 1983
- /*M. Blasberg-Kuhnke*, Kirche auf dem Weg ins Jahr 2000, Düsseldorf 1986

Metz, J.B., Glaube in Geschichte und Gesellschaft, Mainz ⁵1992

Meuffels, O., Sakrament und Kommunikation, Freiburg 1995

Meyer zu Schlochtern, J., Sakrament Kirche. Wirken Gottes im Handeln der Menschen, Freiburg 1992

Milbank, J., Theology and Social Theory. Beyond Secular Reason, Oxford / Cambridge (Mass.) 1990

Nagl, L., Aufhebung der Religion in Diskurstheorie? Kritische Anmerkungen zur Religionskritik von Jürgen Habermas, in: Überlieferung und Auftrag (FS E. Heintel), Wien 1982, 197-213

Neufeld, K.-H., Über Fundamentaltheologische Tendenzen der Gegenwart, in: ZKTh 111 (1989) 26-44

- Fundamentaltheologie I / II, Stuttgart / Berlin / Köln 1992/93

Neuhaus, G., Transzendentale Erfahrung als Geschichtsverlust?, Düsseldorf 1982

Neumann, K., Der Praxisbezug der Theologie bei Karl Rahner, Freiburg 1980

Ober, C., System, Lebenswelt und die Herausforderung durch die Anderen. Überlegungen zu einer kommunikativen christlichen Befreiungsethik. Eine Auseinandersetzung mit den Ethiktheorien von A. Auer, N. Luhmann, J. Habermas und E. Dussel, (Diss.) Tübingen 1992

Oser, F. / P. Gmünder, Der Mensch - Stufen seiner religiösen Entwicklung, Gütersloh ²1988

Ostovich, S.T., Reason in History. Theology and Science as Community Activities, Atlanta (Ga.) 1990

- Theology in the postmodern university: reflections from political philosophy and theology, in: Apczynski, J. (ed.), Theology and the university, Atlanta (Ga.) 1990, 179-192

Petzel, P., Was uns an Gott fehlt, wenn uns die Juden fehlen. Eine erkenntnistheologische Studie, Mainz 1994

Ploeger, A. K., "Diskurs". De plaats van geloofservaringen binnen de rationele handelingstheorie van J. Habermas, Groningen 1989

Pröpper, T., Erlösungsglaube und Freiheitsgeschichte, München ³1991

- Art. Freiheit, in: NHThG 1, 374-403

Raj, C.P., Social Identity of the Marginalized. A Study from an Indian Perspective with Reference to the Works of Jürgen Habermas, (Diss.) Madras 1994

Reith, K.F., Mikrologie, Frankfurt a.M. / Bern 1982

Reuver, G.J. de, Schoolkatechese en Communicatie. Onderzoek en theorievorming in wisselwerking met de praktijk, Mondiss / Kampen 1987

Rose, G., The Broken Middle. Out of Our Ancient Society, Oxford / Cambridge (Mass.) 1992

Schaeffler, R., Glaubensreflexion und Wissenschaftslehre. Thesen zur Wissenschaftstheorie und Wissenschaftsgeschichte der Theologie (QD 82), Freiburg 1980
- Wissenschaftstheorie und Theologie, in: CGG 20, Freiburg 1982, 5-83
Scheffczyk, L., Die Theologie und die Wissenschaften, Aschaffenburg 1979
Scheidler, M., Christliche Communio und kommunikatives Handeln. Eine Leitperspektive für die Schule, Altenberge 1993
Schmalenberg, E., Von der Sprachanalyse zur Verständigungsgemeinschaft, in: KuD 25 (1979) 123-132
Schmidt, T.M., Funktionalisierung des Absoluten. Handlungstheoretische Fundamentaltheologie im Lichte der Hegelschen Religionsphilosophie, in: H.-J. Höhn (Hg.), Theologie, die an der Zeit ist, Paderborn 1992, 113-137
Schneider, G., Grundbedürfnisse und Gemeindebildung, München / Mainz 1982
Seckler, M., Fundamentaltheologie: Aufgaben und Aufbau, Begriff und Namen, in: Handbuch der Fundamentaltheologie. Bd. 4, Freiburg 1988, 450-514
Seeliger, R., Kirchengeschichte - Geschichtstheologie - Geschichtswissenschaft, Düsseldorf 1981
Siebert, R.J., Peukert's New Critical Theology, in: The ecumenist 16 (1978) no. 4, 52-58; no. 5, 78-80
- Herrschaftsfreie Kommunikation, in: Conc(D) 14 (1978) 53-61
- From Critical Theory of Society to Theology of Communicative Praxis, Washington (DC) 1979
- The Critical Theory of Religion. The Frankfurt a.M. School, Berlin / New York / Amsterdam 1985
- From Critical Theory to Communicative Political Theology: Universal Solidarity, New York / Bern / Frankfurt a.M. / Paris 1989
- From Critical Theory to Critical Political Theology: Personal Autonomy and Universal Solidarity, New York / Bern / Frankfurt a.M. / Paris 1994
Siller, H.P., Unabgeschlossene Überlegungen zu einer Pragmatik des Vorbilds, in: G. Biemer / A. Biesinger (Hg.), Christ werden braucht Vorbilder, Mainz 1983, 36-52
- Kirchliches Handeln im Dienst der Selbstbekundung Jesu Christi, in: ThPr 24 (1989) 282-293
- Handbuch der Religionsdidaktik, Freiburg 1991

Simpson, G.M., Theologia Crucis and the Forensicly Fraught World: Engaging Helmut Peukert and Jürgen Habermas, in: JAAR 57 (1989) 509-541

Soosten, J. v., Zur theologischen Rezeption von Jürgen Habermas' "Theorie des kommunikativen Handelns", in: ZEE 34 (1990) 129-143

Soukup, P., Communication and Theology, London 1983

Stobbe, H.-G. / J. May, Übereinstimmung und Handlungsfähigkeit. Zur Grundlage ökumenischer Konsensbildung und Wahrheitsfindung, in: P. Lengsfeld (Hg.), Ökumenische Theologie, Stuttgart / Berlin / Köln / Mainz 1980, 301-337

Tafferner, A., Gottes- und Nächstenliebe in der deutschsprachigen Theologie des 20. Jahrhunderts, Innsbruck 1992

Theobald, C., Maurice Blondel und das Problem der Modernität. Beitrag zu einer epistemologischen Standortbestimmung der Fundamentaltheologie, Frankfurt a.M. 1988

Track, J., Theologie und Philosophie im Dialog, in: VF 35 (1990) 3-30

Van der Ven, J., Entwurf einer empirischen Theologie, Kampen / Weinheim 1990

Vergauwen, G., "Seid stets bereit, jedem Rede und Antwort zu stehen, der nach der Hoffnung fragt, die euch erfüllt" (1 Petr 3, 15). Ekklesiologische Aspekte einer Erneuerung der christlichen Apologie, in: C.-J. Pinto de Oliveira (Hg.), Novitas et veritas vitae (FS S. Pinckaers), Fribourg / Paris 1993, 103-138

Verweyen, H., Fundamentaltheologie - Hermeneutik - Erste Philosophie, in: ThPh 56 (1981) 358-388

- Fundamentaltheologie: zum 'status quaestionis', in: ThPh 61 (1986) 312-335

- Gottes letztes Wort. Grundriß der Fundamentaltheologie, Düsseldorf 1991

Vries, H. de, Theologie im Pianissimo. Zwischen Rationalität und Dekonstruktion, Kampen 1989

Wagner, H., Einführung in die Fundamentaltheologie, Darmstadt 1981

Walsh, T.G., Religion and Communicative Action, in: Thought 62 (1987) 111-125

Weigand, W., Solidarität durch Konflikt. Zu einer Theorieentwicklung von Solidarität, Münster 1979

Werbick, J., Glaube im Kontext. Prolegomena und Skizzen zu einer elementaren Theologie, Zürich [2]1987

Weß, P., Gemeindekirche - Ort des Glaubens. Die Praxis als Fundament und Konsequenz der Theologie, Graz / Wien / Köln 1989

Wiebe, D., Reply to H. Peukert, "Fundamental theology and communicative praxis as the ethics of universal solidarity", in: The Conrad Grebel Review 3 (1985) 182-185

Wohlmuth, J., Zur Bedeutung der "Geschichtsthesen" Walter Benjamins für die christliche Eschatologie, in: EvTh 50 (1990) 2-20

Zerfaß, R., Gottesdienst als Handlungsfeld der Kirche, in: LJ 38 (1988) 30-58

- Grundkurs Predigt. 2 Bde., Düsseldorf 1987/92
- */F. Kamphaus (Hg.)*, Die Kompetenz des Predigers, Münster 1980